KB085655

정답과 해설

I 물질의 구성

01 원소

학습 내용 Check

1권 013쪽　**1** 탈레스　**2** 아리스토텔레스　**3** 연금술
　　　　　4 라부아지에

1권 014쪽　**1** 원소　**2** 성질　**3** 수소

1권 016쪽　**1** ㉠ 노란색, ㉡ 구리, ㉢ 보라색, ㉣ 빨간색, ㉤ 칼슘,
　　　　　㉥ 빨간색　**2** 연속　**3** 선

탐구 확인 문제
1권 017쪽

1 ⑤　　**2** ③

1 구리는 청록색, 리튬과 스트론튬은 빨간색, 바륨은 황록색, 칼슘은 주황색 불꽃 반응 색이 나타난다.

2 ① 불꽃 반응은 실험 방법이 비교적 간단하다.
②, ④ 금속 원소의 종류의 같으면 불꽃 반응 색이 같다.
③ 불꽃 반응으로 일부 금속 원소만 구별할 수 있다.
⑤ 리튬, 스트론튬과 같이 다른 종류의 원소인 경우에도 불꽃 반응 색이 비슷할 수도 있다.

개념 확인 문제
1권 020쪽~022쪽

01 ③　**02** ①　**03** ⑤　**04** ㄱ, ㄷ, ㄹ, ㅁ
05 ⑤　**06** ③　**07** ②, ③　**08** 질소　**09** ①
10 ②　**11** ②　**12** ④　**13** ③　**14** ⑤
15 ①, ③　**16** ④　**17** ③

01 (가) 탈레스의 1원소설, (나) 연금술, (다) 라부아지에의 원소설, (라) 아리스토텔레스의 4원소설이므로 시대 순으로 나열하면 (가)−(라)−(나)−(다)이다.

02 물을 뜨거운 주철관을 통과할 때 산소와 수소로 분해되어 산소는 주철관의 철과 결합하고, 수소는 집기병에 모이게 된다. 라부아지에는 물을 분해하여 수소와 산소를 얻음으로써 물이 물질을 이루는 원소가 아님을 증명하였고, 이에 따라 아리스토텔레스의 4원소설이 잘못되었음을 밝혔다.

03 원소는 더 이상 다른 물질로 분해되지 않으면서 물질을 이루는 기본 성분이다. 원소가 다양하게 조합되어 물질을 구성하므로 물질의 종류는 원소의 종류보다 많다. 현재까지 118가지의 원소가 알려져 있다. 원소는 자연에서 발견된 것도 있고, 인공적으로 만들어진 것도 있다.

04 탄소, 구리, 알루미늄, 철은 더 이상 분해되지 않는 물질로, 원소이다.

05 (가) 반도체 소자에 이용된다. − 규소
(나) 전류를 잘 흐르게 하여 전선에 이용된다. − 구리
(다) 연필심과 다이아몬드를 이루는 원소이다. − 탄소

06 물은 수소와 산소로 분해되므로 원소가 아님을 확인할 수 있다. 물을 전기 분해하면 (+)극 쪽에서는 산소 기체가, (−)극 쪽에서는 수소 기체가 발생한다.

07 (가)는 한 가지 원소로만 이루어진 물질, (나)는 여러 가지 원소로 이루어진 물질이다. 따라서 (가)의 물질은 성분 원소로 더 이상 분해되지 않지만, (나)의 물질은 성분 원소로 분해된다.

08 질소는 공기 중 약 78 %를 차지하며, 다른 물질과 거의 반응하지 않아 과자 봉지의 충전 기체로 이용된다.

09 ① 소금물을 증발시키면 소금이 남지만, 물과 소금은 각각 원소로 다시 분해되므로, 물과 소금은 원소가 아니다.
②, ③, ④, ⑤ 물은 수소와 산소로 이루어져 있고, 소금은 염소와 나트륨으로 이루어져 있다.

10 ㄴ. 규소는 반도체의 성질을 나타낸다.
ㄷ. 헬륨은 공기보다 가볍고 폭발의 위험이 없다.

11 니크롬선은 불꽃 반응 색이 나타나지 않지만, 구리 선은 청록색의 불꽃 반응 색을 나타내기 때문에 사용할 수 없다.

12 불꽃 반응 색을 통해 일부 금속 원소의 존재를 확인할 수 있지만, 물질을 구성하는 모든 성분 원소의 종류는 알 수 없다.

13 물질을 이루는 금속 원소에 따라 독특한 불꽃 반응 색이 나타난다.
•염화 구리(Ⅱ), 황산 구리(Ⅱ): 청록색　•탄산 칼슘: 주황색
•염화 칼륨, 질산 칼륨: 보라색　•염화 나트륨: 노란색
•염화 바륨, 질산 바륨: 황록색　•염화 스트론튬: 빨간색

14 칼륨을 포함한 물질의 불꽃 반응 색은 보라색, 리튬이나 스트론튬을 포함한 물질의 불꽃 반응 색은 빨간색, 나트륨을 포함한 물질의 불꽃 반응 색은 노란색을 나타낸다.

15 염소를 포함한 물질의 불꽃 반응을 통해 황록색 불꽃 반응 색이 염소에 의한 것이 아님을 알 수 있고, 바륨을 포함하는 물질의 불꽃 반응을 통해 황록색 불꽃 반응 색이 바륨에 의한 것임을 알 수 있다.

16 리튬, 스트론튬과 같이 불꽃 반응 색이 비슷해서 구분하기 어려운 원소들도 선 스펙트럼의 모양이 다르므로 구분할 수 있다.

17 원소의 종류에 따라 선 스펙트럼에서 나타나는 선의 색깔이나 선의 위치, 개수, 굵기가 모두 다르다. 원소 A의 선 스펙트럼에 나타난 선은 물질 (가), (나), (다)의 선 스펙트럼과 일치하고, 원소 B의 선 스펙트럼에 나타난 선은 물질 (가), (다), (라)의 선 스펙트럼과 일치한다.

04 원소의 종류에 따라 선 스펙트럼에서 선의 색, 굵기, 개수 등이 다르다. 따라서 같은 원소가 포함되어 있으면 선 스펙트럼의 선의 색, 굵기, 개수가 같다. 물질 X의 선 스펙트럼은 원소 (가)와 (다)의 선 스펙트럼을 포함하고 있으므로, 원소 (가)와 (다)는 물질 X의 성분 원소이다.

◆ 실력 강화 문제
1권 023쪽

01 ⑤   **02** ⑤   **03** ②   **04** ②

01 라부아지에는 당시에 실험을 통해 분해되지 않는 것은 원소로 보고 33종의 원소를 발표하였다. 4그룹의 물질들은 당시에는 분해되지 않았지만, 그 이후에 과학의 발달로 분해됨이 밝혀졌다.

02 ①, ③ 탄산수소 나트륨은 탄소, 산소, 수소, 나트륨의 총 4가지 원소로 이루어진 물질이다.
② 탄산 나트륨은 나트륨에 의해 노란색 불꽃 반응 색이 나타나지만, 이산화 탄소는 불꽃 반응 색이 나타나지 않는다.
④ 탄산 나트륨은 탄소, 산소, 나트륨으로 분해될 수 있고, 이산화 탄소는 탄소, 산소로 분해될 수 있다.

| **도움이 되는 배경 지식** | 탄산수소 나트륨의 가열
탄산수소 나트륨을 가열하면 다음과 같이 분해된다.

탄산수소 나트륨 ⟶ 탄산 나트륨 + 이산화 탄소 + 물
                              탄소, 산소,   탄소, 산소   수소,
                                나트륨   산소

이때 화학 변화 전후에 원소의 종류는 변하지 않는다.

03 ② 땀에는 나트륨이 포함되어 있기 때문에 노란색 불꽃 반응 색이 나타난다.
③ 염화 칼륨은 칼륨에 의해 보라색 불꽃 반응 색이 나타난다.

◆ 서술형 문제
1권 024쪽~025쪽

1 물을 뜨거운 주철관에 흘려 주면 물이 산소와 수소로 분해된다. 이때 산소는 주철관을 이루는 철과 결합하므로 주철관이 녹이 슨다. 수소는 물에 잘 녹지 않으므로 냉각수를 통과시켜 모을 수 있다. 라부아지에는 물을 산소와 산소로 분해함으로써 물이 원소가 아니라는 것을 증명하였다.

> **모범 답안** 물을 산소와 수소로 분해함으로써 물이 원소가 아님을 증명하였다.

채점 기준	배점
물이 수소와 산소로 분해됨을 쓰고, 물이 원소가 아님을 증명하였다고 설명한 경우	100%
물이 수소와 산소로 분해되었다 또는 물이 원소가 아님을 증명하였다 중 한 가지만 옳게 설명한 경우	70%

2 수산화 나트륨을 녹인 물을 전기 분해 장치에 넣고 전류를 흘려 주면 (−)극 쪽의 유리관에는 수소 기체가 모이고, (+)극 쪽의 유리관에는 산소 기체가 모인다.

> **모범 답안** (+)극에서는 산소 기체가, (−)극에서는 수소 기체가 발생한다. 아리스토텔레스의 4원소설에서는 물을 원소로 보았지만 물은 분해되므로 원소가 아니다. 따라서 4원소설은 옳지 않다.

채점 기준	배점
기체의 종류를 옳게 쓰고, 4원소설이 옳지 않음을 그 까닭과 함께 옳게 설명한 경우	100%
기체의 종류 또는 4원소설이 옳지 않음 중 한 가지만 옳게 쓰거나 설명한 경우	30%

3 수소는 가장 가벼운 원소로, 폭발력이 강하기 때문에 우주 왕복선의 연료로 이용된다.

> **모범 답안** 수소, 폭발력이 강하기 때문이다.

채점 기준	배점
수소라고 옳게 쓰고, 우주 왕복선의 연료로 이용되는 까닭을 옳게 설명한 경우	100%
수소라고만 쓴 경우	30%

4 **모범 답안** 염소를 포함한 물질의 불꽃 반응 색과 나트륨을 포함한 물질의 불꽃 반응 색을 비교하여 확인한다.

채점 기준	배점
염소를 포함한 물질과 나트륨을 포함한 물질을 모두 확인해 본다고 옳게 설명한 경우	100%
나트륨을 포함한 물질을 확인해 본다고만 설명한 경우	70%

5 불꽃 반응은 금속 원소를 포함하고 있는 물질을 겉불꽃에 넣을 때, 금속 원소의 종류에 따라 서로 다른 불꽃 반응 색을 나타내는 현상으로, 물질의 종류가 달라도 같은 금속 원소를 포함하면 같은 불꽃 반응 색이 나타난다.

모범 답안 (1) ㉠과 ㉢의 불꽃 반응 색은 노란색, ㉣과 ㉥의 불꽃 반응 색은 청록색이다.

(2) 시료를 바꿀 때마다 니크롬선을 묽은 염산으로 깨끗이 씻으면 남은 시료나 불순물이 제거되어 각 시료의 정확한 불꽃 반응 색을 관찰할 수 있다.

	채점 기준	배점
(1)	두 가지 경우를 모두 옳게 설명한 경우	50%
	한 가지 경우만 옳게 설명한 경우	30%
(2)	니크롬선을 묽은 염산으로 씻는 까닭을 옳게 설명한 경우	50%

6 **모범 답안** 포함된 원소는 나트륨, 구리, 리튬 또는 스트론튬이다. 불꽃놀이는 불꽃 반응을 이용한 것이며, 불꽃 반응 색이 노란색인 금속 원소는 나트륨, 청록색인 금속 원소는 구리, 빨간색인 금속 원소는 리튬이나 스트론튬이다.

채점 기준	배점
원소의 이름과 그 까닭을 모두 옳게 설명한 경우	100%
원소의 이름만 옳게 설명한 경우	30%

7 불꽃 반응 색이 비슷한 원소는 선 스펙트럼으로 구별할 수 있다.

모범 답안 염화 리튬과 염화 스트론튬의 불꽃 반응 색을 각각 분광기로 관찰한다. 이때 나타나는 선 스펙트럼을 리튬, 스트론튬의 선 스펙트럼과 비교하여 리튬과 스트론튬 원소를 구별한다.

채점 기준	배점
분광기로 선 스펙트럼을 관찰하여 리튬, 스트론튬의 선 스펙트럼과 비교한다고 옳게 설명한 경우	100%
두 물질의 선 스펙트럼을 비교한다고만 설명한 경우	50%

8 원소의 선 스펙트럼은 한 가지 원소로 이루어져 있는 경우나 두 가지 이상의 원소가 들어 있는 물질 속에 들어 있는 경우나 변하지 않는다.

모범 답안 리튬과 스트론튬, 물질 X의 선 스펙트럼에 리튬과 스트론튬의 선 스펙트럼이 모두 포함되어 있기 때문이다.

채점 기준	배점
포함된 원소를 쓰고, 그 까닭을 옳게 설명한 경우	100%
포함된 원소만 옳게 쓴 경우	30%

02 원자와 분자

학습 내용 Check

1권 026쪽	**1** 입자설	**2** 원자
1권 028쪽	**1** 원자	**2** 원자핵, 전자
	3 ㉠ +6, ㉡ +12, ㉢ 2, ㉣ 7	
1권 029쪽	**1** 분자	**2** 2, 1 **3** 다른
1권 031쪽	**1** ㉠ O, ㉡ 마그네슘, ㉢ 황, ㉣ Cl, ㉤ Cu, ㉥ 칼슘	
	2 분자식 **3** 2, 4, 2	

개념 확인 문제

1권 036쪽~038쪽

01 ②	**02** ④	**03** ③	**04** ⑤	**05** ②
06 ④	**07** 전자의 총 전하량: -3, 원자의 전하량: 0			
08 ⑤	**09** ⑤	**10** ④	**11** ①	**12** ④
13 ④	**14** ②	**15** 수소 분자 수: 3, 산소 분자 수: 4,		
수소 원자 수: 6, 산소 원자 수: 8			**16** ③	**17** ③

01 (가)는 아리스토텔레스의 연속설, (나)는 데모크리토스의 입자설을 나타낸 것이다. 아리스토텔레스는 물질은 연속적으로 이루어져 있어서 빈 공간(진공)이 존재하지 않는다고 주장하였고, 데모크리토스는 물질은 입자와 빈 공간(진공)으로 이루어져 있다고 주장하였다.

02 보일은 J자 유리관 속에 수은을 넣으면 막힌 쪽 유리관의 공기가 압축된다는 사실을 발견하여, '공기는 입자와 그 입자가 운동할 수 있는 빈 공간, 즉 진공으로 이루어져 있다.'라고 주장하였다.

03 돌턴의 원자설에 따르면 화학 변화가 일어나도 원자의 종류는 변하지 않고, 원자의 배열이 변하여 새로운 물질이 생성된다.

04 원자핵의 (+)전하량과 전자의 총 (−)전하량의 합은 같으므로 원자는 전기적으로 중성을 띤다.

05 원소는 물질을 이루는 기본 성분이고, 원자는 물질을 이루는 기본 입자이다. 물을 이루는 성분은 수소 원소, 산소 원소이고, 물 분자 1개는 수소 원자 2개와 산소 원자 1개로 이루어져 있다.

06 (가)는 원자핵, (나)는 전자이다. 원자핵의 질량은 전자보다 매우 크다. 원자핵의 전하량은 전자의 총 전하량과 같기 때문에 원자는 전기적으로 중성이다.

07 원자핵의 전하량이 +3이므로, 전자의 총 전하량은 −3이고, 원자의 전하량은 0으로 전기적으로 중성이다.

08 ㄱ, ㄷ. 원자는 원자핵의 (+)전하량과 전자의 총 (−)전하량의 합이 0이 되므로 전기적으로 중성이다.
ㄴ. 마그네슘 원자의 원자핵 전하량이 +12이므로, 전자의 수는 12개이다.

09 나트륨 원자는 원자핵의 전하량이 +11이므로, 전자의 개수는 11개이어야 한다.

10 ① 분자 1개를 분자 모형으로 나타낸 것이다.
② 질소 원자 1개, 수소 원자 3개로 이루어진 물질은 암모니아이다. 메테인 분자 1개는 탄소 원자 1개, 수소 원자 4개로 이루어져 있다.
③, ⑤ 질소 원자 1개, 수소 원자 3개로 이루어져 있으므로, 원자는 총 4개이다.

11 3HCl은 염화 수소(HCl) 분자 3개를 의미한다. HCl은 수소 원자와 염소 원자로 이루어진 분자이므로 다른 색깔의 모형으로 나타내야 하고, 분자 3개가 따로 존재해야 한다. ②는 같은 종류의 원자 2개로 이루어진 분자 3개를 나타낸다.

12 원소 이름과 원소 기호는 다음과 같다.
구리(Cu), 금(Au), 질소(N), 수소(H), 칼슘(Ca), 리튬(Li)

13 염소(Cl)는 수돗물 소독에 이용되고, 철(Fe)은 기계, 철근, 건축 재료 등에 이용된다. 금(Au)은 장신구, 전자 부품으로 이용된다.

14 자료 분석하기
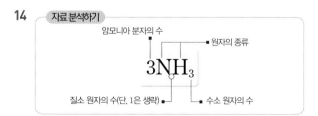

① 수소 원자는 총 9개이다.
② $3NH_3$는 질소 원자 3개, 수소 원자 9개로 총 12개의 원자로 이루어져 있다.
③ 암모니아는 질소 원소, 수소 원소로 이루어져 있다.
④ $3NH_3$는 암모니아 분자 3개를 나타낸다.
⑤ 암모니아 분자 1개는 질소 원자 1개와 수소 원자 3개로 총 4개의 원자로 이루어져 있다.

15 용기 안에는 수소 분자 3개, 산소 분자 4개가 들어 있으며, 수소 분자 1개는 2개의 수소 원자로 이루어져 있고, 산소 분자 1개는 2개의 산소 원자로 이루어져 있다. 따라서 수소 원자는 6개, 산소 원자는 8개이다.

16 같은 종류의 원자로 이루어져 있어도 분자를 이루는 원자 수나 배열이 다르면 서로 다른 물질이다. 따라서 산소 기체와 오존 기체는 같은 종류의 원자로 이루어져 있어도 원자의 수와 배열이 다르기 때문에 성질이 다른 물질이다.

17 수소는 H_2, 산소는 O_2, 질소는 N_2, 이산화 탄소는 CO_2, 물은 H_2O이다.

실력 강화 문제
1권 039쪽

01 ①, ④ **02** ④ **03** ⑤ **04** ③ **05** 과산화 수소, H_2O_2

01 주사기의 피스톤을 누르면 공기의 입자와 입자 사이의 빈 공간이 감소하여 공기의 부피가 줄어드는 것이며, 이는 데모크리토스의 입자설로 설명할 수 있다. ①, ④는 입자설에 대한 설명이며, ②, ③, ⑤는 연속설에 대한 설명이다.

02 (가)는 물(H_2O), (나)는 암모니아(NH_3), (다)는 메테인(CH_4)이다.
① (가)~(다)에는 모두 수소 원자가 포함되어 있다.
③ (나)는 질소 원자와 수소 원자로 이루어져 있다.
④, ⑤ (다)는 분자식으로 CH_4이며, 메테인 분자 1개는 탄소 원자 1개와 수소 원자 4개로 총 5개의 원자로 이루어져 있다.

03 원자의 원자핵의 (+)전하량은 +3이고, 전자의 총 (−) 전하량은 −3이므로 원자핵과 전자의 총 전하량의 합은 0이다. 원자의 종류에 따라 원자핵의 전하량과 전자 수는 달라진다.

04 ㄱ, ㄴ. 원자는 전기적으로 중성이며, 원자의 종류에 따라 전자 수가 다르다.

ㄷ. 전자 수가 많을수록 원자핵의 전하량이 크다. 따라서 원자핵의 전하량은 (가)<(나)<(다) 순이다.

05 수소 원자는 H, 산소 원자는 O로 나타내고, 총 원자의 개수는 4개이면서 1 : 1의 개수비이므로 과산화 수소이며, 분자식은 H_2O_2이다.

서술형 문제

1권 040쪽~041쪽

1 보일은 J자관 실험을 통해 물질은 입자로 되어 있고, 입자와 입자 사이에는 빈 공간이 존재함을 증명하였으며, 이로써 아리스토텔레스의 연속설이 옳지 않음을 밝혔다.

모범 답안 공기 입자 사이는 빈 공간으로 이루어져 있으며, 수은을 넣을수록 공기 입자 사이의 거리가 가까워져서 빈 공간이 줄어들므로 부피가 감소한다.

채점 기준	배점
공기의 부피가 감소하는 까닭을 공기 입자와 관련지어 옳게 설명한 경우	100 %
공기는 입자로 이루어져 있다고만 설명한 경우	40 %

2 (가) 아리스토텔레스의 연속설, (나) 데모크리토스의 입자설을 나타낸다. 물질은 입자와 빈 공간으로 이루어져 있고, 물질의 종류에 따라 입자의 크기가 다르므로 물과 에탄올을 섞으면 큰 입자(물) 사이의 빈 공간으로 작은 입자(에탄올)가 끼어든다.

모범 답안 (나), 물질은 입자와 빈 공간으로 이루어져 있고, 물질의 종류에 따라 입자의 크기가 다르므로 두 물질을 섞으면 큰 입자 사이의 빈 공간으로 작은 입자가 끼어들기 때문에 부피가 감소한다.

채점 기준	배점
(나)를 고르고, 그 까닭을 옳게 설명한 경우	100 %
(나)만 고른 경우	30 %

3 **모범 답안** (가)는 원자는 양성자, 중성자, 전자로 이루어져 있으므로 수정되어야 하며, (나)는 같은 원자라도 질량이 다른 동위 원소가 존재하기 때문에 수정되어야 한다.

채점 기준	배점
수정되어야 할 내용을 모두 옳게 고르고, 그 까닭을 옳게 설명한 경우	100 %
수정되어야 할 내용만 모두 옳게 고른 경우	30 %

4 원자는 (+)전하를 띠는 원자핵과 (−)전하를 띠는 전자로 이루어져 있다.

모범 답안 (가) 원자핵, (나) 전자. 원자핵의 (+)전하량과 전자의 총 (−)전하량이 같으므로 원자는 전기적으로 중성이다.

채점 기준	배점
(가), (나)의 이름을 쓰고, 그 까닭을 모두 옳게 설명한 경우	100 %
(가), (나)의 이름만 각각 쓴 경우	30 %

5 원자핵의 전하량은 (가) +2, (나) +6, (다) +9이다. 원자는 원자핵의 (+)전하량과 전자의 총 (−)전하량이 같아 전기적으로 중성을 띠므로, 전자 수로 원자핵의 전하량을 알 수 있다.

모범 답안 (다) > (나) > (가). 원자는 원자핵의 (+)전하량과 전자의 총 (−)전하량의 크기가 같아 중성이므로, 전자 수를 알면 원자핵의 전하량을 알 수 있다.

채점 기준	배점
원자핵의 전하량을 비교하고, 그 까닭을 옳게 서술한 경우	100 %
원자핵의 전하량만 옳게 비교한 경우	50 %

6 **모범 답안**

나트륨 원자   헬륨 원자

원자는 원자핵의 (+)전하량과 전자의 총 (−)전하량의 크기가 같으므로, 나트륨 원자의 전자 수는 11개, 헬륨 원자의 전자 수는 2개이다.

채점 기준	배점
나트륨과 헬륨의 원자 모형을 옳게 완성하고, 그 까닭을 옳게 설명한 경우	100 %
나트륨과 헬륨의 원자 모형만 옳게 완성한 경우	50 %

7 **모범 답안** 같은 종류의 원자로 이루어져 있어도 분자를 이루는 원자 수나 배열이 다르면 서로 다른 물질이다.

채점 기준	배점
원자 수, 원자 배열과 관련지어 옳게 설명한 경우	100 %
원자 수 또는 원자 배열 중 하나만 관련지어 설명한 경우	50 %

8 분자식으로 분자의 종류, 분자의 총 개수, 분자를 이루는 원자의 종류, 분자를 이루는 원자의 개수비, 분자 1개를 이루는 원자의 개수, 분자를 이루는 원자의 총 개수 등을 알 수 있다.

모범 답안 암모니아는 질소 원소와 수소 원소로 이루어져 있다. 암모니아 분자 1개는 질소 원자 1개와 수소 원자 3개로 이루어져 있다. 암모니아 분자 1개는 총 4개의 원자로 이루어져 있다. 등

채점 기준	배점
분자식을 통해 알 수 있는 것 두 가지를 설명한 경우	100%
분자식을 통해 알 수 있는 것 한가지만 설명한 경우	50%

9 **모범 답안** 이산화 탄소는 산소 원소, 탄소 원소로 이루어져 있고, 이산화 탄소 분자 1개는 산소 원자 2개, 탄소 원자 1개로 총 3개의 원자로 이루어져 있다.

채점 기준	배점
원소의 종류와 원자의 개수를 모두 옳게 설명한 경우	100%
원소의 종류와 원자의 개수 중 한 가지만 옳게 설명한 경우	50%

03 이온

학습 내용 Check

1권 044쪽 **1** 잃으, 얻으

2 (1) 리튬 이온 (2) 아이오딘화 이온 (3) 수산화 이온 (4) Ca^{2+} (5) O^{2-} (6) NO_3^-

1권 045쪽 **1** 전해질 **2** 양, 음

1권 048쪽 **1** (1) × (2) ○ (3) ○ (4) ○ **2** 염화 은

탐구 확인 문제

1권 049쪽

1 ③
2 (+)극: MnO_4^-, SO_4^{2-}, NO_3^- (−)극: K^+, Cu^{2+}

1 양이온은 (−)극 쪽으로 이동하고, 음이온은 (+)극 쪽으로 이동한다.

	(−)극으로 이동		(+)극으로 이동
$CuSO_4$ 황산 구리 (Ⅱ) 수용액	Cu^{2+} 구리 이온 (파란색)	+	SO_4^{2-} 황산 이온 (무색)
$KMnO_4$ 과망가니즈산 칼륨 수용액	K^+ 칼륨 이온 (무색)	+	MnO_4^- 과망가니즈산 이온 (보라색)
KNO_3 질산 칼륨 수용액	K^+	+	NO_3^-

2 양이온은 (−)극 쪽으로 이동하고, 음이온은 (+)극 쪽으로 이동한다. 파란색을 띠는 구리 이온(Cu^{2+})은 (−)극 쪽으로 이동하고, 보라색을 띠는 과망가니즈산 이온(MnO_4^-)은 (+)극 쪽으로 이동한다. 무색인 황산 이온(SO_4^{2-}), 질산 이온(NO_3^-)은 (+)극 쪽으로, 칼륨 이온(K^+)은 (−)극 쪽으로 이동한다.

탐구 확인 문제

1권 050쪽

1 ⑤ **2** $AgNO_3$, Na_2CO_3 **3** ②

1 수용액 속의 양이온과 음이온이 반응하여 물에 녹지 않는 앙금을 생성한다. 염화 칼슘 수용액과 탄산 나트륨 수용액이 반응하여 흰색의 앙금인 탄산 칼슘($CaCO_3$)이 생성된다. 이때 칼슘 이온(Ca^{2+})과 탄산 이온(CO_3^{2-})은 알짜 이온이고, 염화 이온(Cl^-)과 나트륨 이온(Na^+)은 구경꾼 이온으로 반응에 참여하지 않는다.

2 칼슘 이온(Ca^{2+})은 탄산 이온(CO_3^{2-})과 반응하여 흰색 앙금인 탄산 칼슘($CaCO_3$)이 생성되고, 염화 이온(Cl^-)은 은 이온(Ag^+)과 반응하여 흰색 앙금인 염화 은($AgCl$)이 생성된다.

3 나트륨 이온(Na^+), 질산 이온(NO_3^-)은 앙금을 생성하지 않는다.
① $AgCl$(흰색 앙금) 생성, ③ $CaSO_4$(흰색 앙금) 생성, ④ $CaCO_3$(흰색 앙금) 생성, ⑤ $BaSO_4$(흰색 앙금) 생성

개념 확인 문제

1권 054쪽~057쪽

01 ①	**02** ④	**03** ④	**04** ④
05 A, D: 양이온, B, C: 음이온		**06** ①	**07** ⑤
08 ⑤	**09** ④	**10** ④	**11** ②	**12** ③
13 ④	**14** ⑤	**15** (+)극: SO_4^{2-}, MnO_4^-, NO_3^-	
(−)극: Cu^{2+}, K^+		**16** ③, ⑤	**17** ④, ⑤	**18** ④
19 ④	**20** 탄산 칼슘, 흰색	**21** ③	

01 ㄱ. 이온은 전기적으로 중성인 원자들이 (−)전하를 띤 전자를 잃거나 얻어서 전하를 띠게 된 입자이다.
ㄴ, ㄷ. 원자가 전자를 얻으면 음이온이 된다.
ㄹ. 양이온은 원자핵의 (+)전하량이 전자의 총 (−)전하량보다 크고, 음이온은 원자핵의 (+)전하량이 전자의 총 (−)전하량보다 작다.

02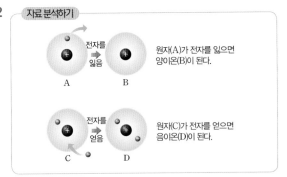

자료 분석하기

전자를 잃음
원자(A)가 전자를 잃으면 양이온(B)이 된다.

A   B

전자를 얻음
원자(C)가 전자를 얻으면 음이온(D)이 된다.

C   D

① A는 중성인 원자이다.
② B는 A보다 전자 수가 적다.
③ C는 중성인 원자이다.
④ 원자가 이온이 될 때 원자핵의 (+)전하량은 변하지 않고, 전자의 이동에 의해 전자의 총 (−)전하량만 변한다.
⑤ B는 양이온, D는 음이온이다.

03

자료 분석하기

모형	전자를 잃음 +11 → +11	
	나트륨(Na) 원자	
	나트륨 원자	나트륨 이온
원자핵의 전하	+11	+11
전자 수(개)	11	10
전자의 총 전하량	−11	−10
입자의 표현	Na	Na$^+$

나트륨 이온의 전자의 총 (−)전하량은 원자핵의 (+)전하량보다 작다.

04 입자는 원자핵의 (+)전하량은 +9이고, 전자의 총 (−)전하량은 −10이므로 음이온이다. 즉, 원자가 전자를 1개 얻어서 −1의 전하를 띠는 음이온이 형성된다.

05 원자의 원자핵의 (+)전하량의 크기는 전자의 총 (−)전하량의 크기와 같다. 따라서 원자핵의 (+)전하량 > 전자의 총 (−)전하량이면 양이온, 원자핵의 (+)전하량 < 전자의 총 (−)전하량이면 음이온이다.

이온	A	B	C	D
원자핵의 전하량	+11	+16	+17	+20
전자 수(개)	10	18	18	18
이온의 종류와 전하	+1의 양이온	−2의 음이온	−1의 음이온	+2의 양이온

06 그림은 원자가 전자 2개를 잃고 +2의 양이온이 되는 과정

을 나타낸 것이다. K$^+$은 +1의 양이온, Mg^{2+}은 +2의 양이온, NH$_4^+$은 +1의 양이온, Cl$^-$은 −1의 음이온, S^{2-}은 −2의 음이온, NO$_3^-$은 −1의 음이온이다.

07 Mg은 전자 2개를 잃어서 +2의 양이온이 된다. 마그네슘 이온은 Mg^{2+}로 표시한다.

08 원자가 전자 1개를 얻으면 −1의 음이온이 되고, 원자가 전자 2개를 잃으면 +2의 양이온이 된다. SO$_4^{2-}$은 여러 개의 원자가 모여 1개의 원자처럼 전자 2개를 얻어 형성된 음이온이다.

09 염화 나트륨은 양이온인 나트륨 이온(Na$^+$)과 음이온인 염화 이온(Cl$^-$)이 1 : 1의 개수비로 결합한 화합물로 NaCl로 나타낸다. 이온이 결합하여 이루어진 화합물은 양이온과 음이온이 반복적으로 결합되어 있다.

10 양이온은 원소 이름 뒤에 '~이온'을 붙이고, 음이온은 원소 이름 뒤에 '~화 이온'을 붙인다. 이때 원소 이름이 '~소'로 끝나는 경우에는 '소'를 생략하고 '~화 이온'을 붙인다.
① H$^+$ − 수소 이온, ② I$^-$ − 아이오딘화 이온,
③ O^{2-} − 산화 이온, ⑤ SO$_4^{2-}$ − 황산 이온

11 음이온은 원소 이름 뒤에 '~화 이온'을 붙인다. 따라서 플루오린화 이온이다.

12 ㄱ, ㄷ. (가)에서는 수용액에 이온이 없으므로 전류가 거의 흐르지 않으므로 고체 A는 비전해질이고, (나)에서는 수용액에 이온이 있으므로 전류가 잘 흐르므로 고체 B는 전해질이다.
ㄴ. 설탕은 비전해질이므로 설탕물은 (가)로 나타낼 수 있다.

| 도움이 되는 배경 지식 | 전해질과 비전해질

전해질	비전해질
전해질 수용액에는 전하를 띤 이온이 존재하므로 전류가 흐른다.	비전해질 수용액에는 전하를 띤 입자가 없으므로 전류가 흐르지 않는다.

13 소금은 전해질로, 소금물에는 나트륨 이온(Na$^+$)과 염화 이온(Cl$^-$)이 존재하므로 전극을 넣으면 나트륨 이온(Na$^+$)은 (−)극 쪽으로, 염화 이온(Cl$^-$)은 (+)극 쪽으로 이동하여 전류가 흐른다.

14 황산 구리(Ⅱ) 수용액의 파란색 물질이 (−)극 쪽으로 이동하므로 파란색 물질은 양이온인 Cu^{2+}이며, 과망가니즈산 수용액의 보라색 성분이 (+)극 쪽으로 이동하므로 보라색 성분은 음이온인 MnO$_4^-$이다. 질산 칼륨은 전해질로 전류를 흐르게 하는 역할을 하므로, 전류가 흐르지 않는 설탕은 질산 칼륨 대신 사용할 수 없다.

15 각 전극으로 이동한 이온은 다음과 같다.

	(−)극으로 이동하는 이온		(+)극으로 이동하는 이온
$CuSO_4 \longrightarrow$	Cu^{2+}(파란색)	$+$	SO_4^{2-}
$KMnO_4 \longrightarrow$	K^+	$+$	MnO_4^-(보라색)
$KNO_3 \longrightarrow$	K^+	$+$	NO_3^-

16 서로 다른 이온이 들어 있는 수용액을 혼합하면 서로 반응하는 이온과 반응하지 않는 이온이 있다. 이때 서로 반응하여 앙금이 생성되는 반응을 앙금 생성 반응이라고 한다.
③ $2KI + Pb(NO_3)_2 \longrightarrow 2KNO_3 + PbI_2\downarrow$(노란색)
⑤ $CuCl_2 + H_2S \longrightarrow 2HCl + CuS\downarrow$(검은색)

17 (가)는 탄산 나트륨 수용액이고, (나)는 염화 칼슘 수용액이다.
$Na_2CO_3 + CaCl_2$
$\longrightarrow 2Na^+ + 2Cl^- + CaCO_3\downarrow$(앙금)
(다)에는 나트륨 이온(Na^+)과 염화 이온(Cl^-)이 존재하고 흰색의 탄산 칼슘($CaCO_3$)이 앙금으로 가라앉는다.

18 질산 이온(NO_3^-)과 나트륨 이온(Na^+)은 앙금을 생성하지 않는다. 따라서 (가)에서 물질 X 수용액의 음이온과 질산은 수용액의 은 이온이 반응하여 흰색 앙금이 생성되었고, (나)에서 물질 X 수용액의 양이온과 탄산 나트륨 수용액의 탄산 이온이 반응하여 흰색 앙금이 생성되었다. 따라서 물질 X의 양이온은 칼슘 이온 또는 바륨 이온, 물질 X의 음이온은 염화 이온이 가능하다.

19 염화 칼슘 수용액과 탄산 칼륨 수용액이 반응하면 탄산 칼슘 앙금이 생성된다.
$CaCl_2 + K_2CO_3 \longrightarrow 2K^+ + 2Cl^- + CaCO_3\downarrow$(앙금)
탄산 칼륨 수용액을 넣으면 칼륨 이온의 수는 증가하고 염화 이온의 수는 변화가 없다. 또한, 탄산 칼슘의 앙금이 생성되기 때문에 칼슘 이온의 수는 줄어들게 된다.

20 흰색의 탄산 칼슘($CaCO_3$)이 앙금으로 생성된다.
$CaCl_2 + K_2CO_3 \longrightarrow 2K^+ + 2Cl^- + CaCO_3\downarrow$(앙금)

21 ㄱ. 염화 칼슘 수용액, 질산 칼륨 수용액, 염화 칼륨 수용액 모두 전류가 흐른다.
ㄴ. 불꽃 반응 색으로 금속 원소를 확인할 수 있다. 염화 칼슘 수용액은 주황색, 질산 칼륨과 염화 칼륨 수용액은 보라색 불꽃 반응 색이 나타난다.
ㄷ. 각 수용액에 질산 은 수용액을 떨어뜨리면 염화 칼슘 수용액과 염화 칼륨 수용액은 흰색의 염화 은 앙금이 생성된다.

ㄹ. 각 수용액에 질산 나트륨 수용액을 떨어뜨렸을 때 세 수용액 모두 아무런 변화가 없다.

1권 058쪽~059쪽

01 ②, ⑤　**02** ④　**03** ①　**04** ②　**05** ③
06 ②　**07** ⑤　**08** ②

01 ①, ②, ⑤ (가)는 양이온, (나)는 중성 원자, (다)는 음이온을 나타낸 모형이다. ③ (다)는 중성 원자가 전자 1개를 얻어 형성된다. ④ (가)는 (나)보다 원자핵의 전하량이 크다.

02 칼슘 원자는 전자 2개를 잃어서 +2의 칼슘 이온이 되고, 염소 이온은 전자 1개를 얻어서 −1의 염화 이온이 된다.
ㄴ. 염화 이온은 원자핵의 (+)전하량이 전자의 총 (−)전하량보다 작다.

03 ① 염화 칼륨은 물에 녹아 K^+과 Cl^-으로 이온화하므로 전해질이다.
② 에탄올은 물에 잘 녹지만 수용액에서 전류가 흐르지 않는 비전해질이다.
③ 염화 칼륨은 이온으로 이루어진 물질이지만 고체 상태에서 이온이 움직일 수 없어 전류가 흐르지 않는다.
④, ⑤ 염화 칼륨 수용액에 전류를 흘려 주면 양이온인 K^+은 (−)극 쪽으로 이동하고, 음이온인 Cl^-은 (+)극 쪽으로 이동하므로 전류가 흐른다.

04 (가)에서 염화 바륨 수용액에 의해 흰색 앙금이 생성되므로 X 수용액에는 SO_4^{2-}이나 CO_3^{2-}이 들어 있을 것이다.
$Ba^{2+} + SO_4^{2-} \longrightarrow BaSO_4\downarrow$
$Ba^{2+} + CO_3^{2-} \longrightarrow BaCO_3\downarrow$
(나)에서 불꽃 반응 색이 보라색이므로 X 수용액에는 K^+이 들어 있을 것이다. 따라서 X로 예상되는 물질은 황산 칼륨(K_2SO_4)이나 탄산 칼륨(K_2CO_3)이다.

05 ①, ② 흰색 앙금 A와 B는 모두 AgCl이다.
③ $AgNO_3$ 수용액 중의 NO_3^-은 앙금을 생성하지 않으므로 Na^+과 Ca^{2+}을 구별할 수 없다.
④ $2AgNO_3 + BaCl_2 \longrightarrow Ba(NO_3)_2 + 2AgCl\downarrow$
⑤ $Na_2CO_3 + Ca(OH)_2 \longrightarrow 2NaOH + CaCO_3\downarrow$

06 시험관 A: 나트륨 이온의 불꽃 반응 색은 노란색이다. 시험관 B: 은 이온은 질산 이온과 반응하지 않는다. 시험관 C: 납 이온과 황화 이온이 반응하며 검은색의 황화 납 앙금

이 생성된다. 시험관 D: 칼슘 이온와 탄산 이온이 반응하며 흰색의 탄산 칼슘 앙금이 생성된다. 시험관 E: 염화 이온과 은 이온이 반응하여 흰색의 염화 은 앙금이 생성된다.

07 (가)는 질산 은 수용액과 반응하여 앙금을 생성하지 않으므로 $Ba(NO_3)_2$이고, (나)는 탄산 나트륨 수용액과 반응하여 앙금을 생성하지 않으므로 $NaCl$이며, (다)는 질산 은 수용액, 탄산 나트륨 수용액과 모두 반응하여 흰색 앙금을 생성하므로 $CaCl_2$이다.
ㄱ. (가) 수용액의 불꽃 반응 색은 Ba^{2+} 때문에 황록색이다.
ㄴ. (나)는 $NaCl$으로, 바닷물에 가장 많은 비율로 녹아 있는 물질이다.
ㄷ. (다)는 $CaCl_2$이므로 수용액에는 Ca^{2+}과 Cl^-이 들어 있다.

08 ①, ②, ⑤ 염화 나트륨 수용액과 질산 은 수용액이 만나면 염화 이온(Cl^-)과 은 이온(Ag^+)이 $1:1$의 개수비로 반응하여 흰색의 염화 은 앙금이 생성되고, 나트륨 이온(Na^+)과 질산 이온(NO_3^-)은 반응에 참여하지 않고 용액 속에 이온으로 존재한다. 염화 나트륨 수용액에 질산 은 수용액을 넣어 줄 때 이온 A는 가해 준 $AgNO_3$ 수용액이 증가함에 따라 같이 증가하므로 반응에 참여하지 않는 NO_3^-이며, 이온 C는 반응에 참여하지 않으면서 용액 속에 일정한 양으로 존재하는 Na^+이다. 이온 D는 점점 감소하다가 (나) 지점 이후에 모두 소모되어 존재하지 않게 되므로 Cl^-며, 이온 B는 초기에 반응이 진행될 때는 모두 앙금이 되어 존재하지 않다가 (나) 이후에 이온 D가 더 이상 존재하지 않으면 넣어 주는 질산 은 수용액의 양에 비례하여 증가하므로 Ag^+이다.
③, ④ 앙금의 높이는 (가)<(나)=(다)이고, 혼합 용액의 총 이온 수는 (가)=(나)<(다)이다.

서술형 문제

1권 060쪽~061쪽

1 〔모범 답안〕 ㉠ 원소, ㉡ 원자. 원소는 물질을 이루는 기본 성분이고, 원자는 물질을 구성하는 기본 입자이다.

채점 기준	배점
원소와 원자 중 알맞은 말을 고르고, 차이점을 옳게 설명한 경우	100%
원소와 원자의 차이점만 옳게 설명한 경우	50%
원소와 원자 중 알맞은 말만 옳게 쓴 경우	30%

2 (가)~(마)를 정리하면 표와 같다.

입자	원자핵의 전하량	전자 수(개)	분류
(가)	+4	2	양이온
(나)	+8	10	음이온
(다)	+9	9	원자
(라)	+10	10	원자
(마)	+11	10	양이온

〔모범 답안〕 원자는 원자핵의 (+)전하량과 전자의 총 (−) 전하량이 같은 (다), (라)이고, 양이온은 원자핵의 (+)전하량이 전자의 총 (−) 전하량보다 큰 (가), (마)이며, 음이온은 원자핵의 (+)전하량보다 전자의 총 (−) 전하량이 큰 (나)이다.

채점 기준	배점
분류를 옳게 하고, 그 까닭을 옳게 설명한 경우	100%
분류만 옳게 한 경우	30%

3 염화 구리(Ⅱ)를 물에 녹이면 구리 이온(Cu^{2+})과 염화 이온(Cl^-)이 된다. 이때 전원 장치를 연결하면 정전기적 인력에 의해 양이온은 (−)극 쪽으로 이동하고, 음이온은 (+)극 쪽으로 이동한다.
〔모범 답안〕 (−)극 쪽으로 이동하는 이온은 양이온이므로 이온 A는 구리 이온(Cu^{2+})이고, (+)극 쪽으로 이동하는 이온은 음이온이므로 이온 B는 염화 이온(Cl^-)이다.

채점 기준	배점
이온 A, B의 이름을 쓰고, 그 까닭을 옳게 설명한 경우	100%
이온 A, B의 이름만 쓴 경우	50%

4 은 이온(Ag^+)과 염화 이온(Cl^-)이 반응하면 흰색 앙금인 염화 은($AgCl$)이 생성된다.
〔모범 답안〕 흰색 앙금이 생긴다. 두 수용액 모두 염화 이온(Cl^-)을 포함하고 있으므로 질산 은($AgNO_3$) 수용액의 은 이온(Ag^+)과 반응하여 염화 은($AgCl$)을 생성하기 때문이다.

채점 기준	배점
현상을 쓰고, 그 까닭을 옳게 설명한 경우	100%
현상만 설명한 경우	30%

5 황산 구리(Ⅱ) 수용액은 구리 이온(Cu^{2+})과 황산 이온(SO_4^{2-})으로 이온화하여 전원 장치를 연결하면 양이온인 구리 이온(Cu^{2+})은 (−)극 쪽으로 이동하고, 음이온인 황산 이온(SO_4^{2-})은 (+)극 쪽으로 이동한다.
〔모범 답안〕 (−)극 : Cu^{2+}, (+)극 : SO_4^{2-}, 이온은 전하를 띠기 때문에 전원 장치를 연결하면 전류가 흐른다.

채점 기준	배점
이온식을 각각 옳게 쓰고, 실험을 통해 알 수 있는 사실을 옳게 설명한 경우	100 %
이온식만 각각 옳게 쓴 경우	30 %

6 은 이온과 반응하여 흰색 앙금이 생길 수 있는 음이온은 염화 이온, 탄산 이온, 황산 이온이다. 또, 주황색 불꽃 반응 색을 나타내는 양이온은 칼슘 이온이다. 이때 어떤 물질이 탄산 칼슘 또는 황산 칼슘이면 물에 잘 녹지 않으므로, 어떤 물질은 염화 칼슘이다.

모범 답안 염화 칼슘. 은 이온과 염화 이온이 반응하여 흰색 앙금인 염화 은이 생성되고, 칼슘 이온의 불꽃 반응 색이 주황색이기 때문이다.

채점 기준	배점
물질의 이름을 옳게 쓰고, 그 까닭을 옳게 설명한 경우	100 %
물질의 이름만 옳게 쓴 경우	50 %

7 수돗물은 염소 소독을 하므로 Cl^-이 들어 있다.

모범 답안 은 이온(Ag^+), 수돗물에 들어 있는 일정한 수의 염화 이온(Cl^-)이 은 이온(Ag^+)과 반응하여 흰색 앙금인 염화 은($AgCl$)을 생성하므로 처음에는 은 이온이 존재하지 않다가 염화 이온이 모두 반응한 후에는 은 이온의 수가 증가하기 때문이다.

채점 기준	배점
이온의 이름을 옳게 쓰고, 그 까닭을 옳게 설명한 경우	100 %
이온의 이름만 옳게 쓴 경우	30 %

8 석회수에 날숨을 불어 넣으면 날숨 속의 이산화 탄소가 $Ca(OH)_2$과 반응하여 $CaCO_3$의 흰색 앙금을 생성한다.
$$Ca(OH)_2 + CO_2 \longrightarrow CaCO_3 \downarrow + H_2O$$

모범 답안 날숨 속에 들어 있는 이산화 탄소(CO_2)가 석회수 속의 수산화 칼슘($Ca(OH)_2$)과 반응하여 탄산 칼슘($CaCO_3$)의 흰색 앙금을 생성하므로 용액이 뿌옇게 흐려진다.

채점 기준	배점
날숨 속의 이산화 탄소와 석회수 속의 수산화 칼슘이 반응하여 탄산 칼슘 앙금이 생성되었다고 옳게 설명한 경우	100 %
탄산 칼슘 앙금이 생성되었다고만 설명한 경우	30 %

최상위권 도전 문제

1권 062쪽~065쪽

1 ⑤	**2** ①	**3** ④	**4** ④	**5** ⑤
6 ⑤	**7** ③	**8** ③		

1 제시된 실험은 고대의 입자설을 증명하는 실험들이다. 과학자들이 진공의 존재를 확인함으로써 아리스토텔레스의 4원소설이 잘못되었음을 증명하고, 입자설이 다시 나타나는 데 큰 기여를 하였다.

| 도움이 되는 배경 지식 | 입자설과 연속설

고대의 학자인 데모크리토스는 입자설을 주장하였으나, 아리스토텔레스가 주장한 연속설에 밀려 오랫동안 인정받지 못하였다. 근대에 들어 보일, 토리첼리, 게리케 등과 같은 여러 과학자들이 실험을 하면서 물질은 입자로 이루어져 있으며, 입자 사이에는 빈 공간(진공)이 존재한다는 사실이 밝혀지면서 데모크리토스의 입자설이 인정받았다.

2 러더퍼드는 얇은 금박에 (+)전하를 띤 알파(α) 입자를 쪼이는 실험을 한 결과, 일부의 α 입자가 튕겨 나오는 것으로부터 원자에는 (+)전하를 띤 원자핵이 존재하며, 원자핵은 원자의 크기에 비해 매우 작고, 원자 질량의 대부분을 차지한다는 것을 밝혔다.

3 분자는 독립된 입자로 존재하여 물질의 성질을 나타내는 가장 작은 입자이다.

ㄱ. 일반적으로 분자는 2개 이상의 원자가 결합하여 생성되지만, 네온은 원자 1개로 물질의 성질을 나타내는 일원자 분자 또는 단원자 분자이다.

ㄴ. 수소는 분자식으로 H_2, 네온은 분자식으로 Ne, 물은 분자식으로 H_2O이다.

ㄷ. 수소, 네온, 물은 독립된 입자인 분자로 존재하지만, 염화 나트륨은 염화 이온과 나트륨 이온이 연속적이고, 규칙적으로 배열되어서 독립된 입자로 존재하지 않는다.

4 프로페인 분자와 뷰테인 분자는 탄소 원소와 수소 원소로 이루어진 물질이다. 프로페인 분자 1개는 탄소 원자 3개, 수소 원자 8개로 총 11개의 원자로 이루어져 있으며, 분자식은 C_3H_8이다. 뷰테인 분자 1개는 탄소 원자 4개, 수소 원자 10개로 총 14개의 원자로 이루어져 있으며, 분자식은 C_4H_{10}이다. 두 물질을 이루는 원소의 종류는 같지만, 탄소 원자와 수소 원자의 개수가 다르기 때문에 두 물질의 성질은 다르다.

5 원자가 전자를 잃으면 양이온이 되고, 전자를 얻으면 음이온이 된다. 따라서 원자 A는 A^{2-}, 원자 B는 B^-의 음이온이 되고, 원자 C는 C^+, 원자 D는 D^{2+}의 양이온이 된다. 이온 A와 C가 결합하여 물질이 생성될 때 이온 A의 전하량은 (-2)이고, 이온 C의 전하량은 $(+1)$이므로 이온 A와 C는 1 : 2의 입자 수 비로 결합할 것이다.

6 ①, ④ A 이온은 +1의 양이온, B 이온은 +2의 양이온, C 이온은 −1의 음이온이다.

② B 이온은 양이온이므로 B 이온이 녹아 있는 수용액에 전류를 흘려 주면 (-)극 쪽으로 이동한다.

③ 산화 이온(O^{2-})은 전자 2개를 얻어 생성된 이온이다.

⑤ A 이온은 +1의 양이온, C 이온은 -1의 음이온이므로 A와 C는 1 : 1의 개수비로 결합하여 화합물 AC를 이룬다. 따라서 AC가 물에 녹으면 A 이온과 C 이온의 개수비는 1 : 1이다.

7 앙금 생성 반응이 일어나 알짜 이온이 모두 반응하면 혼합 용액에 남아 있는 이온은 구경꾼 이온이다.

ㄱ, ㄴ. 두 수용액을 혼합하였을 때 혼합 용액 속에 남아 있는 이온이 A^+과 Cl^-이므로 B^{2+}과 $SO_4{}^{2-}$이 반응하여 앙금을 생성함을 알 수 있다. 따라서 A^+과 Cl^-은 구경꾼 이온이며, 알짜 이온 반응식은 $B^{2+} + SO_4{}^{2-} \longrightarrow BSO_4$이다.

ㄷ. (나) 수용액에도 A^+과 Cl^- 이온이 있으므로 전극을 연결하면 전류가 흐른다.

8 질산 납 수용액과 아이오딘화 칼륨 수용액을 혼합하면 Pb^{2+}와 I^-이 반응하여 노란색 앙금(PbI_2)을 생성한다. 따라서 일정량의 Pb^{2+}에 I^-을 넣어 주면 Pb^{2+}의 개수가 줄어든다.

ㄱ. 이온 A는 Pb^{2+}이다.

ㄴ. (나)까지는 Pb^{2+}이 1개 감소할 때마다 K^+이 2개씩 증가하므로 총 이온의 개수가 증가한다.

ㄷ. (나)에서 Pb^{2+}이 I^-과 모두 반응하여 이후에는 더 이상 앙금이 생성되지 않는다.

창의·사고력 향상 문제
1권 067쪽~069쪽

1 (문제 해결 가이드) 일부 금속 원소는 불꽃 반응을 하면 독특한 불꽃 반응 색을 나타내므로, 이 원리를 이용하여 초의 불꽃색을 다양하게 할 수 있음을 설명한다.

· 일부 금속 원소는 독특한 불꽃 반응 색을 나타낸다는 점 ··초를 만들 때 금속 원소를 섞어서 만들 수 있다는 점을 설명한다.

(모범 답안) 금속 원소의 종류에 따라 독특한 불꽃 반응 색이 나타나므로 생일 초를 만들 때 금속 원소를 섞어서 만든다.

채점 기준	배점
금속 원소의 종류에 따라 불꽃 반응 색이 다르기 때문에 이를 이용한다고 옳게 설명한 경우	100 %
금속 원소를 섞는다고만 설명한 경우	40 %

2 (문제 해결 가이드) 양성자와 중성자는 질량이 거의 같고 전자보

다 1837배 정도 무거우므로 원자의 질량은 원자핵의 질량과 거의 같다. 원자핵은 원자 전체 크기에 비해 매우 작지만 원자 질량의 대부분을 차지한다. 한편 양성자와 전자의 전하량은 크기는 같고 부호는 반대이다. 원자를 구성하는 양성자의 개수와 전자의 개수는 같으므로 원자는 전기적으로 중성이다.

· 전자의 질량은 양성자나 중성자의 질량에 비해 무시할 수 있을 정도로 작다는 점 ··양성자와 전자는 개수는 같지만, 각각 다른 전하를 가진다는 점을 설명한다.

(모범 답안) (1) 전자의 상대적인 질량은 양성자와 중성자의 상대적인 질량에 비하면 무시할 수 있을 정도로 매우 작으므로, 양성자의 수와 중성자의 수가 원자의 질량을 결정한다.

(2) 원자를 구성하는 양성자 1개의 상대적인 전하는 +1, 전자 1개의 상대적인 전하는 -1이므로 원자가 전기적으로 중성이 되려면 양성자의 개수와 전자의 수가 같아야 한다.

	채점 기준	배점
(1)	원자의 질량을 결정하는 입자를 옳게 고르고, 그 까닭을 옳게 설명한 경우	50 %
	원자의 질량을 결정하는 입자만 옳게 고른 경우	30 %
(2)	원자가 전기적으로 중성이기 위해 양성자의 수와 전자의 수가 같아야 함을 옳게 설명한 경우	50 %

3 (문제 해결 가이드) 황산 구리(Ⅱ) 수용액에서 파란색이 (-)극 쪽으로 이동하는 까닭은 구리 이온(Cu^{2+})이 양이온이기 때문임을 설명한다.

· 파란색을 띠는 것은 구리 이온이라는 점 ··파란색이 이동하는 것은 구리 이온이 이동하는 것이라는 점 ···(+)전하를 띤 양이온은 (-)극 쪽으로 이동한다는 점을 설명한다.

(모범 답안) 구리 이온(Cu^{2+})은 파란색을 나타내므로 황산 구리(Ⅱ) 수용액이 들어 있는 한천에 전류를 흘려 주면 양이온인 파란색의 구리 이온이 (-)극 쪽으로 이동하기 때문이다.

채점 기준	배점
구리 이온이 파란색임을 설명하고, 구리 이온이 양이온이므로 전류를 흘려 주면 (-)극 쪽으로 이동함을 옳게 설명한 경우	100 %
구리 이온이 파란색임만을 설명한 경우	30 %
구리 이온이 양이온이므로 전류를 흘려 주면 (-)극 쪽으로 이동한다는 것만 설명한 경우	

4 (문제 해결 가이드) 표는 물에 녹았을 때 전류가 흐르는 물질과, 물에 녹았을 때 전류가 흐르지 않는 물질로 구분하였음을 설명한다.

· 물에 녹아 전류가 흐르는 물질은 전해질, 물에 녹아 전류가 흐르지 않는 물질은 비전해질이라는 점 ··(가)의 물질은 물에 녹아 전류가 흐르고, (나)의 물질은 물에 녹아 전

류가 흐르지 않는다는 점을 설명한다.

모범 답안 (1) (가)는 물에 녹았을 때 전류가 흐르는 물질(전해질)이고, (나)는 물에 녹았을 때 전류가 흐르지 않는 물질(비전해질)이다. (2) 고체 물질 X를 증류수에 넣어 녹인 후, 전기 전도도 측정 장치를 이용하여 수용액에 전류가 흐르는지 여부를 확인한다. 이때 전류가 흐르면 (가)에 속하고, 전류가 흐르지 않으면 (나)에 속한다.

	채점 기준	배점
(1)	(가)와 (나)로 분류한 기준을 옳게 설명한 경우	50 %
(2)	고체 물질 X를 증류수에 녹인 후, 전기 전도도 측정 장치를 이용하여 수용액에 전류가 흐르는지 여부를 확인한다고 옳게 설명한 경우	50 %
	제시한 준비물을 이용하지 않고 전류가 흐르는지 여부를 확인한다고만 설명한 경우	20 %

5 **문제 해결 가이드** 칼슘은 주황색의 불꽃 반응 색이 나타나고, 이산화 탄소 기체를 석회수에 통과시키면 탄산 칼슘이 생성되어 뿌옇게 흐려진다는 점에 착안하여 설명한다.

• 물에 녹지 않는 것은 앙금이라는 점 •• 물질을 이루는 일부 금속 원소는 불꽃 반응 색으로 구별할 수 있다는 점 ••• 염산과 반응하는 암석은 주로 탄산 칼슘을 주성분으로 하며, 석회수를 뿌옇게 흐려지게 하는 기체는 이산화 탄소라는 점을 설명한다.

모범 답안 탄산 칼슘($CaCO_3$), 주황색의 불꽃 반응 색을 나타내는 금속 원소는 칼슘이다. 또한, 탄산 칼슘은 염산과 반응하여 이산화 탄소 기체를 발생시키고, 이산화 탄소 기체를 석회수에 넣으면 흰색 앙금이 생성되어 석회수가 뿌옇게 변한다.

채점 기준	배점
종유석의 주성분을 옳게 쓰고, 그 까닭을 옳게 설명한 경우	100 %
종유석의 주성분만 옳게 쓴 경우	30 %

6 **문제 해결 가이드** 앙금 생성 반응을 이용하여 수돗물 속에 염화 이온이 들어 있는지를 확인할 수 있음을 설명한다.

• 염화 이온(Cl^-)과 은 이온(Ag^+)이 만나면 앙금이 생성된다는 점 •• 생성된 앙금은 흰색의 염화 은(AgCl)이라는 점을 설명한다.

모범 답안 (1) 질산 은 수용액, 수돗물의 염화 이온(Cl^-)과 질산 은 수용액의 은 이온(Ag^+)이 만나면 흰색의 염화 은(AgCl) 앙금이 생성된다.
(2) $Ag^+ + Cl^- \longrightarrow AgCl$

	채점 기준	배점
(1)	질산 은 수용액을 옳게 고르고, 그 까닭을 앙금 생성 반응과 연관지어 옳게 설명한 경우	60 %
	질산 은 수용액만 옳게 고른 경우	30 %
(2)	알짜 이온 반응식을 옳게 나타낸 경우	40 %

II 전기와 자기

01 정전기와 정전기 유도

학습 내용 Check

1권 076쪽 **1** 원자, 원자핵, 전자   **2** (+)전하, (−)전하
3 대전, 대전체   **4** 전자
5 인력, 척력

1권 078쪽 **1** 정전기 유도   **2** 다른, 같은
3 (−), (+)

탐구 확인 문제 1권 079쪽

1 (1) (−) (2) 벌어진다   **2** (1) ○ (2) ○
3 ②

1 (1) 서로 다른 두 물체를 마찰하면 마찰 과정에서 전자가 이동하여 두 물체는 전하를 띤다. 이때 마찰한 두 물체는 서로 다른 전하를 띤다.
(2) 대전된 플라스틱 막대를 검전기의 금속판에 가까이 하면 두 장의 금속박은 척력에 의해 벌어진다.

2 (1) 대전체를 검전기의 금속판에 가까이 하면 검전기 내부의 전자가 대전체와의 전기력에 의해 이동하기 때문에 금속판과 금속박이 대전된다.
(2) 대전된 두 장의 금속박은 서로 같은 전하를 띠므로 서로 밀어내는 전기력(척력)이 작용하여 벌어진다.

3 정전기 유도에 의해 (−)대전체와 가까운 금속판에는 (+)전하가 유도되고, (−)대전체와 먼 금속박에는 (−)전하가 유도된다.

개념 확인 문제 1권 082쪽~084쪽

01 ⑤	**02** ②	**03** ⑤	**04** ④	**05** ④
06 ④	**07** ⑤	**08** ⑤	**09** ②	**10** ③
11 ③	**12** ④	**13** ④		

01 A는 원자핵, B는 전자를 나타낸 것이다. 원자핵은 (+)전하를 띠고 있으며, 질량이 전자에 비해 수천 배 크다. 두 물체를 마찰하면 전자가 이동하여 물체가 대전된다.

02 원자는 (+)전하량과 (−)전하량이 같아 전기적으로 중성이며, 원자 가운데에 원자핵이 있고, 그 주위를 전자가 돌고 있다. 두 물체를 마찰하면 한 물체에서 다른 물체로 전자가 이동하여 두 물체가 대전된다.

03 ① 마찰 과정에서 전자가 이동한다.
② 마찰 과정에서 전자를 잃은 물체는 (−)전하량보다 (+)전하량이 더 크므로 (+)전하를 띤다.
③ 두 물체를 마찰하면 두 물체가 서로 다른 전하를 띠므로 물체 사이에 인력이 작용한다.
④ 서로 다른 두 물체를 마찰하면 한 물체에서 다른 물체로 전자가 이동하므로 두 물체는 서로 다른 전하를 띤다.
⑤ 두 물체를 마찰할 때 마찰 과정에서 전자가 이동하면서 각각의 물체가 가지는 (+)전하량과 (−)전하량의 균형이 깨져 물체가 전하를 띠며, 이때 두 물체의 전체 전하량은 변하지 않는다.

04 ㄱ. 마찰 후 B의 전자의 수가 많아졌으므로 전자가 A에서 B로 이동하였다.
ㄴ. 마찰 과정에서 A에서 B로 전자가 이동했으므로 B는 (−)전하, A는 (+)전하를 띤다.
ㄷ. 전하가 새로 생겨나거나 사라지지 않으므로 마찰 전후 A와 B의 전하량의 합은 변하지 않는다.

05 A, B는 서로 다른 전하를 띠고 있으므로 인력이 작용하여 서로 끌어당긴다.

06 ㄱ. A, B가 서로 밀어내고 있으므로 서로 같은 전하로 대전되었다.
ㄴ. A, C가 서로 끌어당기고 있으므로 서로 다른 전하로 대전되었다.
ㄷ. A와 B가 같은 전하로 대전되었고 A와 C는 다른 전하로 대전되었다. 따라서 B와 C는 서로 다른 전하를 띠므로 B와 C 사이에는 인력이 작용한다.

07 미끄럼틀을 타고 내려오면 마찰 전기에 의해 머리가 부스스해질 때가 있다.
⑤ 자석의 극 사이에 작용하는 힘은 자기력이라고 한다. 서로 같은 극인 S극과 S극 또는 N극과 N극 사이에는 밀어내는 척력이 작용하고, 서로 다른 극인 N극과 S극 사이에는 끌어당기는 인력이 작용한다.

08 자료 분석하기

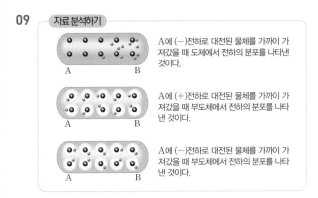

금속
(−)대전체를 가까이 가져가면 전자가 밀려난다.

금속
(+)대전체를 가까이 가져가면 전자가 끌려온다.

(+)대전체를 A에 가까이 하면 정전기 유도에 의해 (−)전하를 띠는 전자가 A 쪽으로 이동하므로 A 부분은 (−)전하가 많아져 (−)전하를 띠고, (+)전하보다 (−)전하가 적은 B 부분은 (+)전하를 띤다.

09 자료 분석하기

A   B
A에 (−)전하로 대전된 물체를 가까이 가져갔을 때 도체에서 전하의 분포를 나타낸 것이다.

A   B
A에 (+)전하로 대전된 물체를 가까이 가져갔을 때 부도체에서 전하의 분포를 나타낸 것이다.

A   B
A에 (−)전하로 대전된 물체를 가까이 가져갔을 때 부도체에서 전하의 분포를 나타낸 것이다.

(+)대전체를 A에 가까이 하면 정전기 유도에 의해 (−)전하를 띠는 전자가 A 부분으로 모이게 된다.

10 자료 분석하기

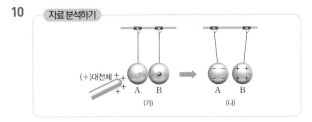

(+)대전체   A B   A B
(가)   (나)

두 금속구가 접촉되어 있다면 커다란 하나의 도체와 같다. 따라서 A에 (+)전하로 대전된 물체를 가까이 하면 정전기 유도에 의해 A에는 (−)전하, B에는 (+)전하가 유도된다. (가)의 상태에서 A와 B를 떨어뜨린 후 (+)대전체를 멀리 하면 A와 B는 서로 다른 전하로 대전되며, 따라서 A와 B 사이에는 인력이 작용하게 된다.

11

자료 분석하기

대전되지 않은 플라스틱 막대를 가까이 하면 금속박에 아무런 변화가 없다.

(+)전하를 띤 플라스틱 막대를 가까이 하면 전자가 금속판으로 끌려온다.

검전기의 금속판에 대전체를 가까이 하면 정전기 유도에 의해 전자가 이동하여 금속박이 벌어지거나 오므라든다. (+)전하로 대전된 물체를 금속판에 가까이 하면 금속박의 전자가 금속판으로 이동하여 금속판은 (−)전하, 금속박은 (+)전하를 띠게 된다.

12 (+)전하로 대전된 검전기의 금속박이 오므라들었다면 금속판에서 금속박으로 전자가 이동(B)한 것이다. 따라서 (−)전하를 띤 전자가 척력을 받도록 (−)대전체를 가까이 했다는 것을 알 수 있다.

13 (+)전하로 대전된 막대를 A에 가까이 하면 A는 (−)전하로 대전되고, 끝에 있는 D는 (+)전하로 대전된다. B, C는 두 금속 막대가 붙어있는 부분이므로 중간 부분에 해당하여 전하를 띠지 않는다. 이때 (나)와 같이 두 금속 막대를 떨어뜨려 놓으면 E는 (−)전하를 띠고, F는 (+)전하를 띤다.

02 ㄱ. 금속박이 처음보다 더 벌어지기 위해서는 금속박으로 전자가 이동해야 한다. 따라서 전자에 척력이 작용하도록 (−)대전체를 가까이 해야 한다.

ㄴ. 금속판에서 금속박으로 전자가 이동하였으므로 금속판의 (−)전하가 줄어들게 된다.

ㄷ. 전자는 (−)대전체에 의해 척력을 받아 금속판에서 금속박으로 이동한다.

03

자료 분석하기

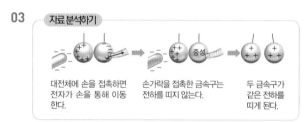

대전체에 손을 접촉하면 전자가 손을 통해 이동한다.

손가락을 접촉한 금속구는 전하를 띠지 않는다.

두 금속구가 같은 전하를 띠게 된다.

붙여 놓은 두 금속 구의 왼쪽에 (−)대전체를 가까이 하면 왼쪽 금속 구는 (+)전하로 대전되고, 오른쪽 금속 구는 (−)전하로 대전된다. 이때 (−)전하로 대전된 금속 구에 손을 접촉하면 전자가 금속 구에서 손가락으로 이동한다. 그리고 손가락과 대전체를 금속 구에서 멀리 하면 중성이 된 오른쪽 금속 구에서 왼쪽의 (+)로 대전된 금속 구로 전자가 이동하여 두 금속 구는 전체적으로 (+)전하를 띤다.

04 (−)전하로 대전된 막대를 A에 가까이 하면 A는 정전기 유도에 의해 (+)전하로 대전되고, B는 (−)전하로 대전된다. 또 검전기의 금속판 C는 (−)전하로 대전된 B에 의해 (+)전하로 대전되고, 검전기의 금속박 D는 (−)전하로 대전된다.

실력 강화 문제

1권 085쪽

01 ④   **02** ③   **03** ②   **04** ①

01 ㄱ. 비닐 끈과 막대 사이에 척력이 작용하여 PVC 막대 위에 떠 있으므로 비닐 끈과 PVC 막대는 같은 전하를 띠고 있다는 것을 알 수 있다.

ㄴ. 비닐 끈이 펼쳐지는 것은 비닐 끈 사이에 척력이 작용하기 때문이다. 즉, 비닐 끈들이 서로 같은 전하를 띠고 있는 것이다.

ㄷ. 비닐 끈과 PVC 막대를 마찰시키면 서로 다른 전하를 띠게 되므로 인력이 작용한다. 따라서 비닐 끈을 공중에 띄울 수 없다.

서술형 문제

1권 086쪽~087쪽

1 고무풍선으로 머리카락을 문지르면 마찰 전기가 발생하여 고무풍선과 머리카락이 서로 다른 전하로 대전되어 인력이 작용한다. 따라서 고무풍선에 머리카락이 달라붙는다.

모범 답안 고무풍선으로 머리카락을 문지르면 마찰 전기에 의해 고무풍선과 머리카락이 서로 다른 전하로 대전되어 인력이 작용하기 때문이다.

채점 기준	배점
마찰 전기에 의해 서로 다른 전하로 대전되어 인력이 작용함을 설명한 경우	100 %
마찰 전기에 의해 달라붙는다고만 설명한 경우	40 %

2 자료 분석하기

물체	(+)전하를 띠는 물체	(−)전하를 띠는 물체	(+)전하를 띠기 쉬운 정도
A와 B	B	A	B>A
B와 C	B	C	B>C
A와 C	C	A	C>A
D와 A	A	D	A>D

따라서 (+)전하를 잘 띠게 되는 순서는 B>C>A>D 순이다.

두 물체를 마찰했을 때 전자를 잘 잃는 물체는 (+)전하를 띠고, 전자를 잘 얻는 물체는 (−)전하를 띤다. 이를 순서대로 나열한 것을 대전열이라고 한다.

모범 답안 B−C−A−D, 두 물체를 마찰하였을 때 (+)전하를 띠는 물체가 전자를 잃기 쉬우므로 (+)전하를 띠는 순서가 전자를 잘 잃는 순서이다.

채점 기준	배점
순서대로 나열하고 그 까닭을 옳게 설명한 경우	100%
순서대로 나열하였으나 그 까닭을 설명하지 못한 경우	50%

3 자료 분석하기

접촉 전 금속 구와 금속 막대는 정전기 유도에 의해 인력이 작용한다.

접촉 후 금속 구와 금속 막대는 같은 전하를 띠게 된다.

같은 전하를 띤 금속 구와 금속 막대 사이에는 척력이 작용한다.

대전된 전하의 종류나 전하량이 다른 두 물체를 접촉시키면 두 물체가 띠는 전하의 종류나 전하량이 달라지므로 접촉하기 전과 후의 상태가 달라질 수 있다.

모범 답안 금속 구를 금속 막대에 가까이 하면 정전기 유도에 의해 금속 막대의 오른쪽에는 (+)전하가 유도된다. 따라서 금속 구는 인력에 의해 금속 막대 쪽으로 끌려간다. 금속 구와 금속 막대를 접촉시키면 전자가 금속 막대로 이동하여 금속 막대는 (−)전하로 대전된다. 따라서 같은 전하로 대전된 두 물체는 척력에 의해 서로 밀어낸다.

채점 기준	배점
접촉 전 정전기 유도로 인력이 작용함을 설명하고, 접촉 후 같은 전하로 대전되어 척력이 작용함을 설명한 경우	100%
접촉 전 정전기 유도에 의한 인력을 설명하였으나 접촉 후 같은 전하로 대전된다고만 설명한 경우	75%
접촉 전 정전기 유도에 의한 인력을 설명하였으나 척력이 작용하는 과정을 설명하지 못한 경우	50%

4 현민이가 (+)전하로 대전되어 있는 상태에서 손을 선우의 손에 가까이 하면 현민이의 (+)전하에 의해 선우의 손 끝이 (−)전하로 대전된다. 따라서 손을 잡았을 때 선우의 손 끝의 전자가 현민이에게로 이동한다.

모범 답안 (+)전하로 대전된 현민이의 손과 선우의 손이 가까워져 정전기 유도에 의해 선우의 손이 (−)전하로 대전되며, 선우의 손에서 현민이의 손으로 전자가 이동하면 따끔함을 느끼게 된다.

채점 기준	배점
두 사람 사이의 정전기 유도와 전자의 이동을 모두 옳게 설명한 경우	100%
정전기 유도나 전자의 이동만 옳게 설명한 경우	50%

5 대전된 검전기를 이용하면 대전체의 전하의 종류를 알 수 있다. 검전기의 금속박이 더 벌어지면 대전체는 검전기와 같은 전하로 대전된 것이고, 검전기의 금속박이 오므라들면 대전체는 검전기와 다른 전하로 대전된 것이다.

모범 답안 (1) 대전된 검전기와 같은 (−)대전체를 금속판에 가까이 하면 척력에 의해 전자가 금속박 쪽으로 밀려나므로 금속박에 대전된 전하량이 커져 더 벌어지게 된다.
(2) 대전된 검전기와 다른 (+)대전체를 금속판에 가까이 하면 인력에 의해 전자가 금속판 쪽으로 끌려오므로 금속박에 대전된 전하량이 작아져 오므라들게 된다.

	채점 기준	배점
(1)	대전체의 종류와 까닭을 모두 옳게 설명한 경우	50%
	대전체의 종류나 까닭 중 한 가지만 설명한 경우	25%
(2)	대전체의 종류와 까닭을 모두 옳게 설명한 경우	50%
	대전체의 종류나 까닭 중 한 가지만 설명한 경우	25%

6 대전체를 물체에 가까이 하면 물체에서 대전체와 가까운 쪽은 대전체와 다른 전하가 유도되고, 대전체와 먼 쪽은 대전체와 같은 전하가 유도된다.

모범 답안

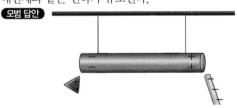

(−)대전체를 금속 막대에 가까이 하면 정전기 유도에 의해 금속 막대의 양 끝이 전하를 띠며, 금속 막대에 의해 금속 막대 근처의 금속 조각에도 정전기가 유도되어 금속 막대에 달라붙는다.

채점 기준	배점
전하의 분포와 정전기 유도에 대해 옳게 설명한 경우	100%
전하의 분포와 정전기 유도 중 한 가지만 옳게 설명한 경우	50%

7

손을 접촉했을 때 전자가 손으로 빠져나가면서 금속박이 오므라든다.

모범 답안 검전기는 (+)전하로 대전된다. (−)대전체에 의해 금속판은 (+)전하로, 금속박은 (−)전하로 대전되는데, 이때 금속판에 손을 대면 금속박의 전자가 손으로 빠져나가 금속판의 (+)전하만 남기 때문이다.

채점 기준	배점
대전된 전하의 종류와 그 까닭을 옳게 설명한 경우	100 %
대전된 전하의 종류나 그 까닭 중 한 가지만을 옳게 설명한 경우	50 %

8 A와 B가 연결되면 하나의 도체처럼 전자가 이동할 수 있으므로 C에 의해 정전기 유도가 일어나 A는 (+)전하, B는 (−)전하로 대전된다.

모범 답안 A는 (+)전하로 대전되고, B는 (−)전하로 대전된다. 두 도체를 전선으로 연결하고 C를 가까이 하면 정전기 유도에 의해 A에는 (+)전하, B에는 (−)전하가 유도되고 전선과 C를 치우면 A는 (+)전하, B는 (−)전하로 대전된다.

채점 기준	배점
대전 상태와 정전기 유도를 모두 옳게 설명한 경우	100 %
대전 상태나 정전기 유도 중 한 가지만을 옳게 설명한 경우	50 %

02 전압과 전류

학습 내용 Check

1권 089쪽	**1** 전하, 전기 회로	**2** (+), (−), 반대
	3 A(암페어), $\frac{1}{1000}$	
1권 091쪽	**1** 전압, V(볼트)	**2** 저항, Ω(옴)
	3 전압, 옴의 법칙	
1권 093쪽	**1** 비례, 반비례	**2** 전류, 전압
	3 전압, 전압	**4** 전류, 전류

탐구 확인 문제 1권 094쪽

1 (1) 직렬 (2) 병렬 　　**2** (1) ○ (2) ○ (3) ✕ 　　**3** ②

1 전류계는 저항과 직렬로 연결하고, 전압계는 저항과 병렬로 연결한다. 전류계는 저항을 통과하는 전하량을 측정하는 것이므로 저항과 직렬로 연결해야 하고, 전압계는 저항의 양 끝에 걸리는 전압의 차를 측정하는 것이므로 저항의 양 끝과 병렬로 연결해야 한다.

2 (3) 니크롬선의 길이가 길수록 저항이 크다. 따라서 전압이 같을 때 니크롬선에 흐르는 전류의 세기는 니크롬선의 길이가 길수록 작다.

3

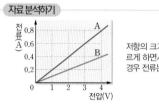

저항의 크기가 다르더라도 전압을 다르게 하면서 전류를 측정하면 각각의 경우 전류는 전압에 비례한다.

① 전류의 세기는 전압에 비례한다.
② 전압이 같을 때 B에 흐르는 전류의 세기가 A보다 작으므로 저항의 크기는 B가 A보다 크다.
③ A, B는 저항이 다르므로 전류에 대한 전압의 비가 다르다.
④ 전압이 같으면 저항이 클수록 전류의 세기가 작다.
⑤ 전류의 세기가 같으면 저항이 클수록 저항에 걸리는 전압이 크다.

개념 확인 문제 1권 096쪽~099쪽

01 ⑤	**02** ④	**03** ③	**04** ③	**05** ⑤
06 ①	**07** ③	**08** ②	**09** ②	**10** ②
11 ③	**12** ④	**13** ⑤	**14** ④	**15** a, d
16 ④	**17** 1 : 2	**18** ⑤	**19** ③	**20** ①
21 ②	**22** ⑤			

01 물의 흐름을 전기 회로에 비유할 수 있는데, 이때 역할이 비슷한 것은 다음과 같다.

물의 흐름	물레방아	펌프	파이프	밸브	물의 높이차
전기 회로	전구	전지	도선	스위치	전압

02 전기 회로에서 전류는 전하의 흐름으로, 전류가 흐를 때 (−)전하를 띤 전자가 전지의 (−)극에서 나와 (+)극으로 이동한다. 즉, 전기 회로에 전류가 흘러 전구에 불이 켜지는 것은 도선을 따라 전자가 이동하기 때문이다.

03 전지는 전자에게 에너지를 주어 도선을 통해 흘러갈 수 있게 하며, 전구에 전류가 흐를 때 전자가 가진 에너지는 빛에너지나 열에너지로 전환된다.

04 전기 회로에서 전기 기구의 기호는 다음과 같다.

전지	—┤├—	전구	—◯—
스위치	—•⁄ •—	저항	—W—
전류계	—(A)—	전압계	—(V)—

05 (가)는 전자의 일정한 흐름이 없으므로 전류가 흐르지 않는 상태이다. (나)는 전자가 일정하게 C → D 방향으로 이동하고 있으므로 전류가 흐르는 상태이며, 전류의 방향은 전자의 이동 방향과 반대이므로 D → C 방향이다.

06 전류는 전지의 (+)극에서 (−)극으로 흐르며, 전자는 전지의 (−)극에서 (+)극으로 이동한다. 즉, 전류의 흐름과 전자의 이동 방향은 반대이다.

07 ㄱ. 두 전구를 직렬연결하면 두 전구에 흐르는 전류의 세기는 같고, 두 전구에 걸리는 전압은 저항의 크기에 비례한다. 따라서 저항이 같은 동일한 두 전구 a, b를 직렬연결하면 a, b에 흐르는 전류의 세기가 같으므로 a와 b의 밝기가 같다.

ㄴ, ㄷ. 여러 개의 전기 기구를 직렬연결하면 전류가 흐를 수 있는 길이 하나이므로 각 전기 기구에 흐르는 전류의 세기가 같다. 따라서 전류계 1, 2, 3에서 측정되는 전류의 세기 A_1, A_2, A_3은 모두 같다. 전류의 세기는 1초 동안 전선의 한 단면을 지나가는 전하의 양이므로, 같은 시간 동안 전선의 단면을 지나는 전자들의 수가 같다.

08 전류계는 저항과 직렬연결한다. 또한, 전류계의 (−)단자는 전지의 (−)극 쪽에 연결해야 하고, (+)단자는 전지의 (+)극 쪽에 연결해야 한다.

09 회로에 니크롬선을 연결하고 니크롬선에 걸리는 전압을 크게 하면 전류의 세기도 전압에 비례하여 커진다. 이것을 옴의 법칙이라고 한다.

10 ① 저항의 단위는 Ω(옴)을 사용한다.
②, ③ 전류의 흐름을 방해하는 정도를 전기 저항 또는 저항이라고 하며, $\dfrac{전압}{전류}$의 값과 같다.

④, ⑤ 저항은 도선의 길이에 비례하고 단면적에 반비례하므로 도선의 길이가 길수록, 단면적이 작을수록 크다. 또한 길이와 단면적이 같더라도 물질의 종류에 따라 전기 저항이 다르다.

11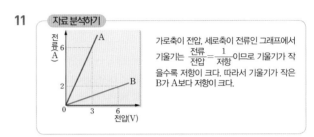

자료 분석하기

가로축이 전압, 세로축이 전류인 그래프에서 기울기는 $\dfrac{전류}{전압} = \dfrac{1}{저항}$이므로 기울기가 작을수록 저항이 크다. 따라서 기울기가 작은 B가 A보다 저항이 크다.

저항$= \dfrac{전압}{전류}$이므로 A의 저항은 0.5 Ω이고, B의 저항은 3 Ω이다. 따라서 저항의 비 $R_A : R_B = 1 : 6$이다.

12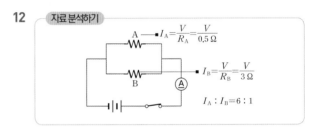

자료 분석하기

병렬연결된 두 니크롬선에 걸리는 전압이 같으므로 전류의 비는 저항에 반비례한다. 따라서 전압의 비 $V_A : V_B = 1 : 1$이며, 전류의 비 $I_A : I_B = \dfrac{1}{1} : \dfrac{1}{6} = 6 : 1$이다.

13 $\dfrac{전류}{전압} = \dfrac{1}{저항}$이므로 그래프에서는 기울기가 작을수록 저항이 크다.

14 회로에서 전류는 a로 흐르다가 B와 C로 나뉘어 흐르고 다시 d에서 합쳐져 흐른다. 따라서 a에 6 A가 흐를 때 b에 2 A가 흐르면, c에는 6 A−2 A=4 A, d에는 2 A +4 A=6 A의 전류가 흐른다.

15 전류계로 회로 전체에 흐르는 전류를 측정하기 위해서는 a나 d 지점에서 전류를 측정해야 한다.

16 전류가 흐를 때 전자는 새로 생겨나거나 없어지지 않고 그 양이 일정하게 유지된다. 따라서 도선을 따라 흐르는 전류 I_1이 I_2와 I_3으로 나누어져 흐르므로 $I_1 = I_2 + I_3$이다.

17 저항값이 같으므로 직렬연결된 R_1과 R_2에는 각각 $\dfrac{V}{2}$의 전압이 걸린다. 병렬연결된 R_3과 R_4에는 전원의 전압과 같은 V의 전압이 걸린다. 따라서 $V_1 : V_3 = 1 : 2$이다.

18 ㄱ. 직렬연결된 (가)의 각 저항에 흐르는 전류의 세기는 일정하고, 각 저항에 걸리는 전압의 합은 전체 전압이 된다.

ㄴ, ㄷ. 병렬연결된 (나)의 각 저항에 걸리는 전압의 크기는 전원의 전압과 같고, 각 저항에 흐르는 전류의 합은 전체 전류가 된다.

19 가정용 전기 배선은 병렬연결되어 있다. 전기 배선으로 병렬연결된 전기 기구에는 모두 같은 전압이 걸리며 전기 기구의 저항에 따라 전류의 세기가 다르다. 모두 같은 전압이 걸리므로 병렬연결된 전기 기구의 수가 늘어날수록 전체 전류의 세기가 증가한다. 병렬연결된 전기 기구는 각각 따로 켜거나 끌 수 있으며, 하나가 고장 나도 다른 전기 기구에 영향을 주지 않는다.

20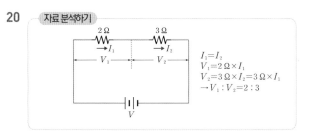

직렬연결에서 각 저항에 흐르는 전류의 세기가 같으므로 각 저항에 걸리는 전압은 저항에 비례한다.

21 병렬연결된 두 저항에 모두 9 V의 전압이 걸린다. 전류=$\dfrac{\text{전압}}{\text{저항}}$이므로 1 Ω에 흐르는 전류는 $\dfrac{9\,\text{V}}{1\,\Omega}=9\,\text{A}$, 2 Ω에 흐르는 전류는 $\dfrac{9\,\text{V}}{2\,\Omega}=4.5\,\text{A}$이다.

22 전류계에 흐르는 전류는 1 Ω의 저항에 흐르는 전류 9 A와 2 Ω의 저항에 흐르는 전류 4.5 A의 합이므로 9 A+4.5 A =13.5 A이다.

실력 강화 문제

1권 100쪽~101쪽

01 ②	**02** ③	**03** ②	**04** ③	**05** ②
06 ④	**07** ④	**08** ④	**09** ⑤	

01 전류는 전지의 (+)극에서 (−)극으로 흐르고, 전자는 전류의 방향과 반대 방향으로 이동한다.

02 전류가 흐르지 않을 때 전자는 한쪽 방향으로의 일정한 흐름을 보이지 않고 무질서하게 움직인다.

03 ㄱ. 전자는 전지의 (−)극에서 (+)극으로 이동한다.

ㄴ. 전류는 전지의 (+)극에서 (−)극으로 흐르므로, 전류의 방향과 전자의 이동 방향은 반대이다.

ㄷ. 전류는 전하의 흐름으로, 전류가 흐를 때 전자가 일정한 방향으로 이동한다.

04 전지를 병렬로 연결하면 전체 전압은 전지의 개수와 관계없이 일정하다. 즉, 전지 1개의 전압과 같다.

05 ㄱ. 전압계의 (+)단자는 전지의 (+)극 쪽에, (−)단자는 전지의 (−)극 쪽에 연결해야 한다.

ㄴ. 전류는 1초 동안 도선의 한 단면을 통과하는 전하의 양이므로 직렬로 연결해야 측정할 수 있다. 전압은 저항의 양끝에 병렬로 연결해야 저항에 걸리는 전압과 같은 크기의 전압을 측정할 수 있다.

ㄷ. 측정 전류의 세기를 예측할 수 없을 경우 (−)단자를 큰 값부터 연결해야 회로의 손상을 막을 수 있다.

06 전압=전류×저항이므로 전압이 15 V일 때 3 A의 전류가 흐르는 R_1의 저항값은 5 Ω이고, 전압이 15 V일 때 1 A의 전류가 흐르는 R_2의 저항값은 15 Ω이다.

ㄱ. R_1의 저항값은 R_2의 저항값보다 작다.

ㄴ. R_1과 R_2를 직렬연결하면 전체 저항값은 각 저항의 합이므로 20 Ω이다.

ㄷ. 저항의 크기는 단면적에 반비례하고 길이에 비례한다. 재질과 단면적이 같을 때 R_2의 저항값이 R_1의 저항값의 3배이므로 R_2의 길이가 R_1의 길이의 3배이다.

07 병렬연결한 R_1과 R_2에 각각 30 V의 전압이 걸리므로 $I_1=\dfrac{V}{R_1}=\dfrac{30\,\text{V}}{5\,\Omega}=6\,\text{A}$, $I_2=\dfrac{V}{R_2}=\dfrac{30\,\text{V}}{15\,\Omega}=2\,\text{A}$이다.

08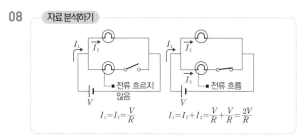

스위치를 열었을 때는 전구 하나만 연결된 회로이므로 흐르는 전류는 $I_1=\dfrac{V}{R}$이다. 스위치를 닫으면 전구 2개가 병렬연결 회로이므로 각각의 전구에 전압 V가 걸리고, 이때 흐르는 전류 I_2, I_3은 모두 $\dfrac{V}{R}$가 된다. 따라서 전체 전류는 $I_1=I_2+I_3=\dfrac{2V}{R}$이다.

09 자료 분석하기

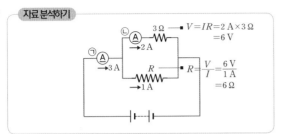

병렬연결에서는 저항에 흐르는 각 전류의 합이 전체 전류가 되므로 R에 흐르는 전류는 1 A가 된다. 이때 전압=전류×저항이고 3 Ω에 2 A의 전류가 흐르므로, 3 Ω에 걸리는 전압은 6 V가 되고, R에도 6 V가 걸린다. 따라서 $R=6$ Ω이다.

서술형 문제

1권 102쪽~103쪽

1 모범 답안 (가) 전지, (나) 전구, 전지는 전압을 유지하여 전류가 흐르게 하므로 물의 흐름 모형에서 펌프에 비유할 수 있고, 전구는 전류가 흐를 때 불이 켜지므로 물의 흐름 모형에서 물이 흐를 때 돌아가는 물레방아에 비유할 수 있다.

채점 기준	배점
(가)와 (나)를 쓰고, 물의 흐름 모형에 비유하여 옳게 설명한 경우	100%
(가), (나) 두 가지 중 한 가지만 설명하거나, 물의 흐름 모형에 비유하여 설명하지 못한 경우	50%

2 모범 답안 B → A, 전지를 연결하면 전자가 전지의 (−)극에서 나와 (+)극으로 들어가기 때문이다.

채점 기준	배점
전자의 이동 방향과 그 까닭을 옳게 설명한 경우	100%
전자의 이동 방향만 쓴 경우	50%

3 전압은 저항의 양 끝을 측정하는 것으로 B와 D를 연결하면 저항이나 전지 없이 도선만 있으므로 전압이 0으로 측정된다. A와 C는 전지의 전압이 측정된다.
모범 답안 B와 D, B와 D 사이에는 저항이나 전지 없이 도선만 있으므로 전압이 0으로 측정된다.

채점 기준	배점
B, D를 쓰고 그 까닭을 옳게 설명한 경우	100%
B, D는 썼으나 까닭을 옳게 설명하지 못한 경우	50%

4 병렬연결에서 각 저항에 걸리는 전압은 같으며, 각 저항에 흐르는 전류의 합이 전체 전류가 된다.
모범 답안 b: 0.7 A, d: 0.3 A, 병렬연결에서는 각 저항에 흐르는 전류의 합이 전체 전류이다.

채점 기준	배점
두 점에 흐르는 전류값을 쓰고, 병렬연결의 특징으로 옳게 설명한 경우	100%
두 점에 흐르는 전류값만 쓰고, 병렬연결의 특징으로 설명하지 못한 경우	50%

5 병렬연결에서는 전압이 일정하므로 각 저항에 같은 크기의 전압이 걸린다는 것과, 전류=$\dfrac{전압}{저항}$을 이용하여 전류의 값을 구한다.
모범 답안 (1) a: 전압, b: 6, c: 2, 병렬연결된 6 Ω의 저항에 6 V의 전압이 걸리고, 전류=$\dfrac{전압}{저항}$이므로 $I=\dfrac{V}{R}=\dfrac{6\,V}{6\,Ω}=1$ A이다.

채점 기준	배점
a, b, c를 모두 옳게 쓰고, 6 Ω에 흐르는 전류를 그 까닭과 함께 옳게 구한 경우	100%
a, b, c만 옳게 쓰거나 6 Ω에 흐르는 전류만 옳게 구한 경우	50%

6 P와 Q를 저항이 없는 도선으로 연결하면 전류는 C를 통하지 않고 곧바로 PQ로 흐르게 된다. 따라서 전지의 전압이 모두 A, B에 걸리게 된다.
모범 답안 A, B는 도선을 연결하기 전보다 밝아지고, C는 꺼진다, PQ를 연결하면 전류가 C로 흐르지 않고 PQ로 흐른다. 따라서 A, B에 걸리는 전압이 증가하므로 A, B에 흐르는 전류의 세기도 증가하여 A, B의 밝기가 밝아진다.

채점 기준	배점
전구의 밝기 변화를 쓰고, 그 까닭을 옳게 설명한 경우	100%
전구의 밝기 변화만 쓰고, 까닭을 설명하지 못한 경우	50%

7 자료 분석하기

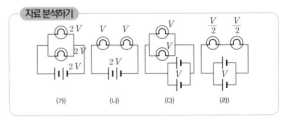

전지를 병렬연결하면 전체 전압은 전지 1개의 전압과 같고, 직렬연결하면 전체 전압은 전지 전압의 합과 같다. 전구는 저항이므로 직렬연결하면 전체 저항값이 커지고, 병렬연결하면 전체 저항값이 작아진다.

모범 답안 (가), 전지를 직렬연결하면 전체 전압이 커지고 전구를 병렬연결하면 전구에 각각 전체 전압이 걸려 직렬연결한 때보다 센 전류가 흐르므로, 전지를 직렬연결하고 전구를 병렬연결한 (가)에 가장 센 전류가 흐른다.

채점 기준	배점
(가)를 고르고, 그 까닭을 옳게 설명한 경우	100 %
(가)를 고르고, 그 까닭을 설명하지 못한 경우	50 %

8 저항을 직렬연결하면 전류가 동시에 흐르며, 이때 흐르는 전류의 세기는 같다.

모범 답안 누전 차단기를 통해 전류가 동시에 차단되어야 하므로 집 안 전선들과 직렬연결되어 있다.

채점 기준	배점
직렬연결을 쓰고, 그 까닭을 옳게 설명한 경우	100 %
직렬연결만 쓴 경우	50 %

🄬 자기

학습 내용 Check

1권 106쪽   **1** 자기력선, N, S   **2** 비례, 비례
                3 전자석

1권 108쪽   **1** 전류, 자기장   **2** 자기력
                3 스피커

탐구 확인 문제
1권 109쪽

1 (1) 네 손가락 (2) 비례, 비례   **2** (1) ○ (2) ○
3 ③

1 (1) 전류가 흐르는 코일 주위의 자기장의 방향은 오른손 네 손가락을 전류의 방향으로 감아쥘 때 엄지손가락이 향하는 방향이다.
(2) 전류가 흐르는 코일 주위의 자기장의 세기는 전류의 세기와 코일의 감은 수에 각각 비례한다.

2 코일에 전류가 흐를 때 코일 주위에는 막대자석 주위의 자기장과 비슷한 모양의 자기장이 생긴다.

3 ㄱ. 자기장의 세기는 코일의 감은 수에 비례한다.
ㄴ. 전류의 방향이 바뀌면 자기장의 방향도 반대가 된다.
ㄷ. 전지를 더 많이 연결하여 전압을 높이면 전류의 세기가 세지므로 자기장의 세기도 세진다.

탐구 확인 문제
1권 110쪽

1 (1) 자기력 (2) 비례 (3) 수직   **2** (1) × (2) ○ (3) ×
3 ③

1 (1), (2) 자기력의 크기는 전류의 세기에 비례하고, 자기장의 세기에 비례한다.
(3) 자기력의 방향은 전류의 방향과 자기장의 방향에 각각 수직이다.

2 (1), (2) 자기력의 방향은 전류의 방향과 자기장의 방향에 의해 정해진다. 따라서 전류나 자기장의 방향을 바꾸면 자기력의 방향이 반대가 되고, 전류와 자기장의 방향을 모두 바꾸면 자기력의 방향은 변하지 않는다.
(3) 자기력의 크기는 도선에 흐르는 전류의 세기에 비례한다. 따라서 전류의 세기를 세게 하면 자기력이 커져 구리선은 더 빠르게 움직인다.

3 ㄱ. 전류의 방향만 바뀌면 자기력의 방향이 반대가 된다.
ㄴ. 자기장의 방향만 바뀌면 자기력의 방향이 반대가 된다.
ㄷ. 전류와 자기장의 방향이 나란하면 자기력의 크기는 0이 된다.

개념 확인 문제
1권 114쪽~116쪽

01 ④	**02** ④	**03** ⑤	**04** ③	**05** ④
06 ①	**07** ④	**08** ⑤	**09** ④	**10** ③
11 ①	**12** ⑤	**13** ③	**14** ⑤	**15** ③
16 ②	**17** ④			

01 ① 자기력에는 인력과 척력이 있다.
② 자석에서 멀어질수록 자기장이 약해진다.
③ 자기력선이 촘촘할수록 자기장의 세기가 세다.
④ 자기장은 자석 주위에 자기력이 작용하는 공간이다.
⑤ 자기장은 N극에서 나와 S극으로 들어가는 방향이다.

02

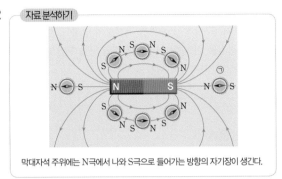

막대자석 주위에는 N극에서 나와 S극으로 들어가는 방향의 자기장이 생긴다.

ㄱ. ㉠에서 A는 나침반 바늘의 N극, B는 나침반 바늘의 S극이 가리키는 방향이다.

ㄴ. 자기력선은 도중에 끊어지거나 교차하지 않고 새로 만들어지지도 않는다.

ㄷ. 자기력선의 방향은 나침반 바늘의 N극이 가리키는 방향이다.

03 ① 지구 주위의 자기장은 막대자석 주위의 자기장과 비슷한 모양이다.

② 나침반 바늘의 N극이 지구의 북극을 가리키고 있으므로 지구의 북극은 자석의 S극에 해당한다.

③ 나침반 바늘의 N극은 지구의 북극을 가리킨다.

④ 지구의 자기장은 남극에서 나와 북극으로 들어간다.

⑤ 지구의 자기장은 태양에서 오는 여러 태양 입자를 막아준다.

04 자기장의 방향은 나침반 바늘의 N극이 향하는 방향이다.

05 ㄱ. C에는 자기력선이 없으므로 자기장의 세기는 0이다.

ㄴ, ㄷ. 자기력선이 촘촘할수록 자기장의 세기가 세므로 자기력선이 촘촘한 D에서 자기장의 세기가 가장 세다.

06 ① (가)에는 밀어내는 척력이 작용하고, (나)에는 잡아당기는 인력이 작용한다.

② 자기력선은 도중에 끊어지거나 교차하지 않으므로 자석 내부에서도 자기력선은 연결된다.

③ 자기장의 방향은 자기력선의 방향과 일치한다.

④ 자기장의 세기는 자기력선의 밀도에 비례한다.

⑤ 자기력선의 방향은 나침반 바늘의 N극이 가리키는 방향이다.

07 ㄱ, ㄴ. 코일에 전류가 흐를 때 자기장의 모양은 막대자석의 자기장과 비슷한 모양이다. 따라서 자기장은 코일의 한쪽에서 나와서 다른 쪽으로 들어간다.

ㄷ. 코일에 흐르는 전류를 세게 하면 자기장의 세기가 세진다.

08

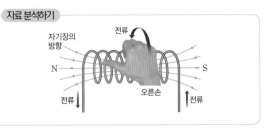

코일에서 자기장의 방향은 오른손의 네 손가락으로 코일을 감아쥐었을 때 엄지손가락이 가리키는 방향이다.

09 ㄱ. 자기 부상 열차는 전자석을 이용해 강한 자기장을 만들어 열차를 띄운다.

ㄴ. 스피커는 진동판의 진동으로 소리를 낸다. 스피커에는 전류가 흐르는 코일이 있어 자기장의 방향을 수시로 바꾼다.

ㄷ. 나침반은 영구 자석으로 만든다.

10 ㄱ. (가)에서 자기장의 방향과 (나)에서 자기장의 모양은 비슷하다.

ㄴ. 자기력선은 도중에 끊어지거나 교차되지 않는다.

ㄷ. 오른손의 네 손가락을 전류의 방향으로 감아쥘 때 엄지손가락이 향하는 방향이 자기장의 방향이므로 코일에 흐르는 전류의 방향을 바꾸면 자기장의 방향도 바뀐다.

11 ① 코일의 자기장은 전류의 세기에 따라 달라진다. 항상 자기장의 세기가 센 것은 아니다.

② 전류가 흐를 때만 자기장이 생겨, 자석과 같이 된다.

③ 자기장의 세기를 전류의 세기로 조절할 수 있다.

④ 전류의 방향을 바꾸어 자기장의 방향을 쉽게 바꿀 수 있다.

⑤ 코일 내부에 철심을 넣으면 더 강한 자기장을 만들 수 있다.

12 ㄱ. 전원의 A가 (+)극이면 전자석의 오른쪽이 N극이 되어 나침반 바늘의 N극은 왼쪽을 향한다.

ㄴ. 전원을 반대로 연결해서 전류의 방향을 바꾸면 자기장의 방향이 반대가 된다.

ㄷ. 코일 내부 자기장과 나침반 위치에서 자기장의 방향은 반대이다.

13 ㄱ. 오른손의 엄지손가락을 전류의 방향으로 향하고, 네 손가락을 자기장의 방향으로 향할 때 손바닥이 B 쪽을 향하므로 도선은 B 방향으로 힘을 받는다.

ㄴ. 저항의 크기를 크게 하면 전류의 세기가 작아져 자기력이 작아진다. 이때 자기력의 방향에는 영향을 주지 않는다.

ㄷ. 전류의 방향을 바꾸면 자기력의 방향이 바뀌므로 도선은 b 방향으로 힘을 받는다.

14 자기장의 방향을 바꾸면 자기력의 방향은 반대가 된다. (가)에서 B 방향, (나)에서 d 방향으로 작용하던 자기력은 자기장의 방향을 반대로 하면 (가)에서 D 방향, (나)에서 b 방향으로 작용한다.

15 전류의 방향이나 자기장의 방향이 반대가 되면 자기력의 방향은 반대가 된다. 그러나 전류의 방향과 자기장의 방향을 모두 반대로 하면 자기력의 방향은 변하지 않는다.

16
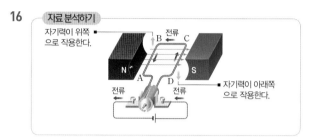

AB에는 위쪽, CD에는 아래쪽으로 자기력이 작용한다.

17 ㄱ, ㄴ. 코일은 시계 방향으로 회전하며, 전류의 방향을 바꾸면 코일은 반대로 회전한다.
ㄷ. 자석의 극을 바꾸면 자기장의 방향이 바뀌므로 코일은 반대 방향으로 회전한다.

실력 강화 문제
1권 117쪽

01 ④　　**02** ②　　**03** ②　　**04** ①

01
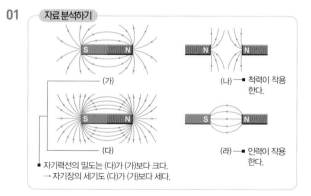

자기력선은 중간에 끊어지거나 교차되지 않으며, 자석 내부에서도 자기력선은 이어진다.

---

02 오른손의 네 손가락을 전류의 방향으로 감아쥘 때 엄지손가락이 향하는 방향이 자기장의 방향이므로 코일의 오른쪽인 P는 자석의 N극에 해당한다. 이때 코일의 왼쪽은 S극이므로, 자석의 S극과 코일의 S극 사이에는 척력이 작용한다.

03 ㄱ. 자기장의 방향은 N극에서 S극을 향하므로 C이다.
ㄴ, ㄷ. 전류가 (+)극에서 (−)극으로 흐르고 자기장이 C 방향이므로 자기력은 D 방향으로 작용한다. 이때 전류의 방향이나 자기장의 방향을 반대로 하면 자기력은 D의 반대인 B 방향으로 작용한다.

04 전류의 세기를 세게 하거나 자기장의 세기를 세게 하면 자기력을 크게 할 수 있다.
ㄱ. 전압을 높이면 전류의 세기가 세진다.
ㄴ. 자석을 도선과 멀리 하면 자기장이 약해진다.
ㄷ. 니크롬선에 연결한 집게를 ⓒ 쪽으로 이동하면 저항이 커져 전류의 세기가 약해진다.

서술형 문제
1권 118쪽~119쪽

1

모범 답안 자석 주위의 자기장은 N극에서 나와서 S극으로 들어가는 모양이며, 나침반 바늘의 N극이 자기장의 방향을 향하므로 나침반 바늘의 방향이 잘못된 것은 ⓒ이다.

채점 기준	배점
자기장의 모양과 나침반 바늘의 방향을 모두 옳게 설명한 경우	100%
자기장의 모양이나 나침반 바늘의 방향 중 한 가지만 옳게 설명한 경우	50%

2 외르스테드의 실험은 전기와 자기가 서로 관련이 있다는 것을 증명한 것으로, 전선의 전류가 나침반의 자석에 영향을 줄 수 있다는 것을 최초로 발견한 실험이다.
모범 답안 전류가 흐르는 도선 주위에는 자기장이 생기기 때문에 나침반 바늘이 움직인다.

채점 기준	배점
전류 주위에 자기장이 생긴다고 설명한 경우	100 %
전류 때문이라고만 설명한 경우	50 %

3 전류가 흐르는 코일에 의한 자기장의 세기는 전류의 세기와 코일의 감은 수에 각각 비례한다.

모범 답안 (다)-(나)-(가), 전류가 흐르는 코일 주위의 자기장은 전류의 세기가 셀수록, 코일의 감은 수가 많을수록 세진다.

채점 기준	배점
자기장의 세기 순서를 옳게 쓰고, 그 까닭을 옳게 설명한 경우	100 %
자기장의 세기만 옳게 쓰거나 까닭만 옳게 설명한 경우	50 %

4 전류가 흐르는 코일 안에 철심이 있는 전자석은 자기장의 세기를 조절할 수 있어 스피커, 하드 디스크 등 다양한 분야에 이용된다.

모범 답안 필요할 때만 자석으로 만들 수 있다. 자석의 극을 바꿀 수 있다. 자석의 세기를 조절할 수 있다.

채점 기준	배점
세 가지를 모두 옳게 설명한 경우	100 %
두 가지만 옳게 설명한 경우	70 %
한 가지만 옳게 설명한 경우	30 %

5 동일한 전자석이 나침반의 좌우에 놓여 있고, 두 전자석이 만드는 자석의 극은 각각 왼쪽이 N극, 오른쪽이 S극이다. 따라서 두 전자석 사이에서 자기장의 방향은 오른쪽에서 왼쪽을 향하므로 나침반 바늘의 N극은 왼쪽을 향한다.

모범 답안 왼쪽을 향한다. 왼쪽 전자석의 오른쪽에 S극이 생기고, 오른쪽 전자석의 왼쪽에 N극이 생기기 때문이다.

채점 기준	배점
왼쪽을 향한다고 쓰고, 그 까닭을 옳게 설명한 경우	100 %
왼쪽을 향한다고만 쓰거나 까닭만 옳게 설명한 경우	50 %

6 전류는 전하의 흐름으로 전자의 이동 방향은 전류의 방향과 반대이다. 따라서 전자가 종이면에 수직으로 들어가고 있으므로 전류의 방향은 종이면에서 나오는 방향이다.

모범 답안 b 방향, 전자의 이동 방향과 전류의 방향이 반대이므로 전류는 종이면에서 수직으로 나오는 방향이다. 따라서 도선은 b 방향으로 자기력을 받는다.

채점 기준	배점
자기력의 방향과 그 설명이 모두 옳은 경우	100 %
자기력의 방향만 옳게 쓴 경우	50 %

7 전동기는 자기장 속에서 전류가 받는 힘(자기력)을 이용한 장치이다. 자기력은 전류의 세기와 자기장의 세기, 코일의 감은 수에 비례한다. 직류 전동기에는 회전 방향을 일정하게 유지하기 위해 회전자의 위치에 따라 전류의 방향을 바꾸어 주는 정류자와 브러시가 있다.

모범 답안 전류의 세기를 세게 한다, 센 자석을 사용한다, 전자석에 코일을 많이 감는다 등

채점 기준	배점
전동기의 회전 속력을 빠르게 하는 방법을 두 가지 모두 옳게 설명한 경우	100 %
전동기의 회전 속력을 빠르게 하는 방법을 한 가지만 설명한 경우	50 %

8 스피커는 자석과 코일이 서로 상호 작용을 하여 울림판이 울리면서 소리가 나는 것이다.

모범 답안 음악 신호인 전류에 의해 자기장이 생기면 전자석의 양 쪽이 자석의 극을 띠어 영구 자석에 자기력(인력 또는 척력)이 작용하여 종이컵이 진동한다.

채점 기준	배점
전자석과 자석 사이에 자기력이 작용한다고 설명한 경우	100 %
전류가 흐르면 자기장이 생긴다고만 설명한 경우	50 %

최상위권 도전 문제

1권 120쪽~123쪽

1 ④	2 ⑤	3 해설 참조	4 ①
5 ③	6 ⑤	7 ③	8 ⑤

1 **자료 분석하기**

$$F = k_e \frac{q_1 q_2}{r^2}$$

F = 전기력
k_e = 쿨롱 상수
$q_1 \cdot q_2$ = 두 전하량의 곱
r = 두 전하 사이의 거리

ㄱ. (가)에서 A와 B에 작용하는 전기력의 크기는 같다. 그런데 A와 B의 기울어진 각이 다른 것은 두 공의 질량이 다르기 때문이다. B가 A보다 작게 기울어진 것으로 보아 B의 질량이 A의 질량보다 크다는 것을 알 수 있다.

ㄴ. 두 공의 전하량이 같다면 접촉 후 두 공은 전하를 띠지 않을 것이다. 그러나 (나)와 같이 접촉 후 두 공이 전하를 띠고 있으므로, (가)에서 A와 B의 전하량은 다르다.

ㄷ. (나)에서 A, B에 서로 미는 힘이 작용하므로 같은 전하로 대전되어 있다.

2 ㄱ. A, B가 같은 전하량으로 대전되어 있다가 B와 C를 접촉 시켰으므로 B, C가 절반씩 전하를 나누어 갖게 된다. 따라서 (가)에서 A의 전하량이 (나)에서 B의 전하량의 2배이다.

ㄴ. C는 원래 전하를 띠지 않다가 B와 접촉하면서 B와 전하를 나누어 가졌으므로 같은 전하로 대전되었다.

ㄷ. 전기력은 두 전하량의 곱에 비례하고 (나)에서 B와 C의 전하량이 각각 (가)에서 A와 B의 전하량의 절반이므로 $F_1 : F_2 = 1 : \frac{1}{4} = 4 : 1$이다.

3

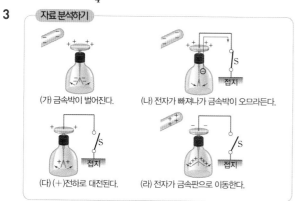

자료 분석하기

(가) 금속박이 벌어진다.

(나) 전자가 빠져나가 금속박이 오므라든다.

(다) (+)전하로 대전된다.

(라) 전자가 금속판으로 이동한다.

모범 답안

	금속박의 상태	금속박에 대전된 전하
(가)	벌어진다.	(−)전하
(나)	오므라든다.	중성
(다)	벌어진다.	(+)전하
(라)	더 벌어진다.	(+)전하

채점 기준	배점
금속박의 상태와 대전된 전하를 모두 옳게 쓴 경우	각 25%

4 ㄱ. 저항의 크기는 길이에 비례하고 단면적에 반비례한다. 따라서 길이가 $\frac{1}{2}$배로 줄고 단면적이 2배 늘어나므로 (나)의 저항은 (가)의 $\frac{1}{4}$배이다.

ㄴ. (나)에서 전지의 전압이 같고 저항이 $\frac{1}{4}$배이므로 (나)에서 측정한 전류는 (가)의 4배이다.

ㄷ. 전지가 같으므로 (가)와 (나) 회로에서 전압은 같다.

5 그래프 기울기의 역수는 저항을 의미하고 (나)에서 그래프의 기울기가 $\frac{1}{5}$에서 $\frac{1}{10}$로 변하였으므로 전체 저항은 5 Ω에서 10 Ω으로 증가하였다. 만약 B에 연결된 스위치를 열어 A만 회로에 연결되었다가 스위치를 닫아 A와 B가 병렬 연결되면 전체 전류가 증가해야 한다. 그러나 (나)에서 저항이 증가하였으므로 처음에 스위치가 닫혀 있다가 열리

면서 전체 저항이 증가한 것이다. 따라서 스위치가 열려 A만 연결되어 있을 때 저항이 10 Ω이고 저항 A와 B가 병렬 연결되었을 때 저항이 5 Ω이므로 A와 B의 저항의 크기는 각각 10 Ω이다.

6 P점에는 니크롬선 a, b에 흐르는 전류를 합한 6 A의 전류가 흐른다. 이때 두 니크롬선은 병렬로 연결되었으므로 두 니크롬선에는 각각 12 V의 전압이 걸린다. 따라서 니크롬선 a의 저항$=\frac{12\,V}{4\,A}=3$ Ω이고, 니크롬선 b의 저항 $=\frac{12\,V}{2\,A}=6$ Ω이다. 두 니크롬선을 직렬연결하면 전체 저항은 3 Ω+6 Ω=9 Ω이 된다.

7 전류의 방향이 반대가 되거나 자기장의 방향이 반대가 되면 자기력의 방향도 반대가 된다. 전류의 방향과 자기장의 방향이 모두 반대가 되면 자기력의 방향은 변하지 않는다.

8 ㄱ. 전자의 속력이 빠르면 전류의 세기가 세지므로 자기력의 크기도 커진다.

ㄴ. 전자의 이동 방향은 전류의 방향과 반대이므로 자기력의 방향은 (나)에서와 반대이다.

ㄷ. 전자의 이동 방향을 반대로 하면 (나)에서의 전류의 방향과 같으므로 자기력의 방향은 (나)에서와 같다.

창의·사고력 향상 문제

1권 125쪽~127쪽

1 **문제 해결 가이드** 마찰 전기와 정전기 유도 개념을 생활 속에 적용하여 문제를 해결해야 한다.

• 대전된 모니터에 정전기 유도로 먼지가 달라붙고 •• 마른 수건으로 닦을 때는 마찰 전기가 생겨 먼지가 더 달라붙는다는 것을 설명한다.

모범 답안 대전된 모니터에 의해 주변의 먼지에 정전기 유도가 일어나 모니터에 먼지가 달라붙게 된다. 이때 마른 수건 등으로 모니터를 문지르면 두 물체가 더 강하게 대전되어 주변의 먼지들을 더욱 끌어당기게 된다. 따라서 먼지를 없애기 위해서는 젖은 수건으로 닦아 모니터를 방전시켜야 한다.

채점 기준	배점
정전기 유도와 마찰 전기 개념으로 먼지가 달라붙는 것을 설명하고, 그 해결 방법을 옳게 설명한 경우	100%
정전기 유도와 마찰 전기 개념으로 설명하지 못했거나, 정전기를 없애기 위한 방법을 제시하지 못한 경우	50%

2 **문제 해결 가이드** 금속 구와 작은 전하를 가까이 할 때 금속 구에 정전기 유도가 일어날 수 있음을 알아야 한다.

(1) · 같은 전하 사이에는 척력이 작용한다는 것과 ·· 전기력은 거리의 제곱에 반비례한다는 것을 설명한다.

(2) · 금속 구에 정전기 유도가 일어난다는 것과 ·· 서로 다른 전하 사이에는 인력이 작용한다는 것을 설명한다.

모범 답안 (1) 처음에는 서로 같은 전하를 띠므로 서로 밀어내는 방향으로 전기력이 작용하며 거리가 가까워지면 힘이 커진다.

(2) 거리가 매우 가까워지면 (+)전하 쪽 금속 구의 표면에 (−)전하가 유도되어 두 물체 사이에는 인력이 작용한다.

채점 기준		배점
(1)	힘의 크기와 방향을 옳게 설명한 경우	50 %
	한 가지만 옳게 설명한 경우	25 %
(2)	유도된 전하와 인력을 옳게 설명한 경우	50 %
	전하의 유도를 언급하지 않고 인력을 설명한 경우	25 %

3 **문제 해결 가이드** 회로의 직렬연결과 병렬연결을 고려하여 스위치를 열고 닫을 때 전류의 변화를 알 수 있어야 한다.

· (3), (4)를 통해 전구 A와 C, D와 E가 직렬연결되어 있음을 알고 ·· (1), (2), (5)를 통해 A−C, D−E, B가 병렬연결되어 있음을 알아야 한다. ··· 또한, (1)과 (2)를 통해 B에 스위치 (나)가, A−C에 스위치 (가)가, D−E에 스위치 (다)가 직렬연결되어 있음을 알아야 한다.

모범 답안

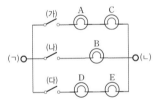

채점 기준	배점
전구와 스위치의 연결을 모두 옳게 그린 경우	100 %
위의 다섯 가지 조건 중에서 네 가지만 만족하는 경우	80 %
위의 다섯 가지 조건 중에서 세 가지만 만족하는 경우	60 %

4 **문제 해결 가이드** 전압−전류 그래프에서 기울기가 저항의 역수를 의미함을 알아야 한다.

· 기울기가 작을수록 저항값이 크며 ·· 물질에 따라 저항값이 다름을 그래프를 통해 알 수 있어야 한다.

모범 답안 C>B>A, 길이와 단면적이 같을 때 저항값이 다른 것으로 보아 물질에 따라 저항값이 다르다.

채점 기준	배점
저항의 크기를 옳게 비교하고, 저항값이 물질에 따라 다름을 설명한 경우	100 %
저항의 크기만 옳게 비교한 경우	50 %

5 **자료 분석하기**

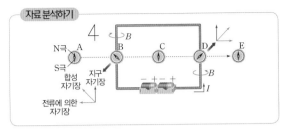

문제 해결 가이드 전류에 의한 자기장과 지구 자기장이 합성됨을 알아야 한다.

· 전류의 방향으로 오른손의 엄지손가락을 향할 때 네 손가락이 감아쥐는 방향이 직선 전류에 의한 자기장의 방향이며 ·· 두 자기장이 합성되면 두 자기장으로 사각형을 만들 때 대각선이 합성된 자기장임을 알아야 한다.

모범 답안 B: 북서쪽, C: 북쪽, D: 북동쪽

전류에 의한 자기장과 지구 자기장의 합성 자기장 방향으로 나침반 바늘이 움직이는데, 전류에 의한 자기장의 방향이 B에서는 서쪽이고, D에서는 동쪽이며, C에서 전류에 의한 자기장은 나침반에 영향을 주지 않기 때문이다.

채점 기준	배점
B, C, D를 옳게 쓰고, 그 까닭을 옳게 설명한 경우	100 %
B, C, D 중 두 가지만 옳게 쓰고, 그 까닭을 옳게 설명한 경우	75 %
B, C, D만 옳게 쓴 경우	50 %

6 **문제 해결 가이드** 전동기의 회전수를 높이거나 차를 가볍게 해야 더 빨리 달릴 수 있게 된다.

· 전동기를 더 빨리 돌리기 위해서는 코일을 많이 감거나, 전류를 세게 하거나, 자기장을 세게 해야 하며, ·· 차체를 가볍게 하여 속도를 크게 하는 경우도 고려해야 함을 설명한다.

모범 답안 ① 전동기의 회전수를 높이는 방법

· 자기장의 세기가 센 자석을 사용한다. (자석과 코일의 거리를 가깝게 한다.)

· 코일을 많이 감는다.

· 전류를 세게 흐르게 해 준다.

· 전동기의 마찰을 줄인다.

② 차체의 무게를 줄이는 방법

· 축전지의 용량을 줄인다.

· 충전 시스템을 단순화시킨다.

채점 기준	배점
전동기의 회전수와 차체의 무게를 모두 고려한 경우	100 %
전동기의 회전수나 차체의 무게 중 한 가지만을 고려하여 방법을 찾은 경우	50 %

III 태양계

01 지구의 크기와 운동

학습 내용 Check

탐구 확인 문제

1권 138쪽

1 (1) ○ (2) ○ (3) × (4) ○ (5) ×　　**2** 10 cm

1 (3) 막대 AA′은 그림자가 생기지 않도록 세우고, 막대 BB′은 그림자가 생기도록 세운다.
(5) 지구 모형에 두 막대를 세울 때 위도는 다르고, 경도는 같게 세운다.

2 실험에서 지구 모형의 반지름(R)은
$$\frac{360° \times l}{2\pi \times \theta} = \frac{360° \times 7.5\,\text{cm}}{2 \times 3 \times 45°} = 10\,\text{cm}$$이다.

개념 확인 문제

1권 142쪽~144쪽

01 ①	**02** ③	**03** ③	**04** ④	**05** ④
06 ③	**07** ②	**08** ⑤	**09** ①	**10** ④
11 ④	**12** ㄱ	**13** ③	**14** ③	**15** ②

01 에라토스테네스의 방법으로 지구의 크기를 구하기 위해서는 두 가지 가정이 필요하다. 첫째, 햇빛이 지구에 평행하게 들어와야 하는데, 이는 엇각을 이용하여 두 지점의 사잇각을 구하기 위해 필요하다. 둘째, 지구가 완전한 구형이어야 하는데, 이는 측정한 사잇각에 해당하는 거리와의 비례식을 세우기 위해 필요하다.

02 지구의 둘레(L)를 구하는 비례식은 $L : 360° = l : \theta$이므로 측정해야 하는 값은 두 지점 사이의 거리 l과 막대 끝과 막대의 그림자 끝이 이루는 각(θ')이다. 막대의 길이나 우물의 깊이는 햇빛이 지구에 평행하게 입사하므로 실험에 영향을 주지 않는다.

03 원에서 호의 길이는 중심각의 크기에 비례하므로, 지구의 반지름(R)을 구하는 비례식은 다음과 같다.
지구의 둘레($2\pi R$) : 360° = 두 지점 사이의 거리(l) : 두 지점 사이의 중심각(θ)

04 당시에는 측정 기술이 발달하지 않아 두 지점 사이의 거리 측정값에 오차가 있었으며, 지구의 모양이 완전한 구형이 아니기 때문에 오늘날 발달된 측정 도구와 인공위성을 이용하여 구한 실제 지구의 반지름 값보다 약 15 % 크게 측정되었다.

05 ㄱ. 위도 차를 이용하여 지구의 크기를 구할 때, 두 지점을 동일 경도에서 선택해야 한다.
ㄴ. 두 지점 사이의 중심각은 위도 차와 같으므로 37.5° − 35° = 2.5°와 같다.
ㄷ. 원에서 호의 길이는 중심각의 크기에 비례하므로, 지구의 둘레($2\pi R$) : 360° = 두 지점 사이의 거리(300 km) : 두 지점 사이의 중심각(2.5°)의 비례식이 성립한다.

06

자료 분석하기

- 북쪽 하늘에서 별의 이동 방향은 시계 반대 방향이다.
- 부채꼴의 중심각 a와 b의 각도는 같다.
- 부채꼴의 중심각 = 15°/시 × 촬영 시간
- 별이 움직인 시간 = 부채꼴의 중심각 ÷ 15

① 별의 일주 운동의 중심에 있는 별 P는 북극성이다.
②, ④ 별이 북극성을 중심으로 동심원을 그리며 시계 반대 방향으로 회전하므로 북쪽 하늘을 촬영한 것이고, 회전 방향은 ㉠이다.
③ 별은 1시간에 15°씩 회전하므로 2시간 동안 회전한 각도인 a와 b는 모두 30°이다.
⑤ 천체의 일주 운동은 지구의 자전에 의해 천체가 천구의 북극을 중심으로 회전하는 것처럼 보이는 겉보기 운동이다.

07 북쪽 하늘에서 일주 운동은 시계 반대 방향으로 나타나고, 1시간에 15°씩 회전한다. 따라서 A를 관측한 시간은 밤 12시보다 3시간 전인 밤 9시이다.

08 ㄱ. 별이 일주 운동하는 경로가 지평선에 비스듬하게 경사져 있으므로 관측자는 북반구 중위도에 위치한다.

ㄴ. 별 A는 지평선 아래로 지지 않는다.

ㄷ. 별 B는 남동쪽에서 떠서 남서쪽으로 지는 별이므로 천구의 적도 아래에 위치한 별이다. 따라서 북극에서는 볼 수 없다.

09 자료 분석하기

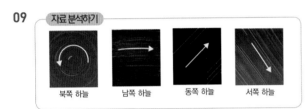

북반구 중위도의 동쪽 하늘에서는 천체가 지평선에서 오른쪽 위로 비스듬히 떠오르는 모습으로 관측된다.

10 ㄱ. (가)는 천정이 천구의 북극과 일치하므로 북극 지방에서 관측한 것이고, (나)는 별의 일주 운동 경로가 지평선과 직각을 이루므로 적도에서 관측한 것이다.

ㄴ. (나)는 북반구와 남반구에서 볼 수 있는 모든 별을 관측할 수 있는 반면, (가)는 별의 일주 운동과 지평선이 평행하므로 지평선 위에 있는 별들만 관측된다.

ㄷ. 일주 운동은 지구의 자전에 의해 일어나므로 관측자의 위치에 관계없이 주기는 24시간으로 같다.

11 태양의 연주 운동은 별자리를 기준으로 서에서 동으로 이동하며, 하루에 약 1°씩 움직인다.

12 지구가 공전함에 따라 보이는 별자리가 달라지는데, 별자리는 태양을 기준으로 동에서 서로 움직인다. 별의 연주 운동 속도는 지구의 공전 속도와 같으므로 별자리는 하루에 약 1°씩 이동한다.

13 ㄱ. 밤과 낮의 변화는 지구의 자전 때문에 나타나는 현상이다.

ㄴ. 지구는 태양을 중심으로 1년을 주기로 공전을 하고 있기 때문에 계절에 따라 밤하늘에 보이는 별자리의 위치가 달라진다.

ㄷ. 태양의 일주 운동은 지구의 자전 때문에 나타나는 현상이다.

ㄹ. 지구의 공전으로 인해 태양이 별자리를 배경으로 매일 약 1°씩 서에서 동으로 이동한다.

14 자료 분석하기

• 현재 지구 위치(A)에서 태양이 위치한 별자리: 전갈자리
• 현재 지구 위치(A)에서 한밤중에 남쪽 하늘에서 보이는 별자리: 황소자리
• 3개월 후 태양이 위치한 별자리: 물병자리

A 위치에서 태양은 전갈자리 부근에 위치하고, 한밤중에 남쪽 하늘에서는 태양과 반대 방향에 위치한 황소자리를 볼 수 있다.

15 태양은 별자리 사이를 서에서 동으로 이동하므로 3개월 후에 태양은 물병자리에 위치한다.

실력 강화 문제

1권 145쪽

01 ③　　**02** ④　　**03** ④　　**04** ⑤

01 ㄱ. 막대 AA′은 그림자가 생기지 않도록 세우고, 막대 BB′은 그림자가 생기도록 세운다.

ㄴ. 막대의 길이에 관계없이 막대와 그림자의 끝이 이루는 각도는 같으므로 막대의 길이를 같게 할 필요는 없다.

ㄷ. (나)에서 l은 경도가 같고 위도가 다른 곳에 세운 두 막대의 중심 사이의 거리이다.

ㄹ. 실험에서 측정한 막대와 그림자의 끝이 이루는 각도(θ)는 두 지점의 위도 차와 같다.

02 ① 천정과 천저는 관측자를 기준으로 한 위치이므로 관측자의 위치가 변하면 천정과 천저의 위치도 변한다.

②, ③ 천구는 지구를 하늘에 투영한 것이다. 따라서 천구의 북극과 남극을 이은 선은 지구의 자전축과 일치하며, 천구의 적도는 지구의 적도와 평행하다.

④ 지구는 서에서 동으로 자전하므로 북반구에서 별의 일주 운동 방향은 시계 반대 방향으로 관측된다.

⑤ 별의 일주 운동은 지구의 자전에 의해 별들이 천구상을 하루를 주기로 회전하는 겉보기 운동이다.

03

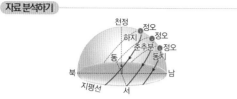

자료 분석하기

계절에 따른 태양의 일주권 변화: 지구의 공전에 의해 태양의 위치가 달라지므로 태양이 뜨는 위치가 계절에 따라 달라진다.

ㄱ. 하루 중 태양의 위치가 변하는 것은 지구의 자전에 의한 일주 운동으로 나타나며, 천체의 일주 운동 궤도는 천구의 적도와 평행하다.

ㄴ. 북반구의 동쪽 하늘에서는 천체가 지평선에서 오른쪽 위쪽으로 비스듬히 떠오른다.

ㄷ. 만약 지구가 자전만 한다면 태양이 뜨는 위치는 항상 일정할 것이다. 매일 해가 뜨는 위치가 달라지는 것은 지구가 태양을 중심으로 공전하기 때문이다.

04 그림 (가)에서 해가 진 직후 서쪽 지평선 부근에 사자자리가 나타난다는 것은 태양이 게자리와 사자자리 부근에 위치함을 의미하므로 8~9월에 해당한다. 또, 그림 (가)를 관측했을 때 동쪽 지평선에서는 사자자리에 대하여 반대 방향에 있는 별자리인 물병자리가 관측된다.

서술형 문제 1권 146쪽~147쪽

1 지구가 완전한 구형이 아니면 호의 길이와 중심각을 이용한 비례식이 성립되지 않는다. 또한, 햇빛이 지구에 평행하게 들어와야 엇각의 원리를 이용하여 알렉산드리아에 세운 막대와 막대의 그림자 끝이 이루는 각도가 두 지점 사이의 중심각과 같음이 성립한다.

모범 답안 1. 지구가 완전한 구형이어야 부채꼴에서 호의 길이와 중심각의 크기가 비례한다는 원의 성질을 이용하여 비례식을 세울 수 있다.
2. 햇빛이 지구에 평행하게 들어와야 엇각의 원리를 이용하여 두 지점 사이의 중심각을 구할 수 있다.

채점 기준	배점
두 가지 가정을 세운 까닭을 모두 옳게 설명한 경우	100%
두 가지 가정을 세운 까닭 중 한 가지만 옳게 설명한 경우	50%

2 (1) 하짓날 태양은 천구의 적도로부터 23.5° 위에 위치하며, 이날 시에네에 그림자가 생기지 않은 것은 시에네의 위도가 23.5°이기 때문이다.
(2) 당시에는 측정 기술이 발달하지 않아 두 지점 사이의 거리를 발걸음으로 구하였으므로 측정값에 오차가 있었다. 또, 지구는 완전한 구형이 아니라 구에 가까운 타원체이다.

모범 답안 (1) 하짓날 정오 시에네에 그림자가 생기지 않는다는 것은 이날 햇빛이 시에네를 수직으로 비추었다는 것을 의미한다.
(2) 두 지점 사이의 거리 측정값에 오차가 있었고, 지구의 모양은 완전한 구형이 아니다.

	채점 기준	배점
(1)	햇빛이 시에네를 수직으로 비춘다고 옳게 설명한 경우	50%
	태양의 위치가 시에네의 위에 있다고만 쓴 경우	25%
(2)	오차가 생긴 까닭 두 가지를 모두 옳게 설명한 경우	50%
	오차가 생긴 까닭 두 가지 중 한 가지만 설명한 경우	25%

3 경도가 같은 두 지점의 위도 차는 두 지역 사이 중심각의 크기와 같다. 따라서 A, B 두 지역 사이의 중심각의 크기는 37°−34°=3°이다.

모범 답안 두 지점의 위도 차인 3°(=37°−34°)가 중심각이고, 이에 해당하는 호의 길이가 330 km이므로, 지구의 둘레 L을 구하는 비례식을 세우면, $L:360°=330 km:3°$이고, $L=39600 km$이다.

채점 기준	배점
비례식을 세우고, 그 값을 옳게 계산한 경우	100%
비례식만 옳게 세운 경우	50%

4 별의 일주 운동은 지구가 자전하기 때문에 나타나는 겉보기 운동으로 지구 자전의 증거가 될 수 없으며, 지구 자전의 증거로는 푸코 진자의 진동면 회전, 인공위성 궤도의 서편 이동 등이 있다.

모범 답안 별의 일주 운동은 지구의 자전에 의해 나타나는 현상이지만, 지구가 정지한 채 별이 돈다고 생각할 수도 있기 때문에 지구 자전의 증거가 될 수 없다.

채점 기준	배점
일주 운동이 자전의 증거가 될 수 없음을 옳게 설명한 경우	100%
그 외의 경우	0%

5 북반구에서 천체의 일주 운동은 천구의 북극을 중심으로 시계 반대 방향으로 나타나며, 6시간 동안 약 90° 회전한다.

모범 답안 (가), 천구의 북극에 가장 가까운 별이 북극성이므로 별의 일주 운동은 북극성을 중심으로 시계 반대 방향으로 회전하는 것처럼 보인다.

채점 기준	배점
먼저 관측한 것을 쓰고, 그 까닭을 옳게 설명한 경우	100 %
먼저 관측한 것만 옳게 쓴 경우	50 %

6 천구의 북극 및 천구의 적도는 지구의 북극 및 지구의 적도를 천구까지 연장한 선과 일치하며, 일주 운동은 지구의 자전축을 중심으로 일어나므로 천구의 적도와 평행하다.

모범 답안 A는 천구의 적도, B는 지평선이다. 일주 운동은 지구의 자전축을 중심으로 시계 반대 방향으로 일어나기 때문에 천구의 적도인 A와 평행하게 나타난다.

채점 기준	배점
A와 B의 명칭을 옳게 쓰고, 일주 운동이 천구의 적도와 평행하게 나타나는 까닭을 옳게 설명한 경우	100 %
A와 B의 명칭만 옳게 쓴 경우	50 %

7 지구가 서에서 동으로 하루에 약 1°씩 공전하기 때문에 별자리는 하루에 약 1°씩 동에서 서로 연주 운동을 한다.

모범 답안 B, 약 30°, 지구가 서에서 동으로 하루에 약 1°씩 공전하기 때문이다.

채점 기준	배점
방향과 각도, 원인을 모두 옳게 설명한 경우	100 %
방향과 각도만 옳게 쓴 경우	50 %
방향이나 각도 중 한 가지만 옳게 쓴 경우	25 %

8 지구는 태양 주위를 1년을 주기로 공전하므로, 계절에 따라 보이는 별자리가 달라진다. 태양이 연주 운동하면서 천구상에서 별자리 사이를 이동해 가는 길을 황도라고 하며, 황도상에 있는 12개의 별자리를 황도 12궁이라고 한다. 또, 지구는 서에서 동(시계 반대 방향)으로 자전하므로 지구가 A 위치에 있을 때 해 진 직후에는 동쪽 하늘에서 물고기자리가 관측되고, 한밤중에는 남쪽 하늘에서 물고기자리가 관측될 것이다.

모범 답안 물고기자리, 지구는 서쪽에서 동쪽 방향으로 자전하므로 이날 해 진 직후 동쪽 지평선에는 물고기자리가 관측된다.

채점 기준	배점
별자리를 쓰고, 까닭을 옳게 설명한 경우	100 %
별자리만 옳게 쓴 경우	50 %

🌓 달의 크기와 운동

학습 내용 Check

1권 148쪽	**1** 같다	**2** 지름, 거리
1권 149쪽	**1** 상현달, 하현달	**2** 보름달
1권 151쪽	**1** 일식	**2** 본그림자 **3** 오른, 왼

탐구 확인 문제 1권 152쪽

1 구멍의 지름(d), 눈과 종이 사이의 거리(l)   **2** ⑤

3 $0.9\,cm : 100\,cm = D : 380000\,km$, $D = 3420\,km$

1 삼각형의 닮음비를 이용하여 달의 크기를 구하는 비례식 $D : L = d : l$에서 d(구멍의 지름)와 l(눈과 종이 사이의 거리)을 측정해야 한다.

2 달의 크기를 구하기 위해서는 지구에서 달까지의 거리(L)를 미리 알고 있어야 한다.

3 달의 크기를 구하는 비례식은 $d : l = D : L$이다.
➡ $0.9\,cm : 100\,cm = D : 380000\,km$

$$\therefore D = \frac{0.9\,cm \times 380000\,km}{100\,cm} = 3420\,km$$

탐구 확인 문제 1권 153쪽

1 (1) ○ (2) × (3) ○ (4) × (5) ○   **2** 왼쪽

1 (2) 달은 서에서 동으로 공전하므로 일식이 일어날 때 태양의 오른쪽부터 가려진다.
(4) 부분 월식은 달의 일부가 지구의 본그림자에 들어갈 때 일어난다.

2 달이 지구의 본그림자 속을 오른쪽에서 왼쪽으로 들어가면서 월식이 일어나기 때문에 달의 왼쪽부터 가려진다.

개념 확인 문제 1권 156쪽~158쪽

01 ①	**02** ①	**03** ②	**04** ①	**05** ②
06 ⑤	**07** ②	**08** ①	**09** ③	**10** ⑤
11 ③	**12** ⑤	**13** ③	**14** ⑤	**15** ④
16 ④	**17** ⑤			

01 (가)는 삼각형의 닮음비를 이용하여 달의 크기를 측정하고, (나)는 달의 각지름을 이용하여 달의 크기를 측정한다.
① 종이의 구멍이 클수록 눈과 종이 사이의 거리가 멀어진다.
② (가)에서는 종이의 구멍에 달을 일치시킨 후 l을 측정한다.
③ (가)에서 달의 크기를 구하기 위해 구멍의 지름과 눈과 종이 사이의 거리를 측정해야 한다.
④ 각지름(θ)은 달의 크기(D)에 비례한다.
⑤ (가)와 (나) 모두 지구에서 달까지의 거리를 알고 있어야 한다.

02 (가)에서 삼각형의 닮음비를 이용하여 비례식을 세우면 $d : D = l : L$이 성립한다.

03 (나)에서 비례식은 $360° : \theta = 2\pi L : D$이므로 $D = \dfrac{\theta}{360°} \times 2\pi L$이 된다.

04 달은 약 27.3일 동안 지구 주위를 한 바퀴 공전하므로, 하루에 약 13°씩 서에서 동으로 이동한다.

05 ㄱ. 달은 서에서 동으로 매일 약 13°씩 이동하므로 뜨는 시각이 약 50분씩 늦어진다.
ㄴ. 달이 공전하기 때문에 매일 같은 시각에 달을 관측하면 달의 위치와 모양이 달라진다.
ㄷ. 음력 7~8일경 해가 진 직후 남쪽 하늘에서 상현달을 볼 수 있다.

06 음력 15일경에는 보름달이 해가 진 직후 동쪽 하늘에서 떠올라 자정에 남쪽 하늘에서 보이고, 새벽에 서쪽 하늘로 지므로 밤새 볼 수 있다.

07 자료 분석하기

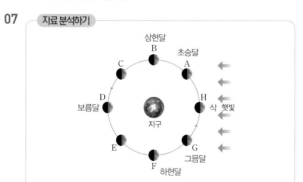

상현달은 오른쪽이 밝은 반달로 B의 위치에서 음력 7~8일경에 관측된다.

08 그림의 달은 초승달로, 이때 달의 위치는 삭(H)과 상현(B) 사이인 A이다.

09 달이 지구에서 보았을 때 태양의 반대 방향에 위치하면 달의 앞면 전체가 밝은 보름달로 보이며, 이때 달의 위치는 D이다.

10 자정에는 관측자의 머리가 태양의 반대편을 향하고 있다. 이때 동쪽 하늘에 떠오르고 있는 달은 하현달이다.

11 일식은 달이 태양을 가리는 현상으로, 태양-달-지구 순으로 일직선상에 놓이는 삭일 때 일어난다. 달은 지구 주위를 서에서 동으로 공전하므로 일식이 일어나면 태양은 오른쪽부터 가려진다.
③ 달의 본그림자 지역에서는 개기 일식을, 달의 반그림자 지역에서는 부분 일식을 관측할 수 있다.

12 ㄱ. 태양-달-지구 순으로 일직선을 이룰 때 일식이 일어난다.
ㄴ. A는 달의 본그림자 지역으로, 달이 태양을 완전히 가리는 개기 일식이 관측된다.
ㄷ. B는 달의 반그림자 지역으로, 달이 태양의 일부를 가리는 부분 일식이 관측된다.

13 태양-달-지구 순으로 일직선을 이룰 때 달의 본그림자 지역에서는 태양이 완전히 가려지는 개기 일식이 나타난다. 그런데 달의 공전 궤도가 타원이므로 지구에서 달까지의 거리가 약간 먼 곳에서 태양-달-지구 순으로 일직선으로 배열되는 경우 달이 태양을 완전히 가리지 못하고 태양의 가장자리가 보이게 되는데, 이를 금환식이라고 한다.

14 자료 분석하기

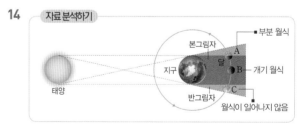

① 태양-지구-달 순으로 일직선상에 위치하는 망일 때 월식이 일어난다.
② 달이 A에 위치할 때는 달의 일부가 지구의 본그림자에 들어가므로 부분 월식이 일어난다.
③ 달이 B에 위치할 때는 달 전체가 지구의 본그림자에 들어가므로 개기 월식이 일어난다.
④ 달이 C에 위치할 때는 달 전체가 지구의 반그림자에 들어가므로 월식이 일어나지 않는다.
⑤ 달은 서에서 동으로 공전하므로 달의 왼쪽부터 지구의 그림자 속으로 들어간다. 따라서 월식이 진행되면 달의 왼쪽부터 가려지기 시작한다.

15 월식은 달이 지구의 본그림자 속으로 들어가면서 나타나는데, 달이 서에서 동(시계 반대 방향)으로 공전하기 때문에 월식이 일어나면 달의 왼쪽부터 가려지게 된다. 따라서 월식이 일어난 순서는 B → C → A이다.

16 개기 월식이 일어났을 때 달 전체가 완전히 안 보이는 것이 아니라 어두운 붉은색을 띠는데, 이는 태양빛이 지구의 대기를 통과하면서 산란과 굴절이 일어나 빛의 일부가 달에 도달하기 때문이다.

17 일식과 월식은 지구, 달, 태양이 일직선으로 배열될 때 나타나는데, 달이 공전하는 궤도면과 지구가 공전하는 궤도면이 일치하지 않기 때문에 식 현상은 달의 공전 주기인 한 달에 한 번씩 일어나지는 않는다.

실력 강화 문제

1권 159쪽

01 ①   **02** ④   **03** ㄱ, ㄴ   **04** ㄱ, ㄴ

01 자료 분석하기

관측한 기간 동안 초승달, 상현달, 보름달로 모양이 변하였으므로 그림 (나)에서 달은 A→B→C 방향으로 이동하였다.

02 상현달은 정오에 떠서 자정에 지고, 하현달은 자정에 떠서 정오에 지므로, 밤 10시경에 관측할 수 있는 반달은 상현달(A 위치)이다. 상현달은 정오에 동에서 떠올라 자정에 서로 지므로, 밤 10시경에 상현달이 보이는 하늘은 남서쪽 하늘이다.

03 (가)는 달이 태양을 가리는 일식 현상을, (나)는 지구 그림자에 달이 가려지는 월식 현상을 알아보기 위한 실험이다. (가)와 (나)에서 작은 공은 달, 큰 공은 지구, 전등은 태양에 해당한다. 실제 지구에서는 일식(가) 현상보다 월식(나) 현상을 더 넓은 지역에서 관측할 수 있다.

04 일식은 달이 태양을 가리는 현상이고, 월식은 지구의 그림자 속으로 달이 들어가면서 어두워지는 현상이다.

ㄱ. 달의 공전 방향이 시계 반대 방향이므로 일식은 태양의 오른쪽부터 나타나고, 월식은 달의 왼쪽부터 나타난다.

ㄴ. 일식일 때는 태양-달-지구, 월식일 때는 태양-지구-달의 순으로 위치하므로 태양과 달 사이의 거리는 일식일 때가 월식일 때보다 가깝다.

ㄷ. 지구의 그림자가 달의 그림자보다 크기 때문에 지속 시간은 월식이 일식보다 길게 나타난다.

서술형 문제

1권 160쪽~161쪽

1 눈과 달 사이의 거리(l) : 눈과 태양 사이의 거리(L)＝달의 지름(d) : 태양의 지름(D)의 비례식이 성립한다.

모범 답안 달이 태양을 완전히 가렸을 때 삼각형의 닮음비를 이용하여 비례식을 세우면

$380000\,km : 150000000\,km = d : (6400\,km \times 2 \times 109)$이고,
$d ≒ 3535\,km$이다.

채점 기준	배점
비례식을 세우는 방법을 설명하고 달의 지름을 옳게 구한 경우	100%
비례식만 옳게 쓴 경우	50%

2 달의 각지름(θ)에 해당하는 부채꼴 호의 길이(D)는 지구와 달 사이의 거리를 반지름으로 하는 원과의 비례식으로 구할 수 있다.

모범 답안 지구와 달 사이의 거리를 반지름으로 하는 원에서 달의 각지름(θ)에 해당하는 부채꼴의 호의 길이는 달의 지름(D)이므로, $\theta : D = 360° : 2\pi L$의 비례식이 성립한다.

$$\therefore D = \frac{\theta \times 2\pi L}{360°} = \frac{0.5° \times 2\pi \times 380000\,km}{360°} ≒ 3314\,km$$

채점 기준	배점
비례식을 세우는 방법을 설명하고 달의 지름을 옳게 구한 경우	100%
비례식만 옳게 쓴 경우	50%

3 달은 지구를 중심으로 서에서 동으로 공전하기 때문에 지구에서 관측할 때 위치와 모양이 계속 변한다.

모범 답안 (1) 달은 지구를 중심으로 서에서 동으로 공전하기 때문에 매일 같은 시각에 관측한 달의 위치가 달라진다.

(2) 지구는 서에서 동으로 자전하기 때문에 지구에서 관측할 때 모든 천체는 동쪽에서 떠서 서쪽으로 진다. 지구가 1회 자전하는 동

안 달은 같은 방향으로 공전하여 매일 서에서 동으로 약 13°씩 이동하므로 달의 지는 시각은 매일 약 50분씩 늦어진다.

(3) 보름달은 해가 질 때 동쪽 하늘에서 떠서 자정에 남중하고 해가 뜰 때 서쪽 하늘로 지므로 초저녁부터 새벽까지 약 12시간 동안 관측할 수 있다.

채점 기준	배점
(1), (2), (3)을 모두 옳게 설명한 경우	100%
(1)~(3) 중 한 개당 부분 배점	30%

4 달의 자전 주기와 공전 주기는 약 27.3일로 같아 지구에서 항상 같은 면만 보인다.

모범 답안 (1) 달은 자전 주기와 공전 주기가 같다.

(2) 달의 모양은 계속 변하지만, 달의 자전 주기와 공전 주기가 같기 때문에 달 표면 무늬는 변하지 않고 항상 같은 면만 관찰할 수 있다.

	채점 기준	배점
(1)	자전 주기와 공전 주기가 같다고 설명한 경우	50%
(2)	달의 모양은 계속 변하지만, 표면 무늬는 변하지 않는다고 설명한 경우	50%
	같은 면만 보인다고만 설명한 경우	20%

5 일식은 달이 태양을 가리는 현상으로, 지구에서 달의 반그림자 영역에서는 부분 일식, 달의 본그림자 영역에서는 개기 일식이 관측되고, 지구에서 달까지의 거리가 멀어서 달이 태양을 완전히 가리지 못했을 경우에는 금환식이 관측된다.

모범 답안 (1) A: , 개기 일식, B: , 부분 일식,

C: , 금환식

(2) 달의 공전 궤도는 타원 궤도인데, 지구에서 달까지의 거리가 상대적으로 멀어질 때 일식이 일어나면 달이 태양을 완전히 가리지 못하여 태양의 가장자리 부분이 반지 모양으로 둥글게 보이는 금환식이 일어난다.

	채점 기준	배점
(1)	A~C를 옳게 그리고, 일식의 종류를 옳게 쓴 경우	50%
	A~C만 옳게 그리거나 일식의 종류만 옳게 쓴 경우	25%
(2)	지구에서 달까지의 거리를 언급하여 옳게 설명한 경우	50%

6 달이 지구의 본그림자 영역에 들어가면 식 현상이 나타나며, 반그림자 영역에서는 식 현상이 나타나지 않는다.

모범 답안 (1) 달이 지구의 반그림자 영역으로 들어가면 전체적으로 약간 어두워질 뿐 식 현상은 나타나지 않는다.

(2) 부분 월식은 달의 일부가 지구의 본그림자 영역에 들어갈 때 나타나고, 개기 월식은 달 전체가 지구의 본그림자 영역에 들어갈 때 나타난다.

채점 기준	배점
(1), (2)를 모두 옳게 설명한 경우	100%
(1), (2) 중 한 가지만 옳게 설명한 경우	50%

7 일식과 월식은 천구상에서 태양, 지구, 달이 일직선으로 배열될 때만 나타날 수 있다.

모범 답안 일식과 월식은 천구상에서 태양, 지구, 달이 일직선으로 배열될 때 나타나는데, 달의 공전 궤도면이 지구의 공전 궤도면과 일치하지 않기 때문에 일식과 월식은 한 달에 한 번씩 일어나지는 않는다.

채점 기준	배점
달과 지구의 공전 궤도면이 불일치한다는 설명이 있는 경우	100%
공전 궤도면에 대한 설명이 없는 경우	0%

⓸ 태양계의 구성

학습 내용 Check

개념 확인 문제

1권 170쪽~172쪽

01 ④	02 ④	03 ④	04 ⑤	05 ②
06 ②	07 ⑤	08 ③	09 ③	10 ③
11 ④	12 ③	13 ①	14 ⑤	15 ⑤

01 태양계는 태양 및 태양을 중심으로 공전하는 8개의 행성, 위성, 혜성, 왜소 행성 등으로 이루어져 있다.
④ 은하는 태양계를 포함하는 더 큰 범위이다.

02 ①, ③ 내행성은 지구보다 안쪽 궤도에서 공전하는 천체로, 공전 궤도 반지름이 지구보다 작은 수성과 금성이 이에 속한다.
② 외행성은 지구보다 바깥쪽 궤도에서 공전하는 천체로, 지구보다 공전 궤도 반지름이 크다.
④ 외행성은 지구보다 바깥쪽 궤도를 공전하므로, 태양의 반대편에 위치할 수 있으며 한밤중에도 관측된다.
⑤ 지구의 공전 궤도 안쪽에서 공전하는 행성을 내행성, 바깥쪽에서 공전하는 행성을 외행성이라고 한다.

03 A는 질량과 반지름이 상대적으로 작은 지구형 행성이고, B는 질량과 반지름이 상대적으로 큰 목성형 행성이다.
ㄱ. 위성 수는 지구형 행성이 목성형 행성보다 적다.
ㄴ. 평균 밀도는 지구형 행성이 목성형 행성보다 크다.
ㄷ. 지구형 행성은 표면이 단단한 암석으로 이루어져 있지만 목성형 행성은 단단한 표면이 없다.

04

> 자료 분석하기
>
> 태양계 행성
>
> 지구 공전 궤도보다 안쪽에서 도는가? — 아니요 → 지구보다 질량이 작은가? — 아니요 → (다) 목성, 토성, 천왕성, 해왕성
>
> 예 ↓ (가) 수성, 금성
>
> 예 ↓ (나) 화성

ㄱ. 지구 공전 궤도보다 안쪽에서 공전하는 행성은 내행성으로, 수성과 금성이 이에 해당한다.
ㄴ. 외행성 중 지구보다 질량이 작은 행성은 화성이다.
ㄷ. (다)는 목성형 행성으로, 목성형 행성은 모두 고리를 가지고 있다.

05 ㄱ. 지구형 행성은 질량이 작지만 평균 밀도가 크고, 목성형 행성은 질량이 크지만 평균 밀도가 작다. 따라서 행성의 질량과 평균 밀도는 상관 관계가 없다.
ㄴ. 화성은 지구형 행성으로, 목성보다 지구와 물리량이 비슷하다.
ㄷ. 태양에서 멀어질수록 행성 사이의 거리가 더 멀어진다.

06 그림의 행성은 금성으로, 두꺼운 구름으로 둘러싸여 있어 표면이 보이지 않으며, 두꺼운 이산화 탄소 대기로 이루어져 있다. ①은 토성, ③은 수성, ④는 목성형 행성, ⑤는 화성의 특징이다.

07 태양에서 가까운 행성부터 A는 수성, B는 금성, C는 지구, D는 화성, E는 목성, F는 토성, G는 천왕성, H는 해왕성이다.
⑤ 자전축이 공전 궤도면과 거의 나란한 행성은 천왕성(G)이다.

08 A는 목성으로, 위성 수가 많고 빠른 자전으로 가로줄 무늬가 나타나며, 대기의 소용돌이인 대적점이 나타난다. B는 수성으로, 대기와 물이 없어 표면 온도의 일교차가 크고 운석 구덩이가 많다.

09 주어진 자료는 화성의 특징을 설명한 것이다.
ㄱ. 화성 표면에 골짜기와 강의 흔적이 있다는 것은 과거에 물이 흐른 적이 있었다는 증거이다.
ㄴ. 극 지역에 있는 극관의 크기가 계절에 따라 변하는데, 이는 화성의 자전축이 기울어져 있어서 계절 변화가 나타나기 때문이다.
ㄷ. 표면에 대흑점이 나타나는 행성은 해왕성이다.

10 ③ 태양의 대기는 광구보다 어둡기 때문에 평상시에는 관측하기 어렵고, 개기 일식 때 광구가 가려지면 관측할 수 있다.

11 광구 바로 위로 뻗어 있는 붉은색을 띠는 얇은 대기층을 채층, 흑점 주변에서 발생하는 고온의 가스 기둥을 홍염, 흑점 주변에서 많은 양의 에너지가 방출되는 폭발 현상을 플레어라고 한다.

12 A는 쌀알 무늬, B는 흑점이다.
ㄱ. A는 태양의 표면인 광구에서 대류에 의해 높은 온도의 물질이 상승하는 부분은 밝게, 하강하는 부분은 어둡게 보이기 때문에 나타난 쌀알 무늬이다.
ㄴ. B는 주변보다 온도가 낮아 검게 보이는 흑점이다.
ㄷ. 태양에서 흑점의 수는 태양의 활동이 활발할 때 많아진다.

13

> 자료 분석하기
>
> 태양의 적도
>
> 동 — 서 / 동 — 서 / 동 — 서
>
> 처음 / 4일 후 / 8일 후
>
> 위도에 따라 흑점의 이동 속도가 다르다.

흑점은 지구에서 볼 때 동에서 서로 이동하는데, 이는 태양이 서에서 동으로 자전하기 때문에 나타나는 겉보기 현상이다. 흑점의 이동 속도가 위도에 따라 다르게 나타나는 것은 태양의 표면이 딱딱한 고체가 아니라는 증거이다.

14 주어진 사진은 태양의 대기에서 나타나는 코로나이다.

ㄱ. 코로나는 평소에는 광구에서 나오는 빛 때문에 볼 수 없고 태양의 광구가 가려지는 개기 일식 때 관측할 수 있다.

ㄴ. 코로나는 태양의 상층 대기로, 태양의 표면과 대기 중 온도가 가장 높은 부분이다.

ㄷ. 코로나는 태양 활동이 활발할 때 크게 나타난다.

15 태양 흑점 수가 많을 때 태양 활동이 활발해진다. 태양 활동이 활발해지면 지구에서는 자기 폭풍이 발생하고, 이로 인해 대규모 정전 사태가 발생하기도 하며, 인공위성이 고장 나거나 지구 자기장이 교란되어 무선 통신이 끊어지는 델린저 현상이 나타난다.

⑤ 태양 활동이 활발할 때 지구의 극지방에서는 오로라가 자주 발생하며, 평소보다 낮은 위도에서도 오로라가 발생한다.

실력 강화 문제
1권 173쪽

01 ④　　**02** ③　　**03** ⑤　　**04** ⑤

01 ① A, B, C는 반지름이 작고 평균 밀도가 큰 지구형 행성이고, D는 반지름이 크고 평균 밀도가 작은 목성형 행성이다.

② A와 B는 태양으로부터의 거리가 태양 – 지구 사이의 거리보다 작은 것으로 보아 내행성이다. 내행성은 초저녁이나 새벽에만 관측할 수 있다.

③ B는 금성으로 대기압이 높고 대기의 대부분이 이산화 탄소로 이루어져 있기 때문에 온실 효과에 의해 표면 온도가 높고 일교차가 작다.

④ C는 화성이며, 지구에서 가장 밝게 보이는 행성은 금성(B)이다.

⑤ D는 목성으로, 태양계에서 가장 큰 행성이며, 빠른 자전에 의해 가로줄 무늬가 나타나는 특징이 있다.

02 ㄱ. 대기의 밀도는 기압이 높을수록 크므로 금성의 대기 밀도가 가장 크다.

ㄴ. 화성에는 대기가 희박하기 때문에 온실 효과가 거의 나타나지 않는다. 따라서 밤과 낮의 기온 차가 크게 나타난다.

ㄷ. 대기의 온실 효과는 주로 온실 기체인 이산화 탄소에 의해 일어난다. 대기 중 이산화 탄소의 농도가 가장 높은 행성은 금성이므로 온실 효과가 가장 크게 나타난다.

03 (가)는 수성, (나)는 금성, (다)는 화성, (라)는 목성이다.

① 내행성은 수성과 금성이다.

② (가)~(라) 중 (가), (나), (다)는 지구형 행성이고, (라)는 목성형 행성이다.

③ (나)는 (가)보다 태양으로부터 멀리 있지만, 두꺼운 이산화 탄소로 이루어진 대기의 온실 효과 때문에 표면 온도가 더 높다.

④ (다)의 양극에는 얼음과 드라이아이스로 이루어진 극관이 있다.

⑤ (라)의 표면에는 가로줄 무늬가 나타나는데, 이는 대기가 빠르게 자전하기 때문에 나타난다.

04 (가)의 A는 흑점, (나)는 코로나, (다)는 플레어이다.

ㄱ. A는 태양 자기장의 변화에 의해 태양 표면에서 대류 현상이 억제되어 주위보다 온도가 낮아 검게 보이는 흑점이다.

ㄴ. 태양 활동이 활발해지면 흑점의 수가 증가하며, 코로나의 크기가 커지고, 플레어가 많이 발생한다.

ㄷ. 플레어는 주로 흑점 주변에서 많이 발생한다.

서술형 문제
1권 174쪽~175쪽

1 금성은 대기압이 약 90 기압으로 높고, 이산화 탄소로 이루어진 두꺼운 대기를 가지고 있어 온실 효과가 크게 일어난다.

> **모범 답안** 금성은 대기압이 약 90 기압으로 높고, 주로 이산화 탄소로 이루어진 두꺼운 대기로 인해 표면 온도가 높다.

채점 기준	배점
대기의 주성분이 이산화 탄소라는 것과 기압이 크고 이산화 탄소 대기가 두껍다는 설명이 있는 경우	100 %
두꺼운 대기 때문이라고만 설명한 경우	50 %

2 태양계 행성은 질량, 반지름, 평균 밀도, 자전 주기, 고리의 유무, 위성 수 등의 물리량을 기준으로 지구형 행성과 목성형 행성으로 구분한다.

> **모범 답안** (1) 목성형 행성은 지구형 행성에 비해 질량이 크지만 상대적으로 가벼운 원소로 이루어져 있기 때문에 평균 밀도가 작게 나타난다.
>
> (2) 목성형 행성은 지구형 행성보다 자전 주기가 짧다. 이는 자전 속도가 빠르다는 것을 의미하며, 밤과 낮의 길이가 지구형 행성보다 짧게 나타난다.

채점 기준		배점
(1)	질량이 크지만 구성 원소가 가벼워 평균 밀도가 작다는 설명이 있는 경우	50%
	평균 밀도가 작다는 설명만 있는 경우	25%
(2)	자전 속도가 빠르고, 밤낮의 길이가 짧다는 설명이 있는 경우	50%
	두 가지 요소 중 한 가지만 설명한 경우	25%

3 수성은 대기가 없기 때문에 우주에서 들어오는 천체들이 대기에서 타지 않고 그대로 표면까지 떨어지게 된다.

모범 답안 수성에는 대기가 없기 때문에 우주에서 들어오는 천체들이 그대로 표면까지 떨어지며, 이때 생긴 운석 구덩이들은 대기에 의한 풍화 작용을 받지 않기 때문에 그대로 보존되어 운석 구덩이가 많이 분포한다.

채점 기준	배점
대기가 없어 운석이 많이 떨어지며, 풍화 작용을 받지 않아 운석 구덩이가 보존된다는 설명이 있는 경우	100%
두 가지 중 한 가지만 설명한 경우	50%

4 목성형 행성은 평균 밀도가 작고 자전 주기가 대체로 짧다. 대기는 주로 수소와 헬륨과 같은 가벼운 기체로 구성되어 있으며, 빠른 자전에 의해 대기의 줄무늬가 나타난다.

모범 답안 (1) 목성의 표면에 나타나는 줄무늬는 빠른 자전 속도 때문에 대기가 수평으로 이동한 흔적이다.
(2) 대적점은 대기의 소용돌이 때문에 생긴다.

채점 기준		배점
(1)	빠른 자전에 의해 생긴 대기의 흐름이라는 표현이 있는 경우	50%
	자전 속도 때문이라는 표현만 있는 경우	25%
(2)	대기의 소용돌이라는 표현이 있는 경우	50%
	소용돌이라는 표현 없이 대기라는 용어만 쓴 경우	25%

5 태양을 관측할 때는 태양 빛이 눈을 상하게 할 수 있으므로 직접 관찰해서는 안 된다. 태양을 투영판을 통해 보면 흑점을 관측할 수 있으며 흑점은 시간에 따라 움직이는 것을 알 수 있다. 흑점의 이동은 태양이 자전한다는 증거이며, 흑점의 이동 속도가 위도에 따라 다른 것은 태양의 표면이 딱딱한 고체가 아니기 때문이다.

모범 답안 (1) 태양은 너무 밝기 때문에 직접 관측해서는 안 된다. 따라서 태양을 관측할 때는 태양 투영판에 맺힌 태양의 상을 관측한다.
(2) 흑점이 이동하는 것으로부터 태양이 자전한다는 사실을, 흑점의 이동 속도가 위도에 따라 다르다는 것은 태양의 표면이 딱딱한 고체가 아니라는 사실을 알 수 있다.

채점 기준		배점
(1)	태양 투영판의 역할을 옳게 설명한 경우	50%
(2)	태양의 자전과 표면 상태를 모두 옳게 설명한 경우	50%
	태양의 자전과 표면 상태 중 한 가지만 옳게 설명한 경우	25%

6 **자료 분석하기**

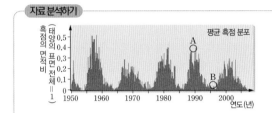

- A 시기(흑점 수가 많을 때): 태양 활동이 활발하므로, 지구에서는 델린저 현상, 인공위성의 고장, 오로라 발생 횟수 증가, 대규모 정전 등이 일어날 수 있다.
- B 시기(흑점 수가 적을 때): 태양 활동이 활발하지 않다.
- 흑점 수는 약 11년을 주기로 증가와 감소를 반복한다.

흑점은 약 11년을 주기로 증감하며, 흑점 수가 많아질 때는 태양의 활동이 활발할 때이다.

모범 답안 (1) A, 흑점 수가 많을 때 태양 활동이 활발하기 때문이다.
(2) 태양의 활동이 활발해지면 태양으로부터 지구에 도달하는 대전 입자의 양이 증가하고 무선 통신이 교란되어 무선 통신이 끊어지는 델린저 현상이 일어나며, 이는 흑점 수가 많아지며 태양 활동이 활발한 A 시기에 나타난다.

채점 기준		배점
(1)	A라고 쓰고, 그 까닭을 옳게 설명한 경우	50%
	A라고만 쓴 경우	25%
(2)	태양의 활동이 활발해지고 무선 통신 장애가 생기는 것을 설명하고 A를 고른 경우	50%
	무선 통신 장애만 설명한 경우	25%
	A라고만 쓴 경우	25%

7 태양의 대기는 매우 희박한 기체층이므로 광구보다 덜 밝아서 평소에는 볼 수 없지만, 달이 태양의 광구를 완전히 가리는 개기 일식 때 볼 수 있다. 태양의 대기는 광구 바로 위의 붉은색의 채층과, 채층 바깥에 있는 진주색의 코로나로 구분할 수 있다.

모범 답안 코로나라고 하며, 태양의 대기는 광구에 비해 어둡기 때문에 평소에는 보이지 않는다.

채점 기준	배점
코로나를 쓰고, 평소에 보이지 않는 까닭을 옳게 설명한 경우	100%
코로나만 쓴 경우	30%

| 1 ⑤ | 2 ④ | 3 ④ | 4 ④ | 5 ① |
| 6 ③ | 7 ④ | 8 ④ | | |

1 ㄱ. 별이 지평선에서 오른쪽으로 비스듬히 떠오르므로 동쪽 하늘을 관측한 것이다.

ㄴ. 천체의 일주 운동은 지구의 자전에 의해 나타나는 겉보기 운동이다. 따라서 천체들이 같은 시간 동안 움직인 각도는 모두 같다.

ㄷ. 별 A~D는 모두 지구의 자전에 의해 움직인 것처럼 보인다. 지구는 자전축을 중심으로 회전하기 때문에 별이 움직인 방향은 모두 천구의 적도와 평행하며, 특히 추분날은 태양이 천구의 적도에 위치하므로 별 D가 움직인 궤도에 태양이 있다는 것은 별 D가 천구의 적도에 위치해 있다는 것을 의미한다. 따라서 별 D가 움직인 궤도는 천구의 적도와 일치한다.

2 현재에는 쌍둥이자리가 남중해 있으며, 지구는 서에서 동으로 6시간에 90° 자전하므로 6시간 후 남중하는 별자리는 처녀자리가 된다. 한편, 지구는 자전 방향과 같은 서에서 동으로 공전하므로 1개월 후 자정에는 게자리가 남중하게 된다.

3 ㄱ. 초승달이 서쪽 하늘에서 질 때, 상현달이 남중할 때, 보름달이 동쪽 하늘에서 떠오를 때는 모두 해 진 직후 초저녁에 관측한 것이다.

ㄴ. 이때 관측한 달은 A(삭)에서 B(상현)를 거쳐 C(망)에 이르는 기간에 해당한다.

ㄷ. 관측 기간 동안 달의 공전에 의해 달이 시계 반대 방향으로 이동하므로 지는 시각이 점점 늦어진다.

| 도움이 되는 배경 지식 | 달이 뜨는 시각이 매일 약 50분씩 늦어지는 까닭

지구가 한 바퀴 자전하는 동안 달은 약 13° 만큼 지구 주위를 공전한다. 따라서 지구가 약 50분($= \frac{13°}{15°} \times 60$분) 더 자전해야 달이 전날과 같은 위치에서 떠오르게 된다.

4 ㄱ. 일식은 달이 태양을 가리는 현상으로 달은 시계 반대 방향으로 공전하기 때문에 일식이 일어나는 날에는 해가 뜨기 전에 달이 떴다가 해가 진 후 달이 지게 된다.

ㄴ. 달의 본그림자 지역에서는 개기 일식을 관측할 수 있다. 그러나 주어진 자료에서는 부분 일식만 나타나므로 이때 이 지역은 반그림자 영역에 속했다는 것을 알 수 있다.

ㄷ. 일식은 태양의 오른쪽부터 일어나므로 A에서 B 방향으로 일식이 진행된 것이다.

5 ㄱ. 보름달과 화성이 자정에 남중한 모습으로, 이날 달과 화성은 초저녁에 동쪽 하늘에서 떠서 새벽에 태양이 뜨기 직전에 서쪽 하늘로 진다.

ㄴ. 화성은 외행성으로, 보름달과 같은 위치에 있을 때 지구와의 거리가 가장 가깝다.

ㄷ. 화성은 보름달과 같은 위치에 있으므로 화성도 보름달 모양으로 관측된다.

| 도움이 되는 배경 지식 | 화성의 위상

화성도 달과 마찬가지로 스스로 빛을 내지 못하는 천체이므로, 태양, 지구, 화성의 위치 관계에 따라 우리 눈에 보이는 화성의 모양(위상)이 달라진다.

6 ① 자전 주기가 길수록 밤과 낮의 길이가 길다. 주어진 표에서 자전 주기가 가장 긴 행성은 금성이다.

② 일교차는 대기의 유무와 관련이 있다. 따라서 대기가 없는 수성이나 대기가 희박한 화성에서 일교차가 크게 나타나며 태양과의 거리와는 연관성이 없다.

③ 대기가 두꺼우면 태양 빛을 많이 반사하기 때문에 밝게 보인다. 금성의 대기압이 높다는 것은 대기가 두껍다는 것을 의미하므로 반사율이 높아 가장 밝게 보인다.

④ 온실 효과는 대기압이 높고 대기의 구성 성분이 이산화 탄소와 같은 온실 기체인 경우에 높게 나타난다. 이러한 조건을 만족하는 행성은 금성이다.

⑤ 한밤중에 관측할 수 있는 행성은 외행성이다. 수성과 금성은 내행성이므로 한밤중에는 관측할 수 없다.

7 ㄱ. 태양의 표면에서 저위도에 분포하는 흑점일수록 이동 각도가 크다는 것은 이동 속도가 빠르다는 것을 의미한다.

ㄴ. 태양의 자전 주기는 흑점의 이동 속도로부터 알 수 있는데, 고위도일수록 흑점의 이동 각도가 작으므로 태양의 자전 주기는 고위도일수록 길다.

ㄷ. 흑점의 이동 속도로부터 위도에 따라 태양의 자전 속도가 다름을 알 수 있는데, 이는 태양의 표면이 딱딱한 고체로 이루어진 것이 아니라 액체 또는 기체로 되어 있다는 증거이다.

| 도움이 되는 배경 지식 | 흑점의 이동 속도

태양의 자전 주기는 평균 27일이지만 위도에 따라 차이가 나는데, 양극 지역에서는 약 35일, 적도에서는 약 25일이다. 이로부터 태양 표면이 고체가 아님을 알 수 있다.

8 (가)는 태양 표면의 모습이고 (나)는 흑점 부근에서 일어나는 폭발 현상인 플레어이다. 흑점은 주위보다 온도가 낮아 검게 보이며, 태양 활동이 활발해지면 흑점 수가 증가한다. 흑점 수가 많을 때 플레어가 자주 발생하며, 코로나의 크기가 커진다.

창의·사고력 향상 문제

1권 181쪽~183쪽

1 (문제 해결 가이드) 지구는 하루에 한 바퀴 자전하며, 별의 일주 운동은 지구 자전에 따른 겉보기 운동이라는 점을 이용하여 설명한다.

• 지구 자전축의 연장선에 가장 가까운 별은 북극성이라는 점 •• 지구는 24시간에 360° 자전한다는 점 ••• 별의 일주 운동은 지구 자전에 따른 겉보기 운동이므로, 별의 일주 운동 속도는 지구의 자전 속도와 같은 1시간당 15°라는 점을 관련지어 설명한다.

(모범 답안) 북극성, 지구 자전에 의해 별은 1시간에 15°를 회전하는데, A가 이동한 각도가 30°이므로 촬영한 시간은 2시간이다.

채점 기준	배점
북극성을 쓰고, 촬영 시간을 옳게 설명한 경우	100%
북극성만 쓴 경우	30%

2 (문제 해결 가이드) 별자리는 고정한 채, 태양이 움직인 위치를 고려하여 설명한다.

• 별자리를 배경으로 태양은 서에서 동으로 연주 운동을 한다는 점 •• 천구에서 태양은 황도를 따라 움직인다는 점을 관련지어 설명한다.

(모범 답안)

선은 태양이 천구상에서 움직인 경로이며, 이를 황도라고 한다.

채점 기준	배점
이동한 위치를 선으로 옳게 그리고, 선의 의미를 옳게 설명한 경우	100%
그림 또는 설명 중 한 가지만 맞은 경우	50%

3 (문제 해결 가이드) 달의 공전 주기를 고려하여 하루에 몇 도(°)씩 어느 방향으로 이동하는지를 이용하여 그린다.

• 달은 음력 한 달(약 27.3일)에 한 바퀴(360°)씩 공전하므로 하루에 약 13°씩 서에서 동으로 움직인다는 점 •• 따라서 다음 날 같은 시각에는 달이 현재보다 동쪽으로 약 13° 더 이동한다는 점 ••• 달의 위상은 상현달보다 밝은 부분이 많이 관측된다는 점에 착안하여 그린다.

해가 진 직후 달의 위치와 모양 변화

(모범 답안)

채점 기준	배점
달의 위치와 모양을 옳게 그린 경우	100%
달의 위치와 모양 중 한 가지만 옳게 그린 경우	50%

4 (문제 해결 가이드) 개기 일식이 일어나기 위한 조건과 개기 일식이 매달 일어나지 않는 까닭을 생각한다. 공전 궤도면의 위에서 내려다 볼 때 태양–달–지구 순으로 일직선을 이루어도 개기 일식이 일어나기 어렵다는 점에 착안하여 설명한다.

• 개기 일식이 일어나기 위해서는 태양–달–지구 순으로 일직선을 이루어야 한다는 점 •• 지구의 공전 궤도면과 달의 공전 궤도면이 완전히 일치하지 않고 5° 정도 기울어져 있다는 점 ••• 달은 타원 궤도를 돌기 때문에 거리에 따라 달이 태양을 완전히 가리지 못할 수 있다는 점을 관련지어 설명한다.

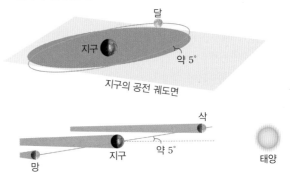

(모범 답안) 지구의 공전 궤도면과 달의 공전 궤도면이 일치할 때 태양–달–지구의 순서로 일직선으로 배열되어야 한다. 또, 달의 공

전 궤도가 타원이므로 달이 태양을 완전히 가리는 거리에 있어야 지구에 달의 본그림자가 생겨서 개기 일식을 관측할 수 있다.

채점 기준	배점
지구의 공전 궤도면과 달의 공전 궤도면이 일치할 때 태양-달-지구 순으로 배열되고 달의 적당한 거리라는 두 가지 조건을 모두 옳게 설명한 경우	100 %
두 가지 조건 중 한 가지만 옳게 설명한 경우	50 %

5 **문제 해결 가이드** 화성은 자전축이 공전 궤도면에 수직인 축에 대해 약 24°기울어져 있어서 지구와 같이 계절 변화가 나타난다는 점을 설명한다.

•화성의 극관은 얼어붙은 이산화 탄소와 얼음으로 이루어져 있다는 점 ••화성에서 극관의 크기는 겨울에는 커지고 여름에는 작아진다는 점 •••계절 변화는 자전축이 기울어진 채 태양 주위를 공전하기 때문에 생긴다는 점을 관련지어 설명한다.

모범 답안 화성의 양극에 있는 극관은 물과 이산화 탄소가 얼어붙은 것으로, 여름에는 녹아서 크기가 작아졌다가 겨울에는 얼어붙어 크기가 커진다. 이는 화성이 지구와 비슷하게 자전축이 기울어져 공전하기 때문에 계절이 나타난다는 증거이다.

채점 기준	배점
극관의 크기가 변하는 까닭과 알 수 있는 특징을 모두 옳게 설명한 경우	100 %
극관의 크기가 변하는 까닭이나 알 수 있는 특징 중 한 가지만 옳게 설명한 경우	50 %

6 **문제 해결 가이드** 태양 활동이 활발해지면 흑점 수가 증가하며, 코로나의 크기가 커진다는 점에 착안하여 설명한다.

•태양 활동이 활발할 때 태양풍이 강해진다는 점 ••태양 활동이 활발할 때 태양에서는 흑점의 수가 많아지고 코로나의 크기가 커진다는 점 •••태양 활동이 활발할 때 지구에서는 델린저 현상, 인공위성의 성능 저하, 평소보다 오로라 발생 횟수 증가, 대규모 정전 등이 일어난다는 점을 관련지어 설명한다.

모범 답안 태양풍은 태양 활동이 활발해지면 더 강하게 방출된다. 태양 활동이 활발해지면 태양의 표면인 광구에 흑점의 수가 많아지고 코로나의 크기가 커지기 때문에 흑점과 코로나의 관측을 통해 태양의 상태를 알 수 있다. 태양풍이 강해지면 지구에서는 무선 통신이 끊어지는 델린저 현상이 발생한다.

채점 기준	배점
태양풍이 강해질 때를 아는 방법과 지구에서 나타나는 현상을 모두 옳게 설명한 경우	100 %
태양풍이 강해질 때를 아는 방법과 지구에서 나타나는 현상 중 한 가지만 옳게 설명한 경우	50 %

IV 식물과 에너지

01 광합성

학습 내용 Check

1권 190쪽   **1** 엽록체   **2** 빛에너지   **3** 이산화 탄소, 물
          4 포도당, 녹말   **5** 산소

1권 191쪽   **1** 빛의 세기, 이산화 탄소의 농도, 온도
          2 증가, 일정해진다   **3** 감소

1권 193쪽   **1** 증산 작용   **2** 공변세포, 기공
          3 열리고, 닫힌다   **4** 강할, 높을, 낮을, 불
          5 증산 작용

탐구 확인 문제

1 (1) ○ (2) ○ (3) ○ (4) × (5) ×   **2** 엽록소를 제거하여 아이오딘 반응의 결과를 뚜렷하게 관찰하기 위해서이다.

1 (1) 날숨에는 이산화 탄소가 많이 포함되어 있다.
  (2) B의 검정말은 빛을 받지 못하여 광합성을 하지 못한다.
  (3) 산소는 연소를 돕는 기체이다.
  (4) 초록색 알갱이는 엽록체이고, 엽록소는 엽록체에 들어 있는 초록색 색소이다.
  (5) 아이오딘-아이오딘화 칼륨 용액은 녹말을 검출하는 시약이다.

2 검정말을 에탄올에 넣고 물 중탕하면 검정말 잎이 투명해져서 아이오딘 반응의 결과가 더 뚜렷하게 관찰된다.

탐구 확인 문제
1권 195쪽

01 (1) × (2) ○ (3) ○ (4) ○ (5) ○   **02** 물이 든 수조는 전등의 열을 흡수하여 표본 병의 물의 온도를 일정하게 유지하기 위한 것이다. 전등과 표본 병 사이의 거리가 가까울수록 빛의 세기는 강해진다.

1 (1) 검정말 줄기를 비스듬히 잘라 거꾸로 넣어야 기포 발생이 잘 관찰된다. 기포는 광합성 결과 생성되는 산소이다.
  (2) 탄산수소 나트륨 수용액은 검정말의 광합성에 필요한 이산화 탄소를 공급한다.

정답과 해설 039

(3) 산소는 물에 잘 녹지 않으므로 용액이 가득한 시험관을 덮어씌워 두면, 산소 발생량이 많아질수록 수면이 아래로 내려간다.

(4) 실험 과정에서 빛의 세기를 제외한 온도, 이산화 탄소 농도 등과 같은 요인은 일정하게 유지해 주어야 한다.

(5) 광합성 결과 산소가 발생한다.

2 전등에서 열이 방출되면 물풀이 들어 있는 용액의 온도가 높아질 수 있으므로 전등과 표본 병 사이에 물이 든 수조를 두어 전등에서 방출되는 열을 흡수하도록 한다. 물풀에 도달하는 빛의 세기는 물풀과 전등 사이의 거리의 제곱에 반비례한다.

개념 확인 문제

1권 198쪽~201쪽

01 ③　　**02** 엽록체　**03** 엽록소　**04** A: 물, B: 이산화 탄소, C: 산소　**05** ③　　**06** ③　　**07** ④　　**08** ④
09 ④　　**10** ①　　**11** ③　　**12** ④　　**13** 물풀의 광합성에 필요한 이산화 탄소를 공급하기 위해서이다.
14 ④　　**15** ①　　**16** 증산 작용　　　**17** ②
18 공변세포　　　　**19** ④　　**20** ⑤　　**21** ②
22 ③　　**23** ②　　**24** ⑤

---

01 식물은 생명 활동에 필요한 에너지원(양분)을 광합성을 통해 스스로 합성한다.

02 엽록체는 빛에너지를 포도당 속의 화학 에너지로 전환한다.
| 도움이 되는 배경 지식 | 빛에너지의 전환 |
모든 생물에게 필요한 에너지의 근원은 태양의 빛에너지이지만 생물은 빛에너지를 생명 활동에 직접 이용하지 못한다. 광합성은 빛에너지를 생물이 이용할 수 있는 화학 에너지로 전환하는 과정이다.

03 엽록체에는 초록색 색소인 엽록소가 들어 있다.

04 A는 뿌리에서 흡수하여 올라온 물, B는 기공을 통해 흡수한 이산화 탄소, C는 광합성 결과 생성된 산소이다.

05 ㄱ. 공기 중의 이산화 탄소는 기공을 통해 흡수된다.
ㄴ. 엽록소에서 흡수한 빛에너지는 광합성에 이용되어 화학 에너지로 전환된다.
ㄷ. 물은 뿌리에서 흡수되어 물관을 통해 잎으로 운반된다.

06 ① (가)는 식물을 암실에 두어 잎에 있던 녹말을 식물체의 다른 곳으로 이동시키는 과정이다.
② (나)에서 잎의 A 부분에는 빛이 비치지만, 알루미늄박으로 가린 B 부분에는 빛이 비치지 않는다.

③ (다)에서 에탄올에 잎을 넣고 물 중탕하면 엽록소가 녹아 나와 잎이 탈색된다.
④ (라)는 아이오딘-아이오딘화 칼륨 용액으로 잎에 녹말이 있는지를 알아보는 과정이다.
⑤ (라)의 결과 잎에서 빛을 받아 광합성이 일어난 A 부분은 청람색으로 되고, 빛을 받지 못한 B 부분에서는 광합성이 일어나지 않아 아이오딘 반응이 나타나지 않는다.

07 ㄱ. 잎에서 빛이 비친 부분에서만 녹말이 검출되므로 광합성에는 빛이 필요하다는 것을 알 수 있다.
ㄴ. 아이오딘 반응이 나타난 것으로 보아 광합성 결과 녹말이 만들어진다는 것을 알 수 있다.
ㄷ. 광합성에 이산화 탄소가 필요한지를 알아보려면 이산화 탄소가 있을 때와 없을 때를 비교해 보아야 한다.

08 양초의 연소와 쥐의 호흡에는 산소가 필요하다. 촛불과 쥐를 식물과 함께 두면 촛불이 더 오래 타고 쥐도 더 오래 사는 것은 식물이 광합성을 하여 산소를 방출하기 때문이다.

09 A의 잎에서는 광합성이 일어나 녹말이 검출되지만, B에서는 수산화 칼륨이 이산화 탄소를 흡수하여 B의 잎은 광합성을 하지 못한다.

10 ㄱ. 식물의 광합성으로 발생하는 기포는 산소이다.
ㄴ. 이산화 탄소가 있는 용액 B에서만 산소 기포가 발생하였으므로 광합성에 이산화 탄소가 필요하다는 것을 알 수 있다.
ㄷ. A와 B에 모두 빛을 비추었으므로 빛의 유무에 따른 광합성 여부를 알아보는 실험은 아니다.

11 식물의 광합성은 온도, 빛의 세기, 이산화 탄소 농도의 영향을 받는다.

12 ① 전등 빛의 밝기를 변화시키면서 실험하는 것은 빛의 세기에 따른 광합성량을 알아보기 위한 것이다.
② 빛의 세기를 제외하고 광합성량에 영향을 줄 수 있는 온도, 이산화 탄소의 농도는 일정하게 유지해야 한다.
③ 물풀의 줄기를 비스듬히 잘라 거꾸로 넣으면 줄기 끝에서 발생하는 기포를 쉽게 관찰할 수 있다.
④ 물풀을 담가 둔 표본 병의 용액과 같은 농도의 탄산수소 나트륨 수용액을 시험관에 가득 넣고 물풀 위로 덮어씌운다.
⑤ 물풀에서 발생하는 기포의 양은 광합성량에 비례하여 증가한다.

13 탄산수소 나트륨은 물속에서 해리된 후 물풀에 흡수되어 광합성에 필요한 이산화 탄소를 공급한다.

14 이산화 탄소 농도가 0.12 %가 될 때까지는 이산화 탄소 농도가 증가함에 따라 광합성량도 증가하지만, 그 이상에 서는 이산화 탄소 농도가 증가하더라도 광합성량은 일정 하게 유지된다.

15 식물의 광합성량은 온도가 증가함에 따라 증가하지만, 일정 온도 이상에서는 급격하게 감소하여 ①과 같이 나타난다.

16 식물 잎의 기공을 통해 물이 수증기 형태로 공기 중으로 나 가는 현상을 증산 작용이라고 한다.

17 A와 B에서 차이점은 식물 잎의 유무이므로 증산 작용이 잎을 통해 일어나는지를 확인하는 실험이다.

18

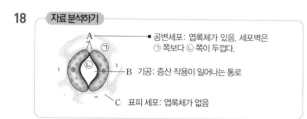

> **자료 분석하기**
>
> A → 공변세포: 엽록체가 있음. 세포벽은 ㉠ 쪽보다 ㉡ 쪽이 두껍다.
> B → 기공: 증산 작용이 일어나는 통로
> C → 표피 세포: 엽록체가 없음

B는 기공이며, 기공을 둘러싸는 한 쌍의 세포 A는 공변세 포이다.

19 ① 공변세포와 기공은 잎의 표피 조직에 있다.
② 공변세포의 세포벽은 기공 반대쪽(㉠)보다 기공 쪽(㉡) 이 두껍다.
③ B는 기공으로, 증산 작용이 일어나는 통로이다.
④ 광합성에 필요한 물은 뿌리에서 흡수되며, 기공을 통해 서 여분의 물이 수증기 형태로 배출된다.
⑤ 표피 세포(C)는 공변세포(A)와 달리 엽록체가 없다.

20 증산 작용이 일어날 때는 주변 세포로부터 공변세포로 물 이 흡수되므로 공변세포의 부피가 증가하여 팽창한다. 그 결과 기공이 열리므로 B의 크기가 커진다.

21 ① 증산 작용은 빛이 비치는 낮에 활발하게 일어난다.
②, ③ 증산 작용은 식물체 안의 물이 수증기 상태로 증발 되는 현상이다.
④ 증산 작용은 뿌리에서 흡수한 물이 잎으로 상승하는 원 동력을 제공한다.
⑤ 물과 이산화 탄소는 광합성의 원료이다.

22 ㄱ. 공변세포를 관찰할 때는 얇게 벗겨진 잎의 표피인 A 부분을 관찰한다.
ㄴ. 일반적으로 기공은 잎의 앞면 표피보다 뒷면 표피에 많다.
ㄷ. 아세트산카민 용액은 핵을 붉게 염색한다. 공변세포는

다른 표피 세포와 달리 엽록체가 있어 초록색으로 잘 구분 되므로 (나)에서 아세트산카민 용액을 사용하지 않더라도 공변세포를 관찰할 수는 있다.

23 증산 작용은 빛이 강하고, 기온이 높고, 습도가 낮으며, 바 람이 불 때 활발하게 일어난다.

24 증산 작용은 식물의 뿌리에서 흡수한 물을 상승시키는 원 동력을 제공하여 뿌리에서 계속 물을 흡수하도록 한다. 또 한, 물이 수증기로 되어 증발되면서 식물체의 온도를 낮추 고, 식물체 안의 수분량을 조절한다. 식물체의 생장에 필 요한 양분은 광합성을 통해 합성된다.

실력 강화 문제

1권 202쪽~203쪽

01 ②, ④ **02** ④ **03** ③ **04** ③, ⑤ **05** ①
06 ④ **07** ⑤ **08** ③, ⑤

01 ① (가)는 잎에 있던 녹말을 설탕과 같은 당으로 전환하여 식물의 다른 부분으로 이동시키는 과정이다.
② (나)에서 셀로판지로 덮인 A에는 빛이 비치고, 알루미 늄박으로 덮인 B에는 빛이 비치지 않는다.
③, ④ (다)는 잎의 엽록소를 제거하는 과정이며, 이때 잎에 있는 녹말은 변하지 않고 그대로 있다.
⑤ 빛이 비친 A에서만 광합성이 일어나 녹말이 생성된다. 따라서 A만 (라)에서 아이오딘 – 아이오딘화 칼륨 용액에 청람색으로 변한다.

02

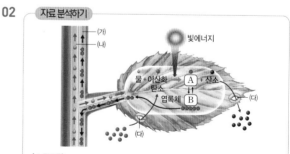

> **자료 분석하기**
>
> A: 포도당
> B: 녹말, 광합성으로 만들어진 포도당은 녹말로 전환되어 낮 동안 잎에 저장된다.
> (가) 체관, 광합성 산물이 이동하는 통로이다.
> (나) 물관, 뿌리에서 흡수한 물이 이동하는 통로이다.
> (다) 기공, 기체가 출입하는 통로이며, 증산 작용이 일어나는 통로이다.

(다)는 기공으로, 2개의 공변세포에 둘러싸여 있다. 기공을 통해 증산 작용이 일어나면 물관(나)을 통해 물이 상승하 는 원동력이 생긴다.

03 자료 분석하기

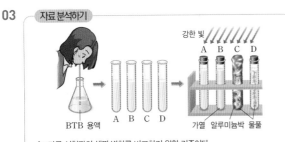

A: 다른 시험관의 색깔 변화를 비교하기 위한 기준이다.
B: 가열하면 용액에 녹아 있던 이산화 탄소가 기체가 되어 날아간다.
C: 알루미늄박은 빛을 통과시키지 않으므로 물풀이 광합성을 하지 못한다.
D: 물풀이 광합성을 하여 용액 속의 이산화 탄소를 소모한다.

초록색 BTB 용액에 입김을 불어 넣으면 날숨의 이산화 탄소가 녹아 들어가 노란색으로 바뀐다. A는 아무 변화가 없어서 노란색 그대로이며, C는 물풀에서 광합성이 일어나지 않고 호흡만 일어나 노란색이다. B와 D는 이산화 탄소의 양이 줄어들어 파란색을 나타낸다.

04 자료 분석하기

빛의 세기가 증가함에 따라 광합성량이 증가하지만, B 이상의 빛의 세기에서는 광합성량이 더 이상 증가하지 않고 일정하게 유지된다.

① 물풀의 광합성량이 많을수록 기포 발생량이 증가한다.
②, ③ 빛의 세기가 A일 때보다 B일 때 광합성이 활발하므로, 물풀의 포도당 생성 속도가 증가한다.
④ 빛의 세기가 B보다 강해지면 물풀에서 발생하는 기포의 수는 B일 때와 같게 유지된다.
⑤ (가)에서 물풀의 광합성량이 많아질수록 물속의 이산화 탄소를 소모하므로 탄산수소 나트륨 수용액의 농도가 낮아진다.

05 ㄱ. 수산화 칼슘은 이산화 탄소를 흡수하는 성질이 있으므로 (나)의 유리종 내부에는 이산화 탄소가 없고 (가)의 유리종 내부에만 이산화 탄소가 있다. 따라서 (가)의 식물 잎에서만 광합성이 일어나 녹말이 합성되므로 아이오딘 반응이 나타난다.
ㄴ. (가)에서는 식물이 이산화 탄소를 흡수하여 광합성에 이용하므로 유리종 안의 이산화 탄소량이 감소한다.
ㄷ. (나)에서는 식물이 광합성을 하지 않으므로 유리종 안의 산소량이 증가하지 않는다.

06 ㄱ. 빛이 비치면 공변세포(A)에는 엽록체가 있으므로 광합성이 일어난다.
ㄴ. 공변세포 안의 물의 양이 증가하면 공변세포가 팽창하면서 기공이 열린다.
ㄷ. 빛이 강하고 바람이 불 때 기공이 열려 증산 작용이 활발하게 일어난다.

07 자료 분석하기

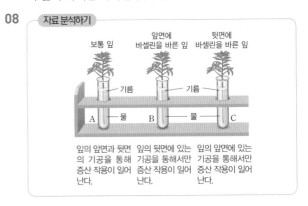

증산 작용은 잎의 기공을 통해 일어나므로 B에서보다 A에서 증산 작용이 활발하다.

증산 작용은 빛이 강할 때 잘 일어나므로 D에서보다 C에서 증산 작용이 활발하다.

ㄱ. 증산 작용이 활발할수록 물의 높이는 낮아진다. 따라서 (가)에서 눈금실린더의 물의 높이는 B가 A보다 높다.
ㄴ. (나)에서 기름을 떨어뜨리지 않으면 수면에서 물이 대기 중으로 증발되므로 C의 물의 높이는 더 낮아진다.
ㄷ. 비가 오면 증산 작용이 잘 일어나지 않아 C와 D의 물의 높이 차이는 작아질 것이다.

08 자료 분석하기

잎의 앞면과 뒷면의 기공을 통해 증산 작용이 일어난다.

잎의 뒷면에 있는 기공을 통해서만 증산 작용이 일어난다.

잎의 앞면에 있는 기공을 통해서만 증산 작용이 일어난다.

① 바셀린은 기공을 막는다.
② 증산 작용은 빛이 강할 때 활발하게 일어나므로 빛이 비치는 곳에서 실험한다.
③ 기공은 잎의 앞면과 뒷면에 있으므로 A에서 증산 작용이 가장 활발하게 일어나 물의 높이가 가장 낮아진다.
④ 잎의 앞면과 뒷면 중 어느 쪽에 기공이 많은지, 어느 쪽에서 증산 작용이 활발한지를 알아보는 실험이다.
⑤ B는 잎의 뒷면 기공을 통해서만 증산 작용을 하고 C는 잎의 앞면 기공을 통해서만 증산 작용을 한다.

채점 기준	배점
(1) 광합성 과정에 출입하는 기체를 언급하여 옳게 설명한 경우	50%
	광합성 과정에 출입하는 기체만 옳게 쓴 경우	20%
(2) 광합성에 빛이 필요하다는 것을 옳게 설명한 경우	50%
	광합성으로 산소를 생성한다고만 쓴 경우	20%

| 도움이 되는 배경 지식 | 기공의 분포

육상 식물은 대부분 햇빛을 피해 잎 뒷면에 기공이 분포하지만 잎이 비스듬히 나는 외떡잎식물은 잎의 앞면과 뒷면에 비교적 고르게 분포한다. 잎 뒷면이 수면에 닿아 있는 수상 식물은 기공이 주로 잎 앞면에 분포한다.

서술형 문제

1권 204쪽~205쪽

1 엽록체에는 엽록소라는 초록색 색소가 있어 빛에너지를 흡수하며, 이 에너지가 포도당을 합성하는 데 이용된다.

모범 답안 식물 세포에서 포도당을 합성하는 A는 엽록체이며, 엽록체에는 엽록소가 있어 빛에너지를 흡수한다.

채점 기준	배점
엽록체와 엽록소를 구분하여 옳게 설명한 경우	100%
엽록체만 옳게 설명한 경우	50%

2 광합성에 필요한 물은 뿌리에서 흡수되어 물관을 통해 잎으로 이동하고, 이산화 탄소는 기공을 통해 공기 중에서 흡수된다. 광합성으로 생성된 포도당은 녹말로 전환되어 낮 동안 잎에 저장되고, 산소는 기공을 통해 방출된다.

모범 답안 (1) A는 물관을 통해 이동하는 물이고, B는 기공을 통해 흡수하는 이산화 탄소이다. C는 광합성으로 만들어져 녹말로 전환되는 포도당이고, D는 광합성 결과 생성되어 기공을 통해 방출되는 산소이다.

(2) 한 쌍의 공변세포로 둘러싸여 있는 ㉠은 기공이며, 기공은 증산 작용이 일어나고 기체가 출입하는 통로이다.

채점 기준	배점
(1) 물질 A~D를 바르게 쓰고, 근거를 모두 옳게 설명한 경우	50%
	물질 A~D를 바르게 쓴 경우	20%
(2) 기공이라고 쓰고, 기능을 옳게 설명한 경우	50%
	기공이라고만 쓴 경우	20%

3 식물의 광합성에는 물과 이산화 탄소, 빛에너지가 필요하며, 광합성 결과 포도당과 산소가 생성된다. 따라서 식물이 광합성을 활발하게 할 때에는 기공을 통해 이산화 탄소를 흡수하고 산소를 방출한다.

모범 답안 (1) (나)에서는 식물이 빛을 받아 광합성을 하므로 이산화 탄소를 흡수하고 산소를 방출한다. 따라서, 쥐가 산소를 이용하여 호흡을 할 수 있어 오래 산다. 그러나 (가)에서는 빛이 없어 식물이 광합성을 하지 못하므로 쥐는 산소 부족으로 죽게 된다.

(2) 식물은 빛이 있을 때만 광합성을 하여 산소를 생성한다.

4 물풀이 광합성을 하여 생성되는 산소는 물에 잘 녹지 않아 기포 상태로 방출된다. 식물의 광합성량은 빛의 세기, 이산화 탄소 농도, 온도의 영향을 받는다.

모범 답안 (1) 광합성이 일어나면 산소가 생성되어 기포로 방출된다. 광합성량이 많을수록 산소 생성량도 많으므로 물풀에서 방출되는 기포의 수를 세어 빛의 세기에 따른 광합성량을 비교할 수 있다.

(2) 물풀의 잎에 아이오딘-아이오딘화 칼륨 용액을 떨어뜨렸을 때 청람색으로 변하면 녹말이 생성된 것을 확인할 수 있다.

(3) 물풀이 들어 있는 물에 탄산수소 나트륨을 넣어 주어 물풀이 이용할 수 있는 이산화 탄소 농도를 높인다. 더 강한 빛을 비추어 빛의 세기를 높인다. 물풀의 광합성이 가장 활발하게 일어나도록 온도를 조절한다. 중 두 가지

채점 기준	배점
(1) 기포의 성분과 광합성의 관계를 언급하여 기포의 수를 센다고 옳게 설명한 경우	30%
	기포의 성분과 광합성의 관계에 대한 언급 없이 기포의 수를 센다고만 설명한 경우	15%
(2) 아이오딘 반응 색깔을 옳게 설명한 경우	30%
	아이오딘 반응을 이용한다고만 설명한 경우	10%
(3) 광합성량을 증가시킬 수 있는 방법 두 가지를 옳게 설명한 경우	40%
	광합성량을 증가시킬 수 있는 방법 한 가지를 옳게 설명한 경우	20%

5 공변세포는 표피 세포가 변한 것이지만, 다른 표피 세포와는 달리 엽록체가 있다. 공변세포 2개가 둘러싼 기공을 통해 증산 작용이 일어나는데, 증산 작용이 일어날 때는 기공이 열린다.

모범 답안 (1) 공변세포는 주변의 표피 세포와 달리 엽록체가 있다.

(2) 증산 작용은 기공이 열려 있는 (나) 상태에서 활발하게 일어난다.

채점 기준	배점
(1) 공변세포에는 엽록체가 있다고 옳게 설명한 경우	50%
	기공을 이룬다고 설명한 경우	30%
(2) 증산 작용이 활발하게 일어나는 상태를 옳게 설명한 경우	50%
	(나)라고만 쓴 경우	25%

6 증산 작용은 잎의 기공을 통해 일어나며, 빛이 강하고 온도가 높으며 습도가 낮고 바람이 불 때 활발하게 일어난다.

모범 답안 ⑴ A, 증산 작용은 잎의 기공을 통해 일어나므로 잎이 달린 가지를 꽂은 A는 증산 작용에 의해 물이 수증기로 빠져나가면서 물관을 통해 계속 물이 상승하여 눈금실린더의 물의 양이 감소한다. 잎이 없는 가지를 꽂은 B의 물은 거의 줄어들지 않는다.

⑵ A와 D, 다른 조건은 모두 동일하고 빛의 유무만 다르게 해야 한다. 증산 작용은 빛의 세기가 강할 때 활발하게 일어나므로 일정 시간 후 눈금실린더의 물의 양은 A가 D보다 적을 것이다.

⑶ C는 비닐봉지를 씌워 두어 A보다 습도가 높다. 따라서 증산 작용은 습도가 높을 때보다 낮을 때 활발하게 일어난다는 것을 알 수 있다.

⑷ 다른 조건은 A와 같고 선풍기로 바람이 불게 한 실험 장치를 하나 더 만들어 눈금실린더의 물의 양 변화를 A와 비교한다.

	채점 기준	배점
⑴	A라고 쓰고, 그렇게 판단한 까닭을 옳게 설명한 경우	25 %
	A라고만 쓴 경우	10 %
⑵	A와 D라고 쓰고, 예상 결과를 근거를 들어 옳게 설명한 경우	25 %
	A와 D라고만 쓴 경우	10 %
⑶	A와 C의 결과를 습도와 관련지어 옳게 해석한 경우	25 %
	습도가 영향을 주기 때문이라고만 쓴 경우	10 %
⑷	바람의 영향을 고려하여 A와 비교할 실험군을 타당하게 설계한 경우	25 %
	A에 바람이 불게 한다고 설명한 경우	10 %

02 식물의 호흡

학습 내용 Check

1권 207쪽	**1** 호흡	**2** 이산화 탄소, 물
	3 낮, 항상(낮과 밤에)	**4** 이산화 탄소, 산소
1권 209쪽	**1** 녹말, 설탕(당)	**2** 체관
	3 녹말, 지방	**4** 뿌리, 줄기

탐구 확인 문제

1권 210쪽

1 ⑴ ○ ⑵ ○ ⑶ × ⑷ ○

2 A: 노란색, B: 파란색, C: 노란색, D: 노란색

1 ⑴ 날숨에는 이산화 탄소가 많이 포함되어 있다.

⑵ 알루미늄박은 빛을 차단한다.

⑶ 식물의 호흡은 빛의 유무에 관계없이 일어나므로 빛을 비춘 C의 검정말에서는 광합성과 호흡이 모두 일어난다.

⑷ 빛을 차단한 D의 검정말에서는 광합성은 일어나지 않고 호흡은 일어난다.

2 A에서는 싹튼 콩의 호흡에 의해, C에서는 물고기의 호흡에 의해, D에서는 물풀의 호흡에 의해 이산화 탄소가 방출되어 BTB 용액의 색깔이 노란색이 된다. B에서는 물풀이 광합성을 하여 이산화 탄소의 양이 감소하므로 BTB 용액의 색깔이 파란색이 된다.

개념 확인 문제

1권 213쪽~214쪽

01 ③	**02** ⑤	**03** ②	**04** ②	**05** ①
06 ⑤	**07** ④	**08** ⑤	**09** ②	

01 식물의 호흡은 미토콘드리아에서 주로 일어나며, 낮과 밤을 가리지 않고 항상 식물체 전체에서 일어난다. 호흡은 유기물을 무기물로 분해하는 과정이며, 이때 식물체는 산소를 흡수하고 이산화 탄소를 방출한다.

02 석회수는 이산화 탄소와 반응하면 뿌옇게 흐려지는 특성이 있다. 암실에 둔 시금치는 광합성은 하지 않고 호흡만 하므로 산소를 흡수하고 이산화 탄소를 방출한다. 그 결과 페트병 A의 이산화 탄소 농도가 B보다 높아진다. 즉, 페트병 A는 식물의 호흡으로 발생한 기체를 알아보기 위한 장치이다. 두 개의 페트병을 암실 대신 빛이 비치는 곳에 두면 시금치는 이산화 탄소를 흡수하여 광합성을 할 것이고, 광합성량이 호흡량보다 많으면 페트병 A는 B보다 이산화 탄소 농도가 낮아질 것이다.

| 도움이 되는 배경 지식 | 석회수와 이산화 탄소의 반응

이산화 탄소 검출에 많이 쓰이는 석회수는 수산화 칼슘 수용액이다. 이산화 탄소가 물에 녹으면 생성되는 탄산 이온은 칼슘 이온과 결합하여 탄산 칼슘이 되는데, 탄산 칼슘은 물에 녹지 않는 흰색 앙금이므로 석회수가 뿌옇게 흐려지는 반응이 나타난다.

03 ㄱ. 광합성에는 이산화 탄소가 필요하고, 호흡에는 산소가 필요하다.

ㄴ. 광합성 과정에서 빛에너지가 흡수되고 호흡 과정에서 포도당이 분해될 때 에너지가 방출된다.

ㄷ. 광합성 과정에서는 빛에너지가 포도당의 화학 에너지로 전환된다. 호흡 과정에서는 포도당과 같은 유기물 속의

에너지가 방출되어 열에너지와 다른 형태의 화학 에너지로 전환되지만 빛에너지로 전환되지는 않는다.

04 빛이 비치는 곳에 둔 A의 물풀에서는 광합성과 호흡이 모두 일어나고, 알루미늄박으로 감싸 둔 B의 물풀에서는 광합성은 일어나지 않고 호흡은 일어난다. 따라서 일정 시간 후 A에서는 이산화 탄소가 감소하여 용액의 색깔이 파란색이 되고, B에서는 이산화 탄소가 증가하여 용액의 색깔이 노란색이 된다.

05 ㄱ. (가)는 포도당을 합성하는 광합성이고, (나)는 포도당을 분해하는 호흡이다.
ㄴ. 호흡은 광합성 여부에 관계없이 항상 일어난다.
ㄷ. 광합성은 엽록체에서 일어나며, 호흡은 주로 미토콘드리아에서 일어난다.

06 ┃ 자료 분석하기 ┃

• ㉠ 빛이 비치는 낮에만 일어나므로 광합성이다.
• ㉡ 낮과 밤 즉, 항상 일어나므로 호흡이다.
• A, C: 광합성 과정에서 흡수되고 호흡 과정에서 방출되므로 이산화 탄소이다.
• B, D: 광합성 과정에서 방출되고 호흡 과정에서 흡수되므로 산소이다.

광합성(㉠)은 식물 세포의 엽록체에서 빛이 비칠 때 일어난다. 호흡(㉡)은 식물체를 구성하는 모든 살아 있는 세포에서 낮과 밤 구분 없이 항상 일어난다. 빛의 세기가 약해지면 광합성량은 줄어들고 호흡량은 일정하게 유지된다.

07 광합성으로 합성된 포도당(㉠)은 녹말(㉡)로 전환되어 잎에 낮 동안 저장되었다가 밤이 되면 설탕(㉢)과 같은 물에 녹는 당으로 바뀌어 체관을 통해 다른 부분으로 이동한다.

08 광합성 산물은 식물의 생명 활동에 필요한 에너지원으로 사용되거나 식물체를 구성하는 물질로 사용되고, 남은 것은 저장된다.

09 ①, ③ 식물의 광합성 산물은 포도당이지만, 많은 양이 콩에서는 단백질로, 벼와 보리에서는 탄수화물인 녹말로 전환되어 열매에 저장된다.
②, ④ 광합성 산물은 물에 녹을 수 있는 당(설탕)으로 전환되어 체관을 통해 식물체 각 부분으로 이동한다.
⑤ 식물의 각 부분으로 이동한 광합성 산물은 식물의 생명 활동에 필요한 에너지원이나 식물체를 구성하는 물질로 사용되고 남은 것은 저장된다.

01 ④   **02** ④   **03** ①   **04** ①, ③

01 광합성은 식물에서 엽록체가 있는 세포에서만 일어난다. 호흡은 식물체를 이루는 살아 있는 세포에서 빛의 유무와 관계없이 항상 일어난다. 광합성에는 이산화 탄소와 물이 필요한데, 이것은 호흡으로 유기 양분을 분해할 때 생성되는 물질이기도 하다.

02 ㄱ. 싹튼 콩에서는 호흡이 일어나 이산화 탄소가 방출되므로 A의 석회수는 뿌옇게 흐려지지만, 삶은 콩에서는 호흡이 일어나지 않으므로 B의 석회수는 변하지 않는다.
ㄴ. 싹튼 콩의 호흡 과정에서 열이 방출되므로 보온병 내부의 온도는 B보다 A에서 높다.
ㄷ. 싹튼 콩의 호흡 과정에서 산소가 흡수되므로 보온병 내부의 산소 농도는 A보다 B에서 높다.

03 ┃ 자료 분석하기 ┃

광합성량과 호흡량이 같으므로 빛의 세기가 약할 때이다. (가)

광합성은 일어나지 않고 호흡만 일어나므로 빛이 없을 때이다. (나)

광합성량이 호흡량보다 많으므로 빛의 세기가 강할 때이다. (다)

ㄱ. (가)에서는 광합성이 일어나지만 빛의 세기가 약해서 광합성량이 호흡량과 같다.
ㄴ. 광합성량은 (다)>(가)>(나) 순이다.
ㄷ. 광합성량은 어느 정도까지는 빛의 세기에 비례하므로 빛의 세기도 (다)>(가)>(나) 순이다.

04 ┃ 자료 분석하기 ┃

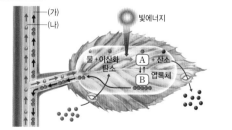

A: 포도당, 광합성으로 만들어진 양분
B: 녹말, 포도당은 만들어지는 즉시 녹말로 전환된다.
(가) 체관, 광합성 산물이 이동하는 통로이다.
(나) 물관, 뿌리에서 흡수한 물이 이동하는 통로이다.

잎에서 광합성으로 합성된 포도당(A)은 즉시 녹말(B)로 전환되어 낮 동안 잎에 저장되었다가 밤이 되면 설탕과 같이 물에 녹는 당의 형태로 전환되어 체관을 통해 식물체의 다른 부분으로 이동한다. 물이 이동하는 물관과 광합성으로 합성된 양분이 이동하는 체관은 줄기뿐 아니라 뿌리와 잎까지 연결되어 있어 물과 양분이 식물체 전체로 이동할 수 있다.

서술형 문제

1권 216쪽~217쪽

1 포도당이 산소와 반응하여 이산화 탄소와 물이 되는 반응은 호흡이다. 호흡은 낮과 밤에 항상 일어나며 식물은 호흡에 필요한 양분을 광합성을 하여 스스로 합성한다.

모범 답안 (1) 호흡은 식물의 잎, 줄기, 뿌리 등 몸 전체의 살아 있는 세포에서 일어난다.

(2) 식물은 호흡에 필요한 양분을 광합성을 통해 스스로 합성하며, 잎에서 만들어진 양분은 체관을 통해 식물체 전체로 이동한다.

	채점 기준	배점
(1)	호흡은 식물체 전체의 살아 있는 세포에서 일어난다고 설명한 경우	50%
	호흡은 식물의 모든 세포에서 일어난다고 설명한 경우	30%
(2)	광합성을 통해 스스로 양분을 합성하며 이 양분이 식물체 전체로 이동한다고 설명한 경우	50%
	스스로 합성한다고만 설명한 경우	30%

2 식물은 호흡을 통해 생명 활동에 필요한 에너지를 얻는다. 따라서 에너지가 많이 필요한 상황에서 호흡이 활발하게 일어난다.

모범 답안 싹이 틀 때나 빠르게 생장할 때는 세포를 구성하는 물질 합성이 활발하게 일어나고 생명 활동도 왕성하게 일어난다. 따라서 에너지가 많이 필요하기 때문에 이런 때에는 호흡이 활발하게 일어난다.

채점 기준	배점
생명 활동이 활발하여 에너지가 많이 필요하기 때문에 호흡이 활발하게 일어난다고 설명한 경우	100%
생명 활동이 활발할 때 호흡이 많이 일어난다고 설명한 경우	70%

3 싹튼 콩에서는 호흡이 활발하게 일어나고 삶은 콩에서는 호흡과 같은 생명 활동이 일어나지 않는다. 호흡을 할 때는 양분을 분해하여 이산화 탄소와 물이 생성되고, 이 과정에서 열이 방출된다.

모범 답안 (1) (가), 싹튼 콩에서는 호흡이 일어나 열이 방출되므로 보온병 내부의 온도가 올라간다. (나)의 삶은 콩에서는 호흡이

일어나지 않고 (다)의 공기는 그대로 유지되므로, (나)와 (다)의 온도는 변하지 않는다.

(2) (가)에는 싹튼 콩의 호흡으로 방출된 이산화 탄소가 많아서 (가)의 기체를 석회수에 주입하면 석회수가 뿌옇게 흐려진다. 그러나 (나)와 (다)의 기체를 석회수에 주입하면 아무런 변화가 없다.

	채점 기준	배점
(1)	(가)라고 쓰고, 그렇게 판단한 근거를 옳게 설명한 경우	50%
	(가)라고만 쓴 경우	20%
(2)	(가)~(다)의 결과를 모두 옳게 설명한 경우	50%
	(가)의 결과만 옳게 설명한 경우	30%

4 광합성에 필요한 물질은 호흡으로 생성되는 물질이며, 호흡에 필요한 물질은 광합성으로 생성되는 물질이다. 광합성은 빛이 있을 때만 엽록체가 있는 세포에서 일어나지만, 호흡은 빛의 유무에 관계없이 살아 있는 모든 세포에서 항상 일어난다.

모범 답안 광합성에는 이산화 탄소와 물이 필요하고 호흡에는 포도당과 같은 양분과 산소가 필요하다. 광합성 결과 포도당과 산소가 생성되고 호흡 결과 이산화 탄소와 물이 생성된다. 광합성은 엽록체가 있는 세포에서만 일어나지만, 호흡은 살아 있는 모든 세포에서 일어난다. 광합성은 빛이 비치는 낮에 일어나지만, 호흡은 낮과 밤에 항상 일어난다.

채점 기준	배점
네 가지 요소를 모두 옳게 비교하여 설명한 경우	100%
세 가지 요소를 옳게 비교하여 설명한 경우	75%
두 가지 요소를 옳게 비교하여 설명한 경우	50%
한 가지 요소를 옳게 비교하여 설명한 경우	25%

5 식물은 광합성량이 호흡량보다 많으면 호흡에서 발생한 이산화 탄소를 모두 광합성에 이용하고 공기 중의 이산화 탄소도 흡수한다. 호흡만 하는 밤에는 산소를 흡수하고 이산화 탄소를 방출한다.

모범 답안 (1) A는 이산화 탄소이고, B는 산소이다.

(2) 빛이 강할 때는 광합성량이 호흡량보다 많아서 이산화 탄소를 흡수하고 산소를 방출한다.

	채점 기준	배점
(1)	A와 B를 모두 옳게 쓴 경우	40%
(2)	빛이 강할 때는 광합성량이 호흡량보다 많기 때문이라고 옳게 설명한 경우	60%
	호흡량과의 비교 없이 광합성이 활발하게 일어나기 때문이라고 설명한 경우	30%

6 식물의 잎에서 광합성으로 합성된 양분은 체관을 통해 식물체의 다른 부분으로 이동한다. 체관은 물관보다 바깥쪽

에 있으므로 나무줄기의 껍질을 둥글게 벗겨 내는 환상 박피로 제거된다. 과수원에서는 일부러 환상 박피를 이용하여 몇몇 열매에 양분이 집중되도록 함으로써 과일을 크게 만들기도 한다.

모범 답안 나무줄기의 껍질을 고리 모양으로 둥글게 벗겨 내면 광합성 산물이 이동하는 체관이 제거된다. 그 결과 잎에서 만든 양분이 체관이 제거된 아래쪽으로는 내려가지 못하고 위쪽에 쌓여 껍질이 벗겨진 윗부분이 부풀어 오른다.

채점 기준	배점
체관이 제거되어 양분이 이동하지 못한 것을 옳게 설명한 경우	100 %
체관이 제거된 것과 양분이 이동하지 못한 것 중 한 가지만 설명한 경우	50 %

7 식물에서 광합성이 일어나면 포도당이 합성된다. 포도당은 물에 녹지 않는 녹말로 전환되어 낮 동안 엽록체에 저장되므로 녹말 검출 반응으로 광합성이 일어났는지를 확인할 수 있다. 아이오딘-아이오딘화 칼륨 용액은 녹말과 반응하여 청람색을 나타낸다. 식물의 잎을 에탄올에 넣고 가열하면 엽록소가 제거되어 아이오딘 반응의 결과를 뚜렷하게 관찰할 수 있다.

모범 답안 식물 잎의 엽록체에서 광합성이 일어나 포도당이 합성되면 녹말로 전환되어 낮 동안 엽록체에 저장되는데, 녹말에 아이오딘-아이오딘화 칼륨 용액과 반응시키면 용액의 색이 변하기 때문이다.

채점 기준	배점
광합성 산물인 포도당이 녹말로 전환되어 낮 동안 엽록체에 저장되고, 아이오딘-아이오딘화 칼륨 용액과 반응하여 색이 변하기 때문이라고 설명한 경우	100 %
광합성으로 녹말이 생성된다고만 설명한 경우	50 %

8 잎에서 광합성으로 생성된 양분은 식물체의 각 부분으로 이동하여 식물체 구성에 필요한 물질을 만드는 데 쓰이거나 호흡 과정에 필요한 에너지원으로 소비되고, 남은 것은 저장된다. 감자에 저장된 양분도 광합성 산물이 땅속줄기로 이동하여 저장된 것이다.

모범 답안 감자에 저장된 양분은 잎에서 광합성으로 생성된 양분이 체관을 통해 이동하여 땅속줄기에서 녹말로 전환된 후 저장된 것이기 때문에 잎이 빛을 잘 받지 못하면 광합성을 많이 하지 못하여 감자가 크게 자라지 못한다.

채점 기준	배점
광합성 산물의 이동과 저장을 연결하여 옳게 설명한 경우	100 %
광합성 산물이 감자에 저장된 양분으로 전환된다고만 설명한 경우	70 %

최상위권 도전 문제　　　1권 218쪽~221쪽

1 ③	**2** ④	**3** ⑤	**4** ④	**5** ①
6 ①	**7** ④	**8** ⑤		

1 빛이 있을 때는 식물이 광합성을 하여 쥐의 호흡에 필요한 산소를 생성하므로 쥐가 오래 살 수 있지만, 빛이 없으면 식물이 광합성을 하지 못하고 호흡만 한다. 식물의 호흡량은 빛의 유무에 관계없이 일정하다.

2 광합성은 빛의 세기, 이산화 탄소의 농도, 온도의 영향을 받는다. 따라서 전등과 물풀 사이의 거리를 다르게 하여 빛의 세기가 달라지거나 표본 병에 1 % 탄산수소 나트륨 수용액을 넣어 물풀의 광합성에 필요한 이산화 탄소 농도가 높아지면 광합성량이 달라진다. 그러나 얕은 수조에 들어 있는 물의 온도는 광합성량에 영향을 주지 않는다.

3

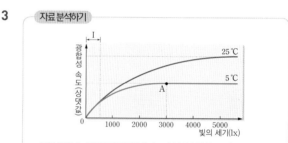

자료 분석하기

• 구간 I 에서는 온도에 따른 광합성 속도에 차이가 없다. → 빛의 세기가 약해서 온도에 관계없이 광합성 속도가 낮다.
• 온도가 5 ℃일 때는 3000 lx 이상의 빛의 세기에서 광합성 속도가 일정하다. → 온도를 25 ℃로 높이면 광합성 속도는 증가한다.
• 온도가 25 ℃일 때는 5000 lx 이상의 빛의 세기에서 광합성 속도가 일정하다.

구간 I 에서는 빛의 세기가 약해서 광합성 속도가 낮다. A에서는 온도가 낮아서 광합성 속도가 증가하지 않으므로 A 상태에서 온도를 25 ℃로 올리면 광합성 속도가 증가한다. 광합성 속도가 최대가 되는 최소의 빛의 세기는 5 ℃일 때는 3000 lx이지만, 25 ℃일 때는 5000 lx이다.

4

자료 분석하기

식물 종	기공의 수(개/cm²)	
	앞면	뒷면
A	0	33000
B	13000	0
C	5200	6800
D	10900	31500

• A와 D: 쌍떡잎식물, 주로 잎 뒷면에 기공이 분포한다.
• B: 수생 식물, 물과 접하는 잎의 뒷면에는 기공이 없고 잎의 앞면에 기공이 있다.
• C: 외떡잎식물, 잎이 가늘고 면적이 좁아 기공이 잎의 앞면과 뒷면에 고르게 분포한다.

A는 잎의 뒷면에만 기공이 있는데, 이것은 강한 빛을 받기 때문이다. D는 잎의 앞면에도 기공이 있으므로 A보다 그늘진 곳에 살고 있다고 유추할 수 있다.

5 A는 공변세포이고, B는 기공이다. (가)에서 (나)로 될 때 기공이 열리고 증산 작용이 일어난다. 이것은 공변세포가 주변 세포로부터 물을 흡수하여 세포 안 물의 양이 증가함에 따라 세포가 팽창하면서 일어난다. 공변세포는 기공의 반대쪽 세포벽이 기공(B) 쪽 세포벽보다 얇아서 공변세포가 팽창할 때는 기공의 반대쪽으로 더 많이 팽창하게 되므로 이때 기공이 열린다. 기공이 열리고 증산 작용이 활발하게 일어나면 공변세포가 주변에서 물을 많이 흡수하고, 이것이 뿌리에서 흡수한 물을 잎으로 상승시키는 원동력이 되어 광합성에 필요한 물을 원활하게 공급할 수 있게 된다.

6

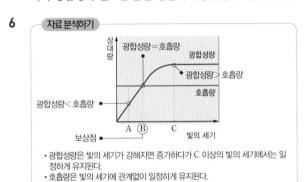

자료 분석하기

• 광합성량은 빛의 세기가 강해지면 증가하다가 C 이상의 빛의 세기에서는 일정하게 유지된다.
• 호흡량은 빛의 세기에 관계없이 일정하게 유지된다.

ㄱ. A에서는 호흡량이 광합성량보다 많다. 따라서 잎의 기공을 통해 산소가 흡수되고 이산화 탄소가 방출된다.

ㄴ. B에서는 광합성량과 호흡량이 같으므로 외관상 기체의 출입이 없다.

ㄷ. C보다 강한 빛을 비추더라도 광합성량이 더 이상 증가하지 않고 일정하므로 잎의 기공으로 흡수되는 이산화 탄소의 양은 일정하게 유지된다.

7

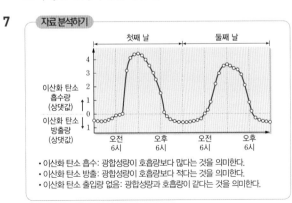

자료 분석하기

• 이산화 탄소 흡수: 광합성량이 호흡량보다 많다는 것을 의미한다.
• 이산화 탄소 방출: 광합성량이 호흡량보다 적다는 것을 의미한다.
• 이산화 탄소 출입량 없음: 광합성량과 호흡량이 같다는 것을 의미한다.

ㄱ. 호흡은 낮과 밤에 항상 일어난다.

ㄴ. 첫째 날 오전 6시~8시에 이산화 탄소 출입량이 0으로 나타난 것은 날이 흐려서 빛의 세기가 약해 광합성량이 호흡량과 같았기 때문이다. 한편 둘째 날은 오전 6시에는 이산화 탄소 출입량이 0이지만 이후부터는 이산화 탄소를 흡수하였으므로 빛의 세기가 강해졌다는 것을 알 수 있다.

ㄷ. 하루 동안 광합성으로 생성한 포도당의 총량은 이산화 탄소 흡수량을 나타낸 그래프 아래쪽의 면적에 비례하므로 첫째 날이 둘째 날보다 광합성량이 많다.

8

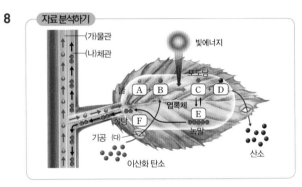

자료 분석하기

① 물(A)은 뿌리에서 흡수되어 물관(가)을 통해 이동한다.
② 기공(다)을 통해 이산화 탄소(B), 산소(D)가 출입하고, 물(A)이 수증기가 되어 나가는 증산 작용이 일어난다.
③ 포도당(C), 녹말(E), 설탕(F)은 모두 탄수화물이다.
④ 체관(나)은 뿌리, 줄기, 잎 등 식물체 전체에 연결되어 있어 광합성 산물이 식물체의 각 부분으로 이동할 수 있다.
⑤ 기공(다)을 통해 물(A)이 수증기가 되어 나가는 증산 작용은 식물체 안에서 물이 상승하는 원동력이 된다.

창의·사고력 향상 문제 1권 223쪽~225쪽

1 **문제 해결 가이드** 물 이외에 광합성의 재료가 되는 물질을 고려하여 다음과 같은 과정으로 설명한다.

• 광합성 재료인 물은 뿌리에서 흡수된다는 점 •• 광합성의 또 다른 재료인 이산화 탄소는 기공을 통해 흡수된다는 점을 들어 설명한다.

모범 답안 뿌리에서 흡수한 물과 함께 기공을 통해 흡수되는 이산화 탄소가 광합성에 쓰인다는 사실을 고려하지 못하였다. 즉, 물 이외에 기체 상태의 물질이 필요하다는 것을 고려하지 못하였다.

채점 기준	배점
공기 중에서 흡수한 물질이 광합성 재료로 이용될 수 있다는 것을 고려하지 못했다고 설명한 경우	100%
광합성에 물 이외에 다른 재료가 필요한지를 알아보는 실험을 해야 한다고만 설명한 경우	70%

2 문제 해결 가이드 물이 공급되지 않아 잎이 시들면 잎의 기공을 통한 증산 작용이 일어나지 않는다는 것에 착안하여 기공이 열리지 않을 때의 문제점을 설명한다.

(1) •잎 세포에 공급되는 물은 뿌리에서 흡수되어 물관을 통해 상승한 것이라는 점 ••기공을 통한 증산 작용은 물을 상승시키는 원동력이라는 점을 들어 설명한다.

(2) •잎이 시들면 기공이 열리지 않는다는 점 ••기공이 열리지 않으면 이산화 탄소를 흡수할 수 없다는 점을 들어 광합성과의 관련성을 설명한다.

모범 답안 (1) 잎 세포에 물이 충분히 공급되려면 뿌리에서 흡수한 물이 물관을 통해 잎까지 상승해야 하는데, 물이 상승하는 데 필요한 원동력은 잎의 기공에서 물이 수증기가 되어 증발되는 증산 작용에 의해 제공된다.

(2) 물이 부족하면 잎이 시들고 기공이 닫혀 이산화 탄소가 흡수되지 않으며 광합성에 필요한 물을 공급하기도 어렵기 때문이다.

	채점 기준	배점
(1)	증산 작용이 물이 상승하는 원동력이라는 것을 옳게 설명한 경우	50 %
	증산 작용이라고만 설명한 경우	25 %
(2)	기공이 닫혀 이산화 탄소를 흡수하지 못하고 물을 공급하기 어렵다고 설명한 경우	50 %
	기공의 닫힘이나 이산화 탄소와 물을 공급하지 못하는 것 중 한 가지만 옳게 설명한 경우	25 %

3 문제 해결 가이드 빛의 세기에 따른 광합성량을 측정하기 위한 실험 설계를 다음 사항에 착안하여 설명한다.

•빛의 세기는 전등과 검정말 사이의 거리를 변화시킴으로써 다르게 할 수 있다는 점 ••광합성량은 검정말에서 발생하는 기포의 수로 측정할 수 있다는 점 •••앞의 두 내용을 연계시켜 빛의 세기에 따른 광합성량의 변화를 측정할 수 있다는 것을 설명한다.

모범 답안 검정말과 전등을 일정 거리 이상 떨어지게 설치한 후, 검정말에서 1분 동안 발생하는 산소 기포의 수를 세어 광합성량을 측정한다. 그런 다음, 검정말과 전등 사이의 거리를 점차 가깝게 하여 빛의 세기를 강하게 하면서 같은 방법으로 산소 기포의 수를 센다.

채점 기준	배점
빛의 세기를 변화시키는 방법과 광합성량을 측정하는 방법을 옳게 설명한 경우	100 %
빛의 세기를 변화시키는 방법만 옳게 설명한 경우	50 %

4 문제 해결 가이드 식물의 호흡량은 빛의 유무 및 세기에 관계없이 일정하며, 광합성량의 차이에 따라 이산화 탄소가 흡수되거나 방출되는 것으로 나타나는 점을 고려하여 다음과 같은 과정으로 설명한다.

(1) •빛이 비치지 않을 때 광합성은 일어나지 않지만 호흡은 일어난다는 점 ••호흡이 일어날 때는 산소를 흡수하고 이산화 탄소를 방출한다는 점을 들어 설명한다.

(2) •생명을 유지하기 위해서는 광합성량이 최소한 호흡량만큼은 되어야 한다는 점 ••광합성량과 호흡량이 같으면 외관상 이산화 탄소의 출입량이 0이 된다는 점을 들어 설명한다.

(3) •빛이 강할 때 이산화 탄소 흡수량이 많을수록 광합성량이 많아서 잘 자란다는 점 ••광합성량과 호흡량이 같은 빛의 세기가 작을수록 약한 빛에서도 생존할 수 있다는 점을 들어 설명한다.

모범 답안 (1) 빛이 비치지 않을 때도 식물은 호흡을 하여 생명 활동에 필요한 에너지를 얻는데, 이 과정에서 산소를 흡수하고 이산화 탄소를 방출한다.

(2) 2000 lx, 식물이 생존하기 위해서는 적어도 광합성량이 호흡량만큼은 되어야 한다. 광합성량과 호흡량이 같으면 외관상 이산화 탄소의 출입량이 0이 되므로, 식물 A가 생존하기 위해서 필요한 최소한의 빛의 세기는 2000 lx이다.

(3) 강한 빛에서 잘 자라는 종류는 식물 A이다. 5000 lx의 강한 빛에서는 식물 A가 B보다 이산화 탄소 흡수량이 많으므로 광합성을 활발하게 하여 빠르게 자란다. 그러나 약한 빛에서도 생존할 수 있는 식물은 B이다. 식물이 생존하기 위해서는 최소한 광합성량과 호흡량이 같을 때의 빛의 세기 이상의 빛을 받아야 하는데, 이것이 식물 B는 500 lx로 식물 A의 2000 lx보다 낮기 때문에 식물 B는 A보다 약한 빛에서 생존할 수 있다.

	채점 기준	배점
(1)	호흡에 의해 이산화 탄소를 방출한다고 설명한 경우	30 %
	호흡하기 때문이라고만 설명한 경우	20 %
(2)	2000 lx라 쓰고, 그렇게 판단한 근거를 옳게 설명한 경우	30 %
	2000 lx라고만 쓴 경우	10 %
(3)	A는 강한 빛에서 잘 자란다는 것과 B는 약한 빛에서도 생존한다는 것을 근거를 들어 옳게 설명한 경우	40 %
	A는 강한 빛에서 잘 자라고 B는 약한 빛에서도 생존한다고만 설명한 경우	20 %

5 문제 해결 가이드 광합성은 빛의 세기와 온도의 영향을 받는다는 것과 식물의 광합성은 잎의 울타리 조직과 해면 조직에서 활발하게 일어난다는 것을 고려하여 다음과 같은 과정으로 설명한다.

•봄보다 여름에 기온이 높고 빛의 세기가 강하다는 점 ••울타리 조직과 해면 조직을 이루는 세포의 엽록체에서 광합성이 활발하게 일어난다는 점 •••앞의 두 내용을 연계시켜 세포의 수와 엽록체의 수가 달라진다는 점을 들어 설명한다.

모범 답안 여름에는 봄보다 기온이 높고 빛의 세기가 강하므로 잎에 있는 울타리 조직과 해면 조직의 세포 수가 증가하고 각 세포에 들어 있는 엽록체 수가 증가하여 광합성이 활발하게 일어나기 때문에 잎의 색이 진한 초록색이 된다.

채점 기준	배점
여름에는 기온이 높고 빛의 세기가 강하여 잎에서 광합성이 활발하게 일어난다는 것을 구조와 관련지어 옳게 설명한 경우	100 %
여름에는 기온이 높고 빛의 세기가 강하여 광합성이 활발하게 일어난다고만 설명한 경우	50 %

6 **문제 해결 가이드** 농작물의 생산량은 총광합성량과 호흡량의 차이로 결정된다는 점을 고려하여 다음과 같은 과정으로 설명한다.
(1) • 농작물의 생산량은 식물에 저장된 양분의 양으로 결정된다는 점 • • 호흡량은 식물이 생명 활동에 소모한 양이라는 점 • • • 따라서 농작물의 생산량은 순광합성량과 밀접한 관련이 있다는 점을 들어 설명한다.
(2) • 호흡량은 총광합성량에서 순광합성량을 뺀 값이라는 점 • • 호흡량이 클수록 그림에서 총광합성량과 순광합성량의 차이가 크게 나타난다는 점을 들어 설명한다.
(3) • 생산량은 광합성량이 많고 호흡량이 적을수록 많다는 점 • • 호흡량은 온도가 높을 때 많다는 점을 들어 설명한다.
모범 답안 (1) 순광합성량, 농작물에 저장된 양분이 많아야 생산량이 많아지는데, 총광합성량에서 식물이 소모한 호흡량을 뺀 순광합성량이 많아야 식물에 저장되는 양분이 많아지므로 농작물의 생산량은 순광합성량과 밀접한 관련이 있다.
(2) B, 호흡량은 총광합성량에서 순광합성량을 뺀 값이므로, 그림에서 총광합성량과 순광합성량의 차이가 큰 B에서가 A에서보다 호흡량이 크다.
(3) 고랭지는 평지에 비해 낮에는 기온이 많이 낮지 않으면서 빛이 강하여 식물의 광합성량이 많고, 밤에는 기온이 크게 낮아 호흡량이 적으므로 순광합성량이 많아서 농작물의 생산량이 높다.

	채점 기준	배점
(1)	순광합성량이라 쓰고 그렇게 생각한 까닭을 타당하게 설명한 경우	30 %
	순광합성량이라고만 쓴 경우	10 %
(2)	B라고 쓰고, 그림을 분석하여 근거를 옳게 설명한 경우	30 %
	B라고만 쓴 경우	10 %
(3)	고랭지 농작물의 생산성을 광합성량과 호흡량의 차이를 근거로 들어 옳게 설명한 경우	40 %
	고랭지에서 농작물의 광합성량은 많고 호흡량은 적다고만 설명한 경우	20 %

V 동물과 에너지

01 생물체의 구성 단계와 영양소

학습 내용 Check

2권 014쪽 **1** 기관 **2** 조직계 **3** 기관계 **4** 배설계
2권 016쪽 **1** 탄수화물, 지방 **2** 단백질, 아미노산
3 베네딕트, 황적색 **4** 녹말, 청람색

탐구 확인 문제
2권 017쪽

1 (1) ○ (2) ○ (3) × **2** A: 지방, B: 녹말, C: 단백질

1 (1) 아이오딘 반응은 녹말 검출 반응이다.
(2) 베네딕트 용액을 넣고 가열하면 반응 결과를 빠르게 확인할 수 있다.
(3) 영양소 검출 반응으로는 음식물에 들어 있는 몇 가지 영양소만을 확인할 수 있다.

2 공통적으로 수단 Ⅲ 반응이 나타났으므로 A에는 지방이 들어 있다. A+B에서 아이오딘 반응이 나타났으므로 B에는 녹말이 들어 있으며, A+C에서 뷰렛 반응이 나타났으므로 C에는 단백질이 들어 있다.

개념 확인 문제
2권 020쪽~021쪽

01 ② **02** ③ **03** (가) → (라) → (나) → (다) → (마)
04 ④ **05** ② **06** ② **07** ⑤ **08** ④
09 (가) 단백질, (나) 지방, (다) 물 **10** ③

01 동물체의 구성 단계는 세포 → 조직 → 기관 → 기관계 → 개체이다.

02 ㄱ. 동물체를 구성하는 기본 단위는 세포이다.
ㄴ. 모양과 기능이 비슷한 세포들이 모여 조직을 이루고, 여러 조직이 모여 기관을 이루며, 연관된 기능을 하는 기관들이 모여 기관계를 이룬다.
ㄷ. 여러 기관계는 서로 유기적으로 작용하여 독립된 개체의 생명을 유지한다.

03 식물체의 구성 단계는 세포(가) → 조직(라) → 조직계(나) → 기관(다) → 개체(마)의 순이다.

04

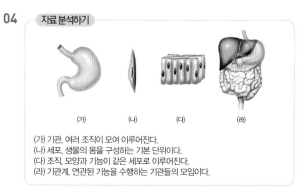

(가) 기관, 여러 조직이 모여 이루어진다.
(나) 세포, 생물의 몸을 구성하는 기본 단위이다.
(다) 조직, 모양과 기능이 같은 세포로 이루어진다.
(라) 기관계, 연관된 기능을 수행하는 기관들의 모임이다.

①, ③ 기관(가)은 여러 조직이 모여 이루어진다. 하나의 조직(다)은 모양과 기능이 같은 세포들로 이루어져 있지만, 각각의 조직을 이루는 세포들은 모양과 기능이 다양하다.
② 혈액은 조직인 (다) 단계에 해당한다.
⑤ 사람의 구성 단계는 세포(나) → 조직(다) → 기관(가) → 기관계(라)의 순이다.

05 A는 음식물의 소화와 흡수를 담당하는 소화계, B는 기체 교환을 담당하는 호흡계, C는 물질을 운반하는 순환계, D는 노폐물을 배설하는 배설계이다.

06

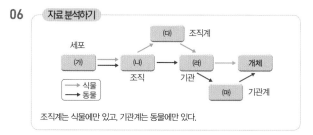

조직계는 식물에만 있고, 기관계는 동물에만 있다.

ㄱ. 세포(가), 조직(나), 기관(라)은 동물과 식물의 공통 구성 단계이다.
ㄴ. 심장과 잎은 기관(라)의 예이다.
ㄷ. 조직계(다)는 조직들이 모여 공통 기능을 하는 단계이고, 기관계(마)는 연관된 기능을 하는 기관들로 이루어진다.

07 영양소는 몸 구성 성분, 에너지원, 생리 작용 조절 등의 기능을 한다.

08 탄수화물인 녹말과 포도당, 지방, 단백질은 에너지원으로 사용될 수 있다. 그러나 비타민은 에너지원이 아니다.

09 (가)는 효소와 호르몬의 주성분인 단백질이고, (나)는 1 g 당 가장 많은 열량을 내는 지방이다. 사람의 몸에서 구성 비율이 가장 높은 (다)는 물이다.

10

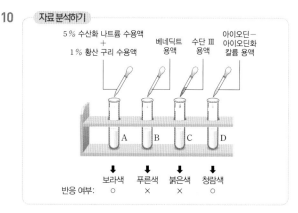

뷰렛 반응과 아이오딘 반응이 나타났으므로 이 음식물에는 단백질과 녹말이 들어 있다.

실력 강화 문제

2권 022쪽

01 ①, ⑤ **02** ④ **03** ④ **04** ①

01

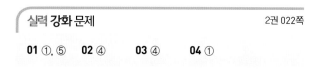

② (나)는 자극의 전달을 담당하는 신경 조직이다.
③ (다)는 몸의 표면을 덮는 상피 조직이다.
④ 뼈나 연골은 결합 조직이므로 (가)에 해당한다.

02 (가)는 배설계, (나)는 호흡계, (다)는 순환계, (라)는 소화계이다. 세포에서 생성된 이산화 탄소는 순환계(다)를 통해 운반되어 호흡계(나)를 통해 몸 밖으로 배출된다. 또, 호흡계(나)를 통해 흡수된 산소는 순환계(다)를 통해 온몸으로 운반된다. 소화계(라)는 음식물의 소화와 흡수를 담당한다.

03

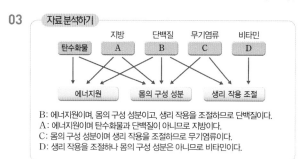

B: 에너지원이며, 몸의 구성 성분이고, 생리 작용을 조절하므로 단백질이다.
A: 에너지원이며 탄수화물과 단백질이 아니므로 지방이다.
C: 몸의 구성 성분이며 생리 작용을 조절하므로 무기염류이다.
D: 생리 작용을 조절하나 몸의 구성 성분은 아니므로 비타민이다.

단백질은 효소, 호르몬의 성분으로 생리 작용을 조절하며, 비타민은 몸의 구성 성분은 아니다.

04 ㄱ. (가)에는 단백질이 포함되어 있으므로 뷰렛 반응이 나타난다.

ㄴ. 지방은 1 g당 열량이 가장 높다. 따라서 음식물 100 g당 열량은 지방 함량이 높은 (나)가 가장 높다.

ㄷ. 비타민 A 결핍증은 야맹증이고, 비타민 B_1 결핍증이 각기병이다. 각기병을 예방하려면 비타민 B_1 함량이 많은 식품을 섭취해야 한다.

ㄹ. 근육을 강화하려면 단백질 함량이 높은 (가)를 먹는 것이 도움이 된다.

서술형 문제

2권 023쪽

1 동물체와 식물체는 공통적으로 세포 → 조직 → 기관 → 개체 단계로 구성된다. 그러나 식물에는 조직계가, 동물에는 기관계가 있다는 차이점이 있다.

모범 답안 (1) 동물체와 식물체의 구성 단계에서 세포 → 조직 → 기관 → 개체는 공통적이다. 세포는 생물체를 구성하는 기본 단위이고, 조직은 모양과 기능이 같은 세포들의 모임이다. 기관은 여러 조직이 모여 일정한 형태를 이루고 특정한 기능을 수행하는 단계이며, 개체는 독립된 생명체이다.

(2) 식물체와는 달리 동물체에는 연관된 기능을 수행하는 기관들의 모임인 기관계가 있다. 기관계에는 영양소의 소화와 흡수를 담당하는 소화계, 기체 교환을 담당하는 호흡계 등이 있다.

	채점 기준	배점
(1)	동물과 식물의 공통적인 구성 단계와 특징을 옳게 설명한 경우	50 %
	동물과 식물의 공통적인 구성 단계만 옳게 쓴 경우	20 %
(2)	기관계와 예를 옳게 설명한 경우	50 %
	기관계라고만 쓴 경우	20 %

2 탄수화물과 단백질은 1 g당 4 kcal의 열량을 내고, 지방은 1 g당 9 kcal의 열량을 낸다.

모범 답안 탄수화물 섭취량은 $2400 \times 0.65 \div 4 = 390$(g)이다. 단백질 섭취량은 $2400 \times 0.15 \div 4 = 90$(g)이다. 지방 섭취량은 $2400 \times 0.20 \div 9 = 53.3$(g)이다.

채점 기준	배점
탄수화물, 단백질, 지방의 섭취량을 옳게 계산한 경우	100 %
탄수화물, 단백질, 지방의 섭취량을 계산하는 방식은 옳지만 값이 틀린 경우	50 %

3 분류 기준 (가)는 단백질과 탄수화물의 공통 특성이면서 물의 특성이 아니어야 한다. '생물체의 몸을 구성한다.'는 단백질과 탄수화물의 특성이기는 하지만 물의 특성이기도 하므로 (가)가 될 수 없다.

모범 답안 (가)는 '에너지원인가?' 또는 '구성 원소로 탄소가 있는가?' 중 하나이다. A는 아미노산으로 구성되는 단백질이고, B는 탄수화물이다.

채점 기준	배점
분류 기준 (가)와 물질 A, B를 모두 옳게 설명한 경우	100 %
분류 기준 (가)만 옳게 설명한 경우	50 %
물질 A와 B만 옳게 쓴 경우	50 %

4 시험관 A에는 단백질을 검출하는 뷰렛 반응을 실시하는데, 뷰렛 용액은 5 % 수산화 나트륨 수용액과 1 % 황산 구리 수용액을 합한 것이다. B에는 포도당과 같은 당을 검출하는 베네딕트 용액을 첨가하였는데, 베네딕트 반응은 상온에서 매우 느리게 일어나므로 베네딕트 용액을 넣은 후 가열해야 한다. C에 첨가한 수단 Ⅲ 용액은 지방을 검출하기 위한 것이고, D에 첨가한 아이오딘-아이오딘화 칼륨 용액은 녹말을 검출하기 위한 것이다.

모범 답안 시험관 A에는 5 % 수산화 나트륨 수용액 외에 1 % 황산 구리 수용액을 추가로 넣어야 한다. 그리고 시험관 B는 베네딕트 용액을 넣은 후 가열해야 반응의 결과를 빠르게 확인할 수 있다.

채점 기준	배점
A와 B에서 수정·보완해야 할 부분을 모두 옳게 설명한 경우	100 %
두 가지 중 한 가지만 옳게 설명한 경우	50 %

---

02 소화와 순환

학습 내용 Check

2권 024쪽 **1** 기계적 **2** 화학적, 소화 효소

2권 028쪽 **1** 아밀레이스, 포도당 **2** 펩신, 트립신, 아미노산

3 라이페이스 **4** 물

5 모세 혈관, 암죽관

2권 033쪽 **1** 적혈구, 백혈구, 혈소판 **2** 좌심방, 좌심실

3 동맥, 정맥, 모세 혈관 **4** 좌심실, 우심방

1 ⑴ 시험관 A는 시험관 B에서의 결과가 침 속의 효소에 의해 일어났는지를 비교하기 위한 대조군이다.
⑵ 온도를 체온에 가깝게 하는 것은 침 속의 효소가 체온 범위에서 가장 활발하게 작용하기 때문이다.
⑶ 아이오딘 반응은 녹말 검출 반응이다.
⑷ 베네딕트 반응이 나타나면 녹말이 분해되어 엿당이 생성된 것이다.

2 끓인 침을 넣은 B에서는 베네딕트 반응이 나타나지 않고 C에서는 베네딕트 반응이 나타났다. 이를 통해 침 속의 효소는 35~40 ℃에서는 녹말을 분해하며, 가열하면 기능을 잃어 녹말을 분해하지 못한다는 것을 알 수 있다.

1 ⑴ 받침유리로 혈액을 미는 것은 혈액을 얇게 펴서 혈구를 뚜렷하게 관찰하기 위한 것이다.
⑵ 에탄올은 혈구를 고정하여 변형되지 않도록 보존한다.
⑶ 김사액은 핵을 보라색으로 염색하므로, 김사액을 떨어뜨리면 핵이 있는 백혈구가 염색된다.
⑷ 현미경으로 관찰할 때는 먼저 저배율에서 상을 찾은 다음, 배율을 높여서 자세히 관찰한다.

2 A는 적혈구로 핵이 없고, 헤모글로빈이 있어 산소를 운반한다. B는 백혈구로, 식균 작용을 하여 우리 몸을 지켜 준다. C는 혈소판으로 핵이 없고, 혈액 응고에 관여한다. 영양소와 노폐물을 운반하는 것은 혈장이다.

01 영양소를 잘게 분해하는 작용은 소화이다.

02 녹말은 셀로판 막을 통과하지 못하고 포도당은 통과하였으므로 A의 물에서는 아이오딘 반응이 나타나지 않았고 B의 물에서는 베네딕트 반응이 나타났다. 이와 같은 결과를 통해 녹말은 포도당으로 소화되어야 세포 안으로 흡수될 수 있다는 것을 알 수 있다.
| 도움이 되는 배경 지식 | 반투과성 막
셀로판 막과 세포막은 분자의 크기가 큰 물질은 통과하지 못하고 분자의 크기가 작은 물질은 통과하는 반투과성 막이다.

03 밥을 입에 넣고 씹으면 단맛이 나는 것은 녹말이 침 속의 아밀레이스에 의해 엿당으로 분해되었기 때문이다. 이와 같이 소화 효소가 작용하여 영양소가 화학적으로 다른 물질이 되는 것을 화학적 소화라고 한다. 그러나 쓸개즙에 의해 지방이 작은 덩어리로 되는 것은 성분의 변화가 없는 과정으로, 기계적 소화에 해당한다.

04

자료 분석하기

① (가)는 녹말이 엿당(A)으로 되는 화학적 소화이다.
② (가)에 관여하는 효소는 아밀레이스이다. 아밀레이스는 침과 이자액에 포함되어 있다.
③ (나)는 소장의 탄수화물 소화 효소(말테이스)에 의해 엿당이 포도당(B)으로 분해되는 화학적 소화이다.
④ 엿당(A)과 포도당(B)은 베네딕트 반응을 나타내며, 아이오딘 반응으로 검출할 수 있는 영양소는 녹말이다.
⑤ 포도당(B)은 소장의 융털로 흡수될 수 있다.

05 ① A에서 녹말이 엿당으로 분해되어 베네딕트 반응이 나타났으므로 침 속에는 녹말 소화 효소가 들어 있다는 것을 알 수 있다.
②, ③ B의 결과로 침 속의 소화 효소는 고온에서는 기능을 잃는다는 것을 알 수 있다. 한 번 기능을 잃은 소화 효소는 온도를 낮추어도 회복되지 않는다.
④ 침 속의 소화 효소는 녹말을 화학적으로 분해한다.
⑤ D의 결과로 침의 소화 효소는 저온에서는 활발하게 작용하지 않음을 알 수 있다. D의 시험관에는 녹말이 분해되지 않은 채 남아 있으므로 아이오딘 반응이 나타난다.

06
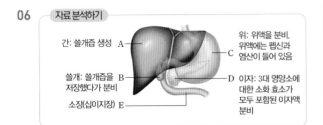

자료 분석하기

간: 쓸개즙 생성 A

위: 위액을 분비. 위액에는 펩신과 염산이 들어 있음 C

쓸개: 쓸개즙을 저장했다가 분비 B

이자: 3대 영양소에 대한 소화 효소가 모두 포함된 이자액 분비 D

소장(십이지장) E

이자(D)에서 분비되는 이자액에는 녹말 소화 효소인 아밀레이스, 단백질 소화 효소인 트립신, 지방 소화 효소인 라이페이스가 포함되어 있다. 즉, 이자는 3대 영양소의 소화 효소가 모두 포함된 소화액을 분비한다.

07 위(C)에서는 단백질 소화 효소인 펩신이 분비된다. 펩신은 단백질을 중간 단계까지 분해한다.

08

자료 분석하기

쓸개즙 (가) 기계적 소화

라이페이스 (나) 화학적 소화 모노글리세리드

지방 → 지방 → 지방산

ㄱ. (가)는 쓸개즙에 의해 큰 지방 덩어리가 좀 더 작은 지방 덩어리가 되는 기계적 소화이다. 쓸개즙은 간(A)에서 합성된다.

ㄴ. (나)는 이자(D)에서 분비되는 라이페이스의 작용으로 일어난다.

ㄷ. 쓸개즙과 이자액은 모두 소장으로 분비되므로 (가)와 (나) 반응은 모두 E에서 일어난다.

09
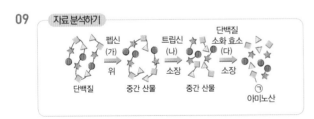

자료 분석하기

펩신 (가) 위

트립신 (나) 소장

단백질 소화 효소 (다) 소장

단백질 → 중간 산물 → 중간 산물 → 아미노산 ㉠

ㄱ. (가), (나), (다)는 모두 단백질이 다른 물질로 분해되므로 화학적 소화이다.

ㄴ. 단백질의 소화는 위에서 가장 먼저 일어난다. 따라서 (가)는 위액의 펩신에 의한 화학적 소화이다. (나)는 이자액의 트립신에 의한 화학적 소화이고 (다)는 소장의 단백질 소화 효소(펩티데이스)에 의한 화학적 소화이며, (나)와 (다)는 소장에서 일어난다.

ㄷ. 단백질의 최종 소화 산물 ㉠은 아미노산이며, 아미노산은 소장 융털의 모세 혈관으로 흡수된다.

10 비타민, 지방산, 무기염류, 아미노산, 모노글리세리드는 소장의 융털로 흡수될 수 있다. 그러나 엿당은 포도당으로 분해되어야 흡수될 수 있다.

11 A는 융털의 모세 혈관이다. 모세 혈관으로는 수용성 영양소인 포도당, 비타민 C 등이 흡수된다. B는 융털의 암죽관이다. 암죽관에는 림프가 흐르며, 지용성 영양소인 지방, 비타민 A 등이 흡수된다. 소장 융털은 영양소와의 접촉 면적이 넓어 영양소를 효율적으로 흡수할 수 있다.

12 ㄱ. (가)는 소장과 간 사이의 혈관이다. 소장 융털의 모세 혈관으로 흡수된 수용성 영양소(포도당, 아미노산, 비타민 C, 무기염류 등)는 (가)를 통해 이동한다.

ㄴ. (나)는 림프관의 일종으로, 소장 융털의 암죽관으로 흡수된 지용성 영양소(지방, 비타민 A, 비타민 D 등)는 (나)를 통해 이동한다.

ㄷ. 소장 융털에서 흡수된 수용성 영양소와 지용성 영양소는 서로 다른 경로를 거쳐 심장에서 합류한다.

13
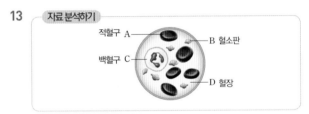

자료 분석하기

적혈구 A

B 혈소판

백혈구 C

D 혈장

적혈구(A)와 혈소판(B)은 핵이 없고, 백혈구(C)는 핵이 있다. 적혈구(A)는 산소를 운반하고, 혈소판(B)은 혈액 응고에 관여하며, 백혈구(C)는 몸속에 침입한 세균을 제거하는 식균 작용을 한다. 혈장(D)에는 포도당, 요소 등이 녹아 있어 영양소와 노폐물을 운반한다.

14 산소를 운반하는 적혈구가 부족하면 산소 공급이 부족하여 빈혈 증세가 나타나고, 혈액 응고에 관여하는 혈소판이 부족하면 출혈 시 혈액이 잘 응고되지 않는다.

15 ① 혈액을 얇게 펼 때는 받침유리를 혈액이 없는 쪽으로 밀어야 혈구가 터지지 않는다.

② 에탄올은 혈구를 고정한다.

③ 김사액은 백혈구의 핵을 보라색으로 염색하여 백혈구를 관찰하기 위해 사용한다.

④ 적혈구는 붉은색의 헤모글로빈이 있어서 고정과 염색 과정을 거치지 않아도 현미경으로 관찰된다.

⑤ 혈구 중에는 적혈구 수가 가장 많고, 백혈구 수가 가장 적다.

16 사람의 심장은 2심방 2심실 구조이며, 심방보다 심실의 벽

이 더 두껍다. 좌심실과 우심실 사이에는 벽이 있어 좌우 심실의 혈액이 섞이지 않는다. 심방에는 정맥이 연결되어 있어 심장으로 들어온 혈액이 있고, 심실에는 동맥이 연결되어 있어 심장에서 나갈 혈액이 있다.

17

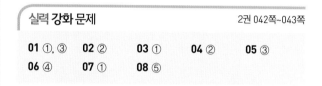

자료 분석하기

ㄱ. 우심실(C)이 수축하면 혈액이 폐동맥(다)으로 이동한다.

ㄴ. 좌심방(B)과 좌심실(D)에는 폐순환을 거쳐 산소를 많이 함유한 동맥혈이 있다.

ㄷ. 좌심실(D)이 수축할 때 좌심방(B)과 좌심실(D) 사이의 판막이 닫히고 좌심실(D)과 대동맥(나) 사이의 판막이 열려 혈액이 D에서 (나)로 흐른다.

18 대정맥(가)에는 온몸 순환을 하여 산소가 적고 이산화 탄소가 많은 정맥혈이 흐른다. 좌심실 벽이 우심실 벽보다 두꺼워 심실의 수축력이 크므로 혈압은 대동맥(나)이 폐동맥(다)보다 높다. 폐에서 기체 교환을 한 혈액은 폐정맥(라)을 통해 좌심방으로 들어온다.

19 모세 혈관은 혈관 벽이 한 층의 세포로 되어 있어 혈관 벽을 통해 혈액과 조직 세포 사이에서 물질 교환이 일어난다.

20 A는 동맥, B는 모세 혈관, C는 판막이 있는 정맥이다.
① 혈압은 A > B > C 순이다.
② 혈관 벽의 두께는 A > C > B 순이다.
③ 총단면적은 모세 혈관(B)이 가장 넓다.
④ 맥박은 심실의 수축과 이완으로 생기는 혈관 벽의 진동이므로 동맥(A)에서만 나타난다.
⑤ 혈액은 동맥(A) → 모세 혈관(B) → 정맥(C) 방향으로 흐른다.

21

자료 분석하기

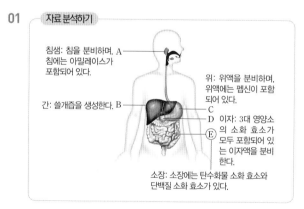

심방으로 들어가는 A와 D는 정맥, 심실에서 나가는 B와 C는 동맥이다.

22 ㄱ. 온몸 순환을 거친 후 폐에서 기체 교환을 하기 전의 혈액이 흐르는 대정맥(A)과 폐동맥(B)에는 정맥혈이 흐른다.

ㄴ. 혈액의 이산화 탄소 농도는 온몸의 모세 혈관에서 기체 교환을 한 후 증가하고 폐의 모세 혈관에서 기체 교환을 한 후 감소한다. 따라서 혈액의 이산화 탄소 농도는 좌심방보다 우심방에서 더 높다.

ㄷ. 온몸 순환(가) 과정에서 혈액의 산소가 조직 세포로 공급되고, 폐순환(나) 과정에서 기체 교환을 통해 혈액의 산소 농도가 증가한다.

실력 강화 문제
2권 042쪽~043쪽

01 ①, ③   **02** ②   **03** ①   **04** ②   **05** ③
06 ④   **07** ①   **08** ⑤

01

자료 분석하기

침샘: 침을 분비하며, A
침에는 아밀레이스가
포함되어 있다.

위: 위액을 분비하며,
위액에는 펩신이 포함되어 있다.

간: 쓸개즙을 생성한다. B

C

D 이자: 3대 영양소의 소화 효소가 모두 포함되어 있는 이자액을 분비한다.

E

소장: 소장에는 탄수화물 소화 효소와 단백질 소화 효소가 있다.

① 침샘(A)과 이자(D)에서는 녹말 소화 효소인 아밀레이스가 분비된다.

② 간(B)에서 합성되는 쓸개즙에는 소화 효소가 포함되어 있지 않다. 지방 소화 효소인 라이페이스는 이자액에 포함되어 있다.

③ 위(C)에서는 펩신이 분비되어 단백질의 화학적 소화가 처음으로 일어난다.

④ 이자(D)에서 분비되는 단백질 소화 효소는 트립신이고, 펩신은 위(C)에서 분비된다.

⑤ 소장(E)에서는 3대 영양소가 여러 가지 소화 효소에 의해 포도당, 아미노산, 모노글리세리드, 지방산이 되어 소장의 융털로 흡수된다.

02 자료 분석하기

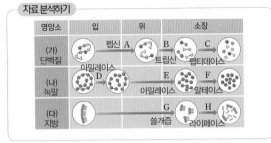

영양소	입	위	소장
(가) 단백질		펩신 A	B 트립신 C 펩티데이스
(나) 녹말	아밀레이스 D		E 아밀레이스 F 말테이스
(다) 지방			G 쓸개즙 H 라이페이스

ㄱ. (가)는 단백질, (나)는 녹말, (다)는 지방이다.

ㄴ. (가)의 최종 분해 산물은 아미노산이며, (나)의 최종 분해 산물은 포도당이다.

ㄷ. A는 위액, D는 침, B, E, H는 이자액에 포함되어 있으며, G는 쓸개즙이고 C와 F는 소장에 있는 효소이다.

03 자료 분석하기

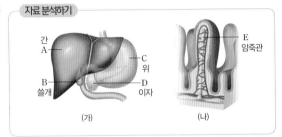

(가) (나)

간 A / C 위 / B 쓸개 / D 이자 / E 암죽관

① 간(A)에서 합성된 쓸개즙은 소화 효소를 포함하지 않고 지방을 작은 덩어리로 만들어 지방의 소화를 돕는다. 그러나 쓸개즙이 없더라도 이자액 속의 라이페이스가 있으면 지방의 화학적 소화는 일어난다.

② 쓸개(B)에서 쓸개즙이 분비되지 않으면 지방의 소화는 영향을 많이 받지만, 단백질의 소화는 크게 영향을 받지 않는다.

③ 위(C)에서 펩신에 의해 단백질이 중간 단계로 분해되며, 단백질의 중간 산물은 소장에 있는 단백질 소화 효소(펩티데이스)에 의해 아미노산으로 분해된다.

④ 이자(D)에서 분비된 소화 효소에 의해 분해된 영양소 중 지방은 소장 융털의 암죽관(E)으로 흡수되지만, 수용성 영양소는 융털의 모세 혈관으로 흡수된다.

⑤ 암죽관(E)은 림프관의 일종으로, 림프관을 흐르는 림프에 적혈구는 포함되어 있지 않다.

04 A는 심장의 우심방으로 연결된 대정맥이고, C는 소장과 간 사이의 혈관(간문맥)이며, B는 암죽관과 연결된 림프관이다.

ㄱ. A와 B는 대정맥으로 연결되므로 A와 B를 통해 이동한 영양소는 심장의 우심방으로 들어간다.

ㄴ. 포도당은 C로 이동하므로 식사 후 B의 포도당 농도가 증가하지는 않는다.

ㄷ. 아이오딘 반응을 나타내는 영양소는 녹말이며, 녹말의 최종 분해 산물인 포도당은 C를 통해 간으로 이동한다.

05 자료 분석하기

혈액 → 원심 분리 → 혈장 ㉠ / 혈구 ㉡
(가)

A 혈소판 / B 백혈구 / C 적혈구
(나)

ㄱ. 혈장(㉠)은 영양소와 노폐물을 녹여 운반한다.

ㄴ. 혈구(㉡)에는 A, B, C가 포함된다.

ㄷ. 김사액은 백혈구(B)의 핵을 보라색으로 염색하며, 적혈구(C)는 붉은색을 띠는 헤모글로빈이 있어 염색하지 않더라도 붉은색으로 관찰된다.

06 ㄱ, ㄴ. 철수는 정상인에 비해 적혈구(C)의 수가 적어서 빈혈 증세를 나타낼 수 있다. 또, 혈구 부피의 대부분을 차지하는 적혈구의 수가 적으므로 혈액을 원심 분리하면 혈구(㉡)의 비율이 낮아 $\dfrac{㉠의\ 부피}{㉡의\ 부피}$ 값이 정상인보다 크다.

ㄷ. 영희는 혈소판(A)의 수가 정상인의 범위에 있으므로 혈액 응고는 정상적으로 일어난다. 그러나 백혈구(B)의 수가 정상인보다 많으므로 염증이 있을 가능성이 높다.

07 (가)는 정맥에서 심방으로 혈액이 이동하는 시기이며, 이 시기에는 심실과 동맥 사이의 판막이 닫힌다. (나)는 심실이 수축하여 혈액이 심실에서 동맥으로 이동하는 시기이다. (다)는 심방이 수축하여 혈액이 심실로 이동하는 시기이다. 이때 심방과 심실 사이의 판막은 열려 있고, 심실과 동맥 사이의 판막은 닫혀 있다. 심장 박동은 (가) → (다) → (나)의 순서로 일어나며, 대동맥의 혈압은 심실이 수축하는 (나) 시기에 가장 높다.

08 ㄱ. A는 폐동맥이며, 우심실에 연결되어 있다.

ㄴ. B는 폐정맥으로, 폐에서 기체 교환을 하여 산소가 많은 혈액이 흐른다. 따라서 B를 흐르는 혈액의 산소 농도는 폐를 통과하기 전의 혈액이 흐르는 A보다 높다.

ㄷ. C는 소장과 간 사이의 혈관으로 식사 후 소장 융털의 모세 혈관으로 흡수된 포도당이 이동하므로 식사 후 혈액의 포도당 농도가 가장 높은 혈관이다.

1 밥의 양, 침 희석액의 농도와 양은 같게 하고 밥알을 그대로 둔 것과 밥알을 으깬 것의 소화 정도를 비교하는 실험을 설계한다. 밥알을 으깨는 것은 기계적 소화에 해당하며, 실험 결과를 통해 기계적 소화는 화학적 소화를 빠르게 한다는 것을 알 수 있다.

모범 답안 한 개의 시험관에는 밥과 침 희석액을 넣고, 다른 한 개의 시험관에는 같은 양의 밥과 침 희석액을 넣되 밥을 으깨서 넣는다. 그리고 일정 시간 간격으로 두 시험관의 용액을 덜어 내어 베네딕트 반응을 실시하고 색깔 변화 정도를 비교한다.

채점 기준	배점
밥을 그냥 둔 것과 으깬 것으로 실험하여 일정 시간 간격으로 베네딕트 반응 결과를 비교한다고 설명한 경우	100%
밥을 그냥 둔 것과 으깬 것으로 실험한다고만 설명한 경우	70%

2 위와 소장에서 소화가 일어나는 영양소 A는 단백질이고, 단백질의 최종 분해 산물 B는 아미노산이다. 단백질은 위액의 펩신(가)과 이자액의 트립신(나), 소장의 단백질 소화 효소인 펩티데이스(다)의 작용을 받아 아미노산으로 최종 분해된다.

모범 답안 (1) 영양소 A는 위에서 처음으로 화학적 소화가 일어나므로 단백질이고, 단백질의 최종 분해 산물 B는 아미노산이다.
(2) 단백질(A)은 위액 속의 펩신(가)에 의해 중간 산물로 분해되고, 이것은 다시 이자액 속의 트립신(나)에 의해 더 작은 중간 산물로 분해된다. 이 중간 산물은 소장 상피 세포의 단백질 소화 효소(다)에 의해 최종 분해 산물인 아미노산(B)으로 분해된다.

	채점 기준	배점
(1)	A와 B를 모두 쓰고, 근거를 옳게 설명한 경우	50%
	A와 B를 모두 썼으나 근거를 설명하지 못한 경우	25%
(2)	단백질의 소화 과정을 (가)~(다)의 이름과 소화액을 포함하여 모두 옳게 설명한 경우	50%
	단백질 소화 과정을 설명하였으나 (가)~(다)의 이름이나 소화액 중 틀린 것이 있는 경우	25%

3 A는 쓸개관이다. 쓸개관이 막히면 쓸개즙이 십이지장으로 분비되지 않아 지방이 작은 덩어리로 만들어지지 않으므로 지방 소화 효소와의 접촉 면적이 적어 지방의 소화가 빠르게 일어나기 어렵다.

모범 답안 쓸개관(A)이 막히면 쓸개즙의 분비가 정상적으로 일어나지 못하여 지방이 작은 덩어리가 되지 않으므로 지방의 소화 속도가 느려지기 때문이다.

채점 기준	배점
쓸개즙이 분비되지 않아 지방의 소화 속도가 느려지기 때문이라고 옳게 설명한 경우	100%
지방의 소화가 잘 안된다고만 설명한 경우	50%

4 소장 안쪽 벽의 주름과 융털은 표면적을 600배 이상 증가시키는 효과가 있다. A는 융털의 모세 혈관이고, B는 융털의 암죽관이다. 모세 혈관으로는 포도당, 아미노산, 비타민 B군과 C 등의 수용성 영양소가 흡수되고, 암죽관으로는 지방, 비타민 A와 D 등의 지용성 영양소가 흡수된다.

모범 답안 (1) 소장 안쪽 벽의 주름과 융털은 영양소와 접촉하는 소장 벽의 표면적을 증가시키므로 소장에서 영양소의 흡수가 효율적으로 일어날 수 있다.
(2) 수용성 영양소는 융털의 모세 혈관(A)으로 흡수된 다음, 간을 거쳐 심장으로 이동한다. 지용성 영양소는 융털의 암죽관(B)으로 흡수된 다음, 림프관을 거쳐 심장으로 이동한다.

	채점 기준	배점
(1)	소장 안쪽 벽의 표면적을 증가시켜 영양소를 효율적으로 흡수할 수 있다고 설명한 경우	50%
	소장 안쪽 벽의 표면적의 증가와 영양소의 효율적 흡수 중 한 가지만 옳게 설명한 경우	25%
(2)	수용성 영양소와 지용성 영양소의 흡수와 이동을 옳게 설명한 경우	50%
	수용성 영양소와 지용성 영양소의 흡수와 이동 중 한 가지만 옳게 설명한 경우	25%

5 사람의 혈액은 적혈구, 백혈구, 혈소판, 혈장으로 구성되어 있다. 적혈구는 산소 운반, 백혈구는 식균 작용, 혈소판은 혈액 응고에 관여하며, 혈장은 영양소와 노폐물을 운반한다. 고산 지대와 같이 산소가 부족한 환경에 사는 사람은 평지에 사는 사람보다 혈액 속의 적혈구 수가 많아서 조직 세포에 산소를 원활하게 공급할 수 있도록 적응되어 있다.

모범 답안 (1) A는 적혈구이며, 헤모글로빈이 있어 산소를 운반한다. B는 혈소판으로, 혈액 응고에 관여한다. C는 백혈구이며, 몸속에 침입한 세균을 식균 작용으로 제거한다. D는 혈장으로, 영양소와 노폐물을 운반한다.
(2) A, 고산 지대에 사는 사람은 평지에 사는 사람보다 적혈구(A)의 수가 많아서 산소가 희박한 공기 중에서 더 많은 산소를 얻도록 적응되어 있다.

	채점 기준	배점
(1)	A~D의 이름과 기능을 모두 옳게 설명한 경우	50%
	A~D의 이름만 옳게 썼거나 A~D 중 일부의 이름과 기능만 옳게 설명한 경우	25%
(2)	A라고 쓰고, 근거를 옳게 설명한 경우	50%
	A라고만 쓴 경우	25%

6 (가)는 우심방, (나)는 좌심방, (다)는 우심실, (라)는 좌심실이다. A는 심실과 동맥 사이의 판막이고, B는 심방과 심실 사이의 판막이다. 혈액을 내보내는 심실의 벽은 혈액을 받아들이는 심방의 벽보다 두꺼운데, 특히 좌심실은 온몸으로 혈액을 내보내므로 좌심실 벽은 우심실 벽보다 근육이 두껍게 발달되어 있다.

모범 답안 (1) 우심실(다)이 수축할 때는 우심방(가)과 우심실(다) 사이의 판막 B는 닫히고 우심실(다)과 폐동맥 사이의 판막 A는 열려 혈액이 우심실(다)에서 폐동맥으로 이동한다.

(2) (라) 좌심실, 좌심실은 온몸 순환을 위해 매우 강하게 수축하여 대동맥으로 혈액을 내보내야 하기 때문이다.

	채점 기준	배점
(1)	판막 A와 B의 개폐와 혈액의 이동을 옳게 설명한 경우	50%
	판막 A와 B의 개폐나 혈액의 이동 중 한 가지만 옳게 설명한 경우	25%
(2)	(라)와 좌심실을 쓰고, 그렇게 판단한 근거를 옳게 설명한 경우	50%
	(라)와 좌심실만 옳게 쓴 경우	25%

7 정맥은 혈압이 매우 낮아 정맥에서는 주변의 근육 운동에 의한 압력으로 혈액이 심장 쪽으로 흐르고 혈액이 거꾸로 흐르는 것을 막기 위한 판막이 있다.

모범 답안 정맥은 혈압이 낮아서 정맥에서는 주변의 근육 운동에 의해 혈액이 흐르는데, 오랫동안 움직이지 않고 가만히 서 있으면 다리에서 심장 쪽으로 혈액이 잘 이동하지 않게 된다. 그 결과 혈액 순환이 원활하게 이루어지지 않아 뇌에 공급되는 산소의 양이 적어져서 현기증이 날 수 있다.

채점 기준	배점
정맥에서 혈액이 잘 이동하지 않아 혈액 순환이 원활하지 않으면 뇌로의 산소 공급이 부족해질 수 있다고 옳게 설명한 경우	100%
정맥에서 혈액이 잘 이동하지 않게 되어 혈액 순환이 원활하지 않기 때문이라고 설명한 경우	60%
정맥에서 혈액이 잘 이동하지 않아서라고만 설명한 경우	30%

8 A는 폐동맥, B는 폐의 모세 혈관, C는 폐정맥, D는 우심방, E는 좌심방, F는 우심실, G는 좌심실, H는 대정맥, I는 대동맥, J는 온몸의 모세 혈관이다. 온몸 순환은 좌심실에서 나간 혈액이 온몸의 조직 세포와 물질 교환을 한 후 우심방으로 돌아오는 순환이고, 폐순환은 우심실에서 나간 혈액이 폐에서 기체 교환을 한 후 좌심방으로 돌아오는 순환이다.

모범 답안 (1) 온몸 순환은 좌심실(G) → 대동맥(I) → 온몸의 모세 혈관(J) → 대정맥(H) → 우심방(D)의 경로를 거친다.

(2) 폐순환은 우심실(F) → 폐동맥(A) → 폐의 모세 혈관(B) → 폐정맥(C) → 좌심방(E)의 경로를 거친다.

(3) 온몸 순환은 심장에서 나간 혈액이 온몸의 조직 세포에 산소와 영양소를 공급하고 조직 세포에서 생성된 이산화 탄소와 노폐물을 받아 심장으로 돌아오는 순환이다. 폐순환은 심장에서 나간 혈액이 폐에서 이산화 탄소를 내보내고 산소를 받아 심장으로 돌아오는 순환이다.

	채점 기준	배점
(1)	기호와 이름을 모두 포함하여 온몸 순환 경로를 옳게 설명한 경우	30%
	기호 또는 이름만으로 온몸 순환 경로를 설명한 경우	15%
(2)	기호와 이름을 모두 포함하여 폐순환 경로를 옳게 설명한 경우	30%
	기호 또는 이름만으로 폐순환 경로를 설명한 경우	15%
(3)	온몸 순환과 폐순환의 기능을 옳게 설명한 경우	40%
	온몸 순환과 폐순환의 기능 중 한 가지만 옳게 설명한 경우	20%

03 호흡과 배설

학습 내용 Check

2권 048쪽	**1** 폐포	**2** 갈비뼈, 횡격막	
	3 작아, 높아	**4** 확산	
	5 폐포, 폐포, 모세 혈관		
	6 조직 세포, 조직 세포, 모세 혈관		
2권 051쪽	**1** 이산화 탄소	**2** 암모니아, 간	
	3 네프론, 사구체, 세뇨관	**4** 여과	
	5 재흡수, 분비		
2권 053쪽	**1** 세포 호흡	**2** 이산화 탄소, 물	
	3 소화, 호흡	**4** 배설	
	5 순환		

탐구 확인 문제

2권 054쪽

1 ④ **2** 횡격막이 위로 올라가면 흉강의 부피가 감소하고 폐의 부피가 감소하면서 폐 내부 압력이 높아져 폐 속의 공기가 기관을 통해 밖으로 나간다.

1 유리관(A)은 기관과 기관지, 작은 고무풍선(B)은 폐, 고무 막(C)은 횡격막에 해당한다. C를 아래로 당기면 페트병 속의 부피가 증가하여 압력이 감소하며, 그에 따라 B의 부피가 증가한다.

2 횡격막이 위로 올라가면 흉강의 부피가 감소하고 그에 따라 흉강 내 압력이 증가한다. 흉강 내 압력이 증가하면 폐의 부피가 감소하면서 폐 내부 압력이 증가하여 대기압보다 높아지면 폐 속의 공기가 기관을 통해 밖으로 나간다.

개념 확인 문제

2권 058쪽~061쪽

01 ② **02** ④ **03** ③ **04** 고무풍선: 폐, 고무 막: 횡격막 **05** ③ **06** ㄱ, ㄴ **07** ⑤ **08** ⑤ **09** ④ **10** A: 초록색, B: 노란색 **11** A와 B는 산소, C와 D는 이산화 탄소이다. **12** ⑤ **13** ⑤ **14** ㄱ, ㅁ **15** ⑤ **16** ① **17** (1) 네프론 (2) A, B, D **18** A: 여과, B: 재흡수, C: 분비 **19** ② **20** ② **21** ① **22** (가) 호흡계, (나) 소화계, (다) 순환계, (라) 배설계 **23** ①

01 폐는 많은 수의 폐포로 이루어져 있으며, 근육이 없어 스스로 수축하거나 이완하지 않는다. 따라서 갈비뼈와 횡격막의 움직임에 따른 호흡 운동으로 코를 통해 공기가 들어와 기관을 거쳐 폐포로 들어간다. 기관 안쪽에는 점액과 섬모가 있어 공기 속의 먼지와 세균을 거른다.

02 자료 분석하기

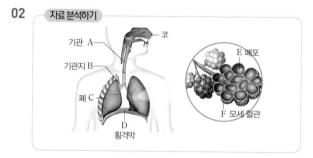

기관(A)과 기관지(B)의 내벽에는 점액과 섬모가 있다. 횡격막(D)은 근육으로 되어 있지만 폐(C)에는 근육이 없다.

03 폐포와 모세 혈관은 둘 다 한 층의 세포로 이루어져 있어 이 막을 통해 확산에 의한 기체 교환이 일어난다. 산소는 폐포(E)에서 모세 혈관(F)으로, 이산화 탄소는 모세 혈관(F)에서 폐포(E)로 확산한다. 이것은 산소의 농도는 E가 F보다 높고, 이산화 탄소 농도는 F가 E보다 높기 때문이다.

| 도움이 되는 배경 지식 | 확산

기체 교환은 확산에 의해 일어난다. 확산은 각 물질의 농도가 높은 곳에서 낮은 곳으로 물질이 이동하는 현상이다.

04 호흡 운동 모형에서 고무풍선은 폐에 해당하며, 고무 막은 횡격막에 해당한다.

05 고무 막을 아래로 잡아당기는 것은 횡격막이 아래로 내려가는 것에 해당한다. 이때는 흉강의 부피가 증가하여 흉강 내 압력이 낮아지고, 폐가 팽창하면서 폐 내부 압력이 대기압보다 낮아져 공기가 외부에서 폐 속으로 들어온다.

06 모세 혈관에서 조직 세포 쪽(A 방향)으로 혈액 속의 산소와 영양소가 이동한다. 이산화 탄소와 질소 노폐물은 주로 조직 세포에서 모세 혈관 쪽으로 이동한다.

07 A는 갈비뼈이고 B는 횡격막이다. 날숨이 일어날 때는 갈비뼈가 아래로 내려가고, 횡격막은 위로 올라간다. 그 결과 흉강 부피는 감소하며 폐의 전체 부피도 감소하고, 폐 내부 압력은 대기압보다 높아져 폐 속의 공기가 밖으로 빠져나간다.

08 자료 분석하기

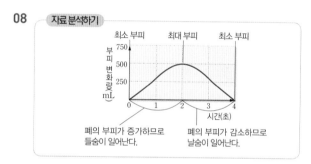

ㄱ. 2초에 횡격막은 최대로 내려가 있어 폐의 부피가 최대이다.

ㄴ. 1회 호흡 시 폐의 부피 변화량은 500 mL이므로 들숨의 양은 500 mL이다.

ㄷ. 2~4초에 폐의 부피가 감소하고 있으므로 폐포 내 압력이 대기압보다 높아 날숨이 일어나고 있다.

09 들숨이 일어날 때는 갈비뼈가 위로 올라가고, 횡격막은 아래로 내려간다. 그에 따라 흉강 부피가 증가하여 흉강 내부 압력이 낮아지므로 폐가 팽창하면서 폐 내부 압력은 대기압보다 낮아진다.

10 공기를 불어 넣은 비커 A의 BTB 용액은 색깔이 변하지 않고, 날숨을 불어 넣은 비커 B의 BTB 용액은 날숨의 이산화 탄소에 의해 노란색으로 변한다. 이 실험으로 들숨(공기)보다 날숨에 이산화 탄소가 더 많다는 것을 알 수 있다.

11 자료 분석하기

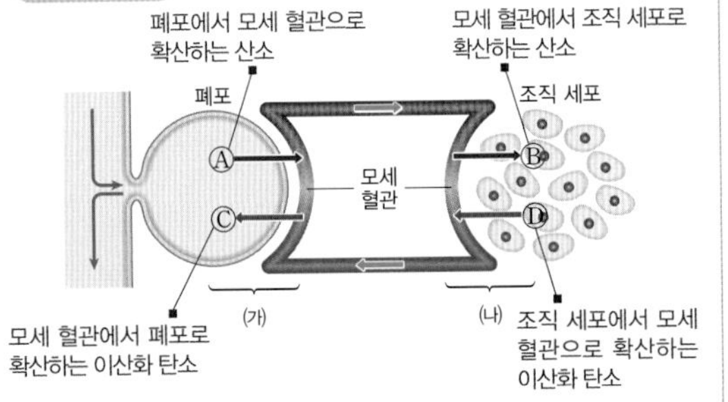

폐포에서 모세 혈관으로 확산하는 산소

모세 혈관에서 조직 세포로 확산하는 산소

폐포

조직 세포

모세 혈관

모세 혈관에서 폐포로 확산하는 이산화 탄소

(가)

(나)

조직 세포에서 모세 혈관으로 확산하는 이산화 탄소

12 ㄱ. 폐와 조직 세포에서 기체가 이동하는 원리는 각 기체의 농도가 높은 쪽에서 낮은 쪽으로의 확산으로 같다.

ㄴ. 산소(A)는 적혈구에 의해 조직 세포로 운반된다.

ㄷ. 조직 세포에서 기체 교환이 일어날 때, 이산화 탄소(D)의 농도는 모세 혈관의 혈액에서보다 조직 세포에서 높아서 그림과 같은 방향으로 이동한다.

13 배설은 생명 활동으로 생성된 노폐물을 몸 밖으로 내보내는 작용이다.

14 탄수화물, 지방, 단백질의 공통적인 구성 원소는 탄소, 수소, 산소이다. 따라서 세포 호흡에 사용되면 공통적으로 이산화 탄소와 물이 생성된다.

15 자료 분석하기

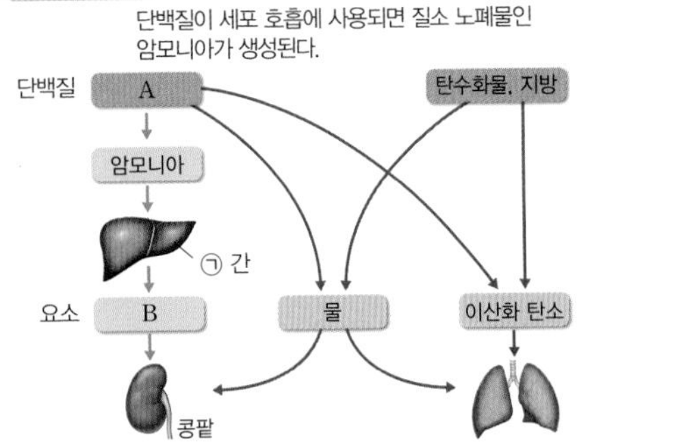

단백질이 세포 호흡에 사용되면 질소 노폐물인 암모니아가 생성된다.

단백질 A

탄수화물, 지방

암모니아

㉠ 간

요소 B

물

이산화 탄소

콩팥

• 단백질, 탄수화물, 지방이 세포 호흡에 사용되면 공통적으로 물과 이산화 탄소가 생성된다.
• 간에서 암모니아를 요소로 전환한다.

요소(B)는 주로 콩팥을 통해 물과 함께 오줌으로 배설된다. 물은 수증기 상태로 이산화 탄소와 함께 날숨으로 배출되기도 한다. 따라서 단백질(A)의 분해 산물은 배설계와 호흡계를 통해 몸 밖으로 나간다.

16 ㄱ. A는 콩팥이며, 네프론이 있어 오줌을 생성한다.

ㄴ. B는 오줌관으로 콩팥에서 생성된 오줌이 방광으로 이동하는 통로이다.

ㄷ. C는 오줌을 저장하는 방광이며, D는 방광의 오줌이 몸 밖으로 배출되는 요도이다.

17 자료 분석하기

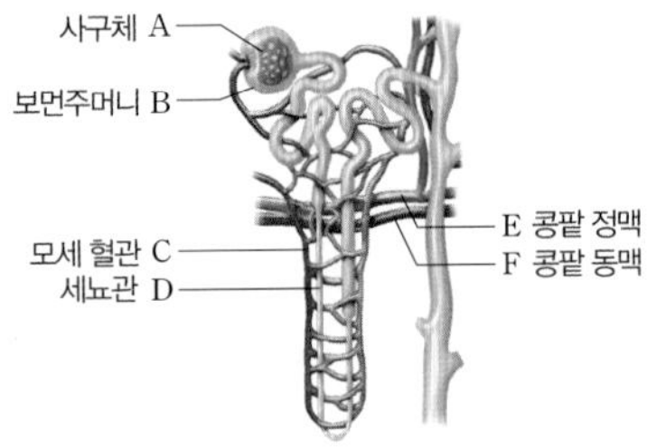

사구체 A

보먼주머니 B

모세 혈관 C

세뇨관 D

E 콩팥 정맥

F 콩팥 동맥

(1) 오줌을 생성하는 기본 단위(가)는 네프론이다.

(2) 네프론은 사구체(A), 보먼주머니(B), 세뇨관(D)으로 구성된다.

18 A는 사구체에서 보먼주머니로의 물질 이동인 여과, B는 세뇨관에서 모세 혈관으로의 물질 이동인 재흡수, C는 모세 혈관에서 세뇨관으로의 물질 이동인 분비이다.

19 ㄱ. 오줌 속의 물은 사구체에서 여과된 후 재흡수되고 남은 것이므로 물의 이동량은 여과량이 재흡수량보다 많다.

ㄴ. 포도당은 여과(A)된 후 모두 재흡수(B)된다. 그러나 분비(C)되지는 않는다.

ㄷ. 네프론에서 혈액을 걸러 생성된 오줌은 (가)의 경로로 이동한다.

20 자료 분석하기

성분	혈장	여과액	오줌
포도당 A	0.10	0.10	0.00
단백질 B	8.00	0.00	0.00
요소 C	0.03	0.03	2.00

A: 혈장과 여과액에는 있지만 오줌에는 없다. → 여과된 후 모두 재흡수된다.
B: 혈장에만 있다. → 여과되지 않는다.
C: 혈장과 여과액보다 오줌에서 농도가 높다. → 물보다 재흡수율이 낮아서 오줌에서 농축된다.

A는 사구체에서 보먼주머니로 여과된 후 세뇨관에서 모세 혈관으로 모두 재흡수되는 포도당이다. B는 분자의 크기가 커서 여과되지 않는 단백질이다. C는 여과되며, 물보다 재흡수율이 낮아 오줌에서 농축되어 배설되는 요소이다.

21 세포 호흡에 필요한 기체 A는 산소이고, 세포 호흡으로 생성되는 기체 B는 이산화 탄소이며, 세포 호흡이 주로 일어나는 C는 미토콘드리아이다. 세포 호흡에 필요한 영양소는 소화계에서 소화된 후 흡수되며, 호흡계를 통해 A와 B의 기체 교환이 일어난다. 소화계와 호흡계를 통해 흡수된 물질은 순환계에 의해 조직 세포로 운반된다.

22 (가)는 기체 교환이 일어나는 호흡계, (나)는 영양소의 소화와 흡수가 일어나는 소화계, (다)는 물질을 운반하는 순환계, (라)는 질소 노폐물을 배출하는 배설계이다.

23 폐는 호흡계, 위는 소화계, 심장은 순환계, 콩팥은 배설계에 속하는 기관이다.

실력 강화 문제
2권 062쪽~063쪽

01 ②	**02** ④	**03** ⑤	**04** ④	**05** ⑤
06 ④	**07** ①	**08** ⑤		

01 ┃ 자료 분석하기 ┃

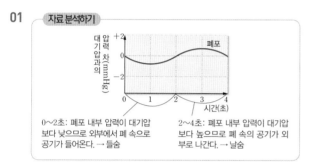

0~2초: 폐포 내부 압력이 대기압보다 낮으므로 외부에서 폐 속으로 공기가 들어온다. → 들숨

2~4초: 폐포 내부 압력이 대기압보다 높으므로 폐 속의 공기가 외부로 나간다. → 날숨

ㄱ. 0~1초에 갈비뼈는 위로 올라가고 횡격막이 아래로 내려가면서 들숨이 일어난다.

ㄴ. 폐의 부피는 들숨 후 날숨이 일어나기 전인 2초일 때가 최대이다.

ㄷ. 2~4초에 갈비뼈는 아래로 내려가고 횡격막이 위로 올라가면서 흉강의 부피가 감소하여 날숨이 일어난다.

02 ┃ 자료 분석하기 ┃

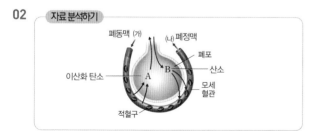

(가)는 폐동맥에 연결되며 정맥혈이 흐른다. (나)는 폐정맥에 연결되며 동맥혈이 흐른다. 즉, 혈액의 산소 농도는 (가)보다 (나)에서 높다.

03 세포 호흡 과정에 필요한 (가)와 들숨보다 날숨에서 줄어든 기체 B는 산소이다. 세포 호흡 결과 생성되는 기체 (나)와 들숨보다 날숨에서 크게 증가한 C는 이산화 탄소이다. 폐에서 이산화 탄소는 모세 혈관에서 폐포 쪽으로 확산되어 들숨보다 날숨에서 그 양이 증가한다. 들숨보다 날숨의

수증기 양이 증가한 것은 세포 호흡으로 생성된 물의 일부가 수증기 상태로 날숨으로 배출되기 때문이다. 들숨과 날숨에서 가장 많은 양을 차지하는 A는 질소이다.

04 ┃ 자료 분석하기 ┃

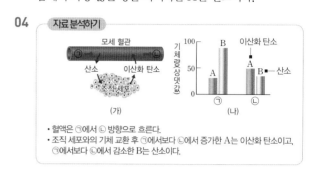

• 혈액은 ㉠에서 ㉡ 방향으로 흐른다.
• 조직 세포와의 기체 교환 후 ㉠에서보다 ㉡에서 증가한 A는 이산화 탄소이고, ㉠에서보다 ㉡에서 감소한 B는 산소이다.

ㄱ. ㉠보다 ㉡에서 증가하는 A는 이산화 탄소이다.

ㄴ. 혈액과 조직 세포 사이의 기체 교환량은 ㉠과 ㉡의 차이가 큰 B가 A보다 많다.

ㄷ. 조직 세포의 세포 호흡이 활발해지면 조직 세포에서 모세 혈관으로 이동하는 이산화 탄소(A)의 양이 많아지므로 ㉡에서 A의 양이 증가한다.

05 ┃ 자료 분석하기 ┃

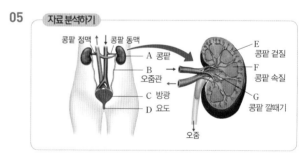

사구체와 보먼주머니는 콩팥 겉질(E) 부분에 있고, 콩팥 속질(F)에는 모세 혈관에 둘러싸인 세뇨관이 분포한다. G는 생성된 오줌이 모이고 임시로 저장되는 콩팥 깔때기이다. 오줌이 생성되어 이동하는 경로는 콩팥(A) → 오줌관(B) → 방광(C) → 요도(D)이다.

06 ┃ 자료 분석하기 ┃

성분	혈장	여과액	오줌
포도당 A	0.10	0.10	0.00
아미노산 B	0.05	0.05	0.00
단백질 C	8.00	0.00	0.00
요소 D	0.03	0.03	2.00

A, B: 여과액에는 있지만 오줌에는 없으므로 여과가 일어난 후 모두 재흡수된다. → A는 포도당, B는 아미노산
C: 여과액에 없으므로 여과되지 않는다. → 단백질
D: 여과액보다 오줌에서 농도가 높으므로 오줌으로 배설하고자 하는 노폐물이다. → 요소

ㄱ. 여과되는 A는 여과되지 않는 C보다 분자의 크기가 작다.

ㄴ. B는 여과액에는 있지만 오줌에는 없으므로 세뇨관에서 모세 혈관으로 모두 재흡수되었다.

ㄷ. D가 여과액보다 오줌에서 농도가 훨씬 높은 것은 물에 비해 재흡수율이 낮기 때문이다.

07 자료 분석하기

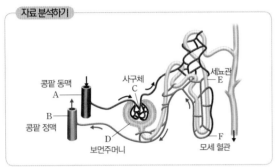

콩팥 동맥 A / 콩팥 정맥 B / 사구체 C / 보먼주머니 D / 세뇨관 E / 모세 혈관 F

ㄱ. 콩팥의 네프론에서 혈장 성분이 여과, 재흡수, 분비 과정을 거쳐 오줌으로 배설되므로 혈액의 요소 농도는 네프론을 거치기 전인 A가 네프론을 거친 후인 B보다 높다.

ㄴ. 혈장 단백질은 분자의 크기가 커서 사구체(C)에서 보먼주머니(D)로 여과되지 않는다.

ㄷ. 포도당은 C에서 D로 여과된 후 세뇨관(E)에서 모세 혈관(F)으로 모두 재흡수된다.

| 도움이 되는 배경 지식 | 여과

사구체에서 보먼주머니로의 여과는 사구체의 높은 혈압에 의해 혈장 성분 중 크기가 작은 물질이 사구체의 모세 혈관 벽을 통과하여 보먼주머니로 이동하는 것이다.

08 ㄱ. A는 호흡계를 통해 흡수하는 산소이다. 산소는 적혈구에 의해 운반된다.

ㄴ. 조직 세포에서 세포 호흡이 활발하게 일어나면 기체 교환으로 이동하는 이산화 탄소(B)의 양이 증가하고, 그에 따라 호흡계에서 날숨을 통해 배출되는 이산화 탄소(B)의 양도 증가한다.

ㄷ. C는 세포 호흡에 필요한 영양소이다. 영양소는 소화계에서 음식물을 소화하여 흡수된 후 순환계에 의해 조직 세포로 운반된다.

서술형 문제
2권 064쪽~065쪽

1 호흡 운동은 흉강을 둘러싸는 갈비뼈와 횡격막의 상하 운동에 의해 일어난다. 결과적으로 폐 내부 압력이 대기압보다 낮아지면 외부에서 폐 속으로 공기가 들어오고, 폐 내부 압력이 대기압보다 높아지면 폐 속의 공기가 외부로 나간다.

모범 답안 갈비뼈는 위로 올라가고, 횡격막은 아래로 내려간다. 그에 따라 흉강 부피가 커지면서 흉강 내부 압력이 낮아지면, 폐의 부피가 커지면서 폐 내부 압력이 대기압보다 낮아지게 되어 외부에서 폐로 공기가 이동한다.

채점 기준	배점
제시된 용어를 모두 포함하여 옳게 설명한 경우	100 %
제시된 용어를 포함하여 설명하였으나 일부가 옳지 않은 경우	50 %

2 폐와 조직에서 기체는 농도가 높은 쪽에서 낮은 쪽으로 확산한다. 산소의 농도는 폐포가 모세 혈관보다 높고, 모세 혈관이 조직 세포보다 높다. 이산화 탄소의 농도는 이와는 반대이다.

모범 답안 (1) A: 이산화 탄소, B: 산소

(2) 폐와 조직에서 기체 교환이 일어나는 원리는 농도 차이에 따른 확산이다. 이산화 탄소(A)의 농도는 조직 세포＞모세 혈관＞폐포이므로 이산화 탄소는 조직 세포에서 모세 혈관을 거쳐 폐포로 확산하고, 이후 날숨을 통해 몸 밖으로 배출된다. 산소(B)의 농도는 폐포＞모세 혈관＞조직 세포이므로 산소는 들숨으로 몸 밖에서 폐포로 들어온 후, 폐포에서 모세 혈관을 거쳐 조직 세포로 확산한다.

	채점 기준	배점
(1)	A와 B를 모두 옳게 쓴 경우	40 %
(2)	기체 교환의 원리, 기체 A와 B의 이동 방향을 모두 옳게 설명한 경우	60 %
	기체 교환의 원리만 옳게 설명한 경우	30 %

3 폐는 많은 수의 폐포로 이루어져 있어 전체 표면적이 크므로 폐포와 주변 모세 혈관 사이의 기체 교환 효율이 높다. 그런데 폐기종 환자는 폐포 사이의 벽이 일부 손상된 상태여서 폐의 전체 표면적이 건강한 사람보다 작다.

모범 답안 폐기종 환자는 폐포 사이의 벽이 일부 손상되어 폐의 전체 표면적이 감소하므로 주변 모세 혈관과의 기체 교환 효율이 낮아져 호흡 곤란이 나타날 수 있다.

채점 기준	배점
폐포 사이의 벽이 손상되어 전체 표면적이 감소하므로 기체 교환 효율이 낮다고 설명한 경우	100 %
기체 교환 효율이 낮다고만 설명한 경우	40 %

4 (가)에서는 물질이 사구체에서 보먼주머니로 여과되지 않는다. (나)에서는 물질이 사구체에서 보먼주머니로 여과되었으나 모두 재흡수된다. (다)에서는 물질이 여과된 후 일부가 재흡수되고 나머지는 오줌으로 배설된다.

모범 답안 (가) 단백질은 분자의 크기가 커서 사구체에서 보먼주머니로 여과되지 않아 오줌으로 배설되지 않는다.

(나) 포도당과 아미노산은 사구체에서 보먼주머니로 여과되지만 세뇨관을 지나는 동안 모세 혈관으로 모두 재흡수되어 오줌으로 배설되지 않는다.

(다) 물과 요소는 사구체에서 보먼주머니로 여과된 후 세뇨관을 지나는 동안 일부는 모세 혈관으로 재흡수되지만 나머지는 오줌으로 배설된다.

채점 기준	배점
물질의 예를 들어 (가)~(다)의 이동 방식을 모두 옳게 설명한 경우	100 %
물질의 예를 들어 (가)~(다)의 이동 방식 중 두 가지를 옳게 설명한 경우	60 %
물질의 예를 들어 (가)~(다)의 이동 방식 중 한 가지만 옳게 설명한 경우	30 %

5 혈장 성분 중 사구체에서 보먼주머니로 여과되는 물질은 여과액에서 발견된다. 여과액 성분 중 모두 재흡수되는 물질은 오줌에서 발견되지 않는다. 또, 여과된 후 일부가 재흡수되지만 물보다 재흡수율이 낮은 물질은 여과액에서보다 오줌에서의 농도가 높아진다.

모범 답안 (1) 물, 포도당, 요소, 사구체에서 보먼주머니로 여과되는 물질은 여과액에서 발견된다.

(2) 요소는 물과 함께 여과되었다가 세뇨관에서 모세 혈관으로 재흡수된다. 그런데 요소는 물보다 재흡수되는 비율이 낮아서 여과액에서보다 오줌에서의 농도가 더 높다.

(3) 당뇨병 환자는 혈액 속의 포도당 농도가 높아서 사구체에서 보먼주머니로 여과되는 포도당의 양이 많기 때문에 세뇨관에서 모세 혈관으로 모두 재흡수되지 못하고 일부가 오줌으로 배설된다.

	채점 기준	배점
(1)	여과된 물질의 종류를 모두 쓰고, 근거를 옳게 설명한 경우	20 %
	여과된 물질의 종류만 옳게 쓴 경우	10 %
(2)	요소가 물보다 재흡수율이 낮다고 옳게 설명한 경우	40 %
	물이 재흡수되었기 때문이라고 설명한 경우	20 %
(3)	당뇨병 환자는 혈당량이 높아서 여과된 포도당이 모두 재흡수되지 않아 일부가 배설된다고 옳게 설명한 경우	40 %
	당뇨병 환자는 혈당량이 높아서 포도당이 오줌으로 배설된다고만 쓴 경우	20 %

6 음식물 속의 단백질은 소화계에서 소화 효소의 작용으로 아미노산으로 분해된 후 소장에서 흡수되어 순환계를 통해 조직 세포로 운반된다. 아미노산은 조직 세포에서 세포 호흡으로 분해되며, 이 과정에서 암모니아가 생성된다. 암모니아는 간에서 독성이 약한 요소로 전환되어 순환계를 통해 배설계로 운반된 후 오줌으로 배설된다.

모범 답안 (1) (가)는 단백질을 아미노산으로 소화하는 과정이고, (나)는 아미노산을 세포 호흡의 에너지원으로 이용하는 과정이다.

(2) 아미노산이 분해될 때 질소 노폐물인 암모니아가 만들어지고, 독성이 강한 암모니아는 간에서 요소로 전환되는 (다) 과정을 거친 후 순환계를 통해 배설계로 운반되어 오줌으로 배설된다.

	채점 기준	배점
(1)	(가)와 (나) 과정을 모두 옳게 설명한 경우	50 %
	(가)와 (나) 중 한 가지만 옳게 설명한 경우	25 %
(2)	질소 노폐물의 생성과 배설 과정을 기관, 기관계를 포함하여 옳게 설명한 경우	50 %
	질소 노폐물의 생성과 배설 과정을 기관, 기관계를 언급하지 않고 설명한 경우	25 %

7 조직 세포는 모세 혈관을 흐르는 혈액과의 물질 교환을 통해 조직 세포의 생명 활동에 필요한 물질을 공급받고 조직 세포에서 생성된 노폐물을 제거한다. 이를 통해 조직 세포가 정상적인 생명 활동을 할 수 있어야 건강하게 살아갈 수 있다.

모범 답안 건강하게 살아가기 위해서는 조직 세포가 세포 호흡을 통해 에너지를 생성해야 하며, 이에 필요한 영양소와 산소가 순환계를 통해 조직 세포로 계속 공급되고, 세포 호흡으로 생성된 이산화 탄소와 노폐물이 조직 세포에서 계속 제거되어야 한다.

채점 기준	배점
물질 교환의 필요성을 조직 세포의 세포 호흡과 관련지어 옳게 설명한 경우	100 %
조직 세포의 세포 호흡에 필요한 물질을 공급하기 위해서라고만 설명한 경우	60 %

8 A는 순환계, B는 소화계, C는 호흡계, D는 배설계이다. 세포 호흡에 필요한 영양소는 소화계를 통해, 산소는 호흡계를 통해 얻는다. 세포 호흡으로 생성된 이산화 탄소는 호흡계를 통해, 물은 호흡계와 배설계를 통해, 질소 노폐물은 배설계를 통해 배설된다.

모범 답안 세포 호흡에 필요한 영양소는 소화계(B)를 통해 소화되어 흡수되며, 산소는 호흡계(C)에서 기체 교환으로 얻는다. 영양소와 산소는 순환계(A)를 통해 운반되어 조직 세포로 공급되고 세포 호흡에 이용된다. 조직 세포에서 세포 호흡으로 생성된 이산화 탄소와 노폐물은 순환계(A)를 통해 운반되어 이산화 탄소는 호흡계(C)를 통해, 물은 호흡계(C)와 배설계(D)를 통해, 질소 노폐물은 배설계(D)를 통해 몸 밖으로 배출된다.

채점 기준	배점
기관계 A~D의 유기적 작용을 세포 호흡과 관련지어 옳게 설명한 경우	100 %
기관계 A~D의 작용을 설명하였으나 세포 호흡과의 관련 설명이 부족한 경우	60 %

최상위권 도전 문제

2권 066쪽~069쪽

1 ①	2 ③	3 ②	4 ②	5 ③
6 ②, ④	7 ③	8 ⑤		

1 ㄱ. A는 해면 조직이 포함된 기본 조직계이다. 표피 조직은 표피 조직계에 속한다.

ㄴ. B는 기관이다. 기관은 근육 조직, 신경 조직, 상피 조직 등으로 구성되어 있다.

ㄷ. 폐는 동물의 구성 단계 중 B(기관)와 같은 단계에 속한다. C는 기관계이다.

2 ㄱ. A는 피하에 축적되어 체온 유지에 중요한 역할을 하는 지방이다. 지방의 화학적 소화는 소장에서 일어난다.

ㄴ. B는 효소의 주성분인 단백질이다. 단백질은 구성 원소로 질소를 포함하고 있어 세포 호흡에 이용될 때 질소성 노폐물이 생성된다.

ㄷ. C는 비타민이나 무기염류이다. 비타민이나 무기염류는 화학적 소화를 거치지 않고 소장에서 흡수된다.

ㄹ. D는 탄수화물이다. 탄수화물 중 녹말은 아이오딘 반응으로, 포도당은 베네딕트 반응으로 검출한다. 5 % 수산화 나트륨 수용액과 1 % 황산 구리 수용액은 단백질을 검출하기 위해 사용하는 뷰렛 용액의 성분이다.

3

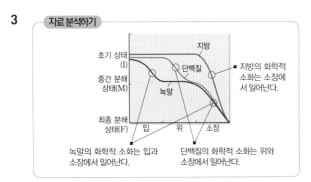

자료 분석하기

위액의 소화 효소인 펩신은 단백질을 중간 분해 상태까지 분해할 수 있지만 최종 분해 상태까지는 분해할 수 없다. 또, 위액에는 녹말과 단백질 소화 효소는 없으므로 녹말과 지방은 초기 상태로 유지된다.

4 ㄱ. A 통로로 이동하는 소화액은 간에서 만들어진 쓸개즙이다.

ㄴ. B 통로가 막히면 쓸개즙이 소장으로 분비되지 않아 소장에서 지방이 작은 덩어리로 되지 않기 때문에 지방 소화가 잘되지 않는다. 따라서 소장에서의 지방산 흡수량이 감소한다.

ㄷ. C 통로는 이자액이 분비되는 이자관이다. 이자액에는 3대 영양소의 소화 효소가 모두 있으므로 C 통로가 막히면 3대 영양소의 소화가 모두 영향을 받는다.

5

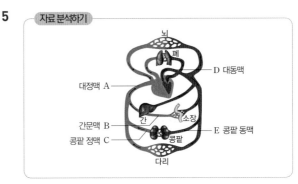

자료 분석하기

ㄱ. 대정맥(A)은 우심방에 연결되어 있으며, 대동맥(D)은 좌심실에 연결된다.

ㄴ. 소장에서 흡수된 수용성 영양소는 B를 통해 이동하지만, 지용성 영양소는 림프관을 지나 대정맥을 통해 심장으로 이동한다.

ㄷ. 콩팥은 혈액을 걸러 오줌을 만드는 기관이므로 혈액의 요소 농도는 E가 C보다 높다.

ㄹ. 폐를 제외한 몸의 다른 부분은 온몸 순환에 의해 영양소와 산소를 공급받는다.

6

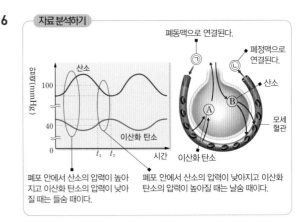

자료 분석하기

①, ② t_1~t_2에서 폐포 내 산소 압력은 낮아지고 이산화 탄소 압력은 높아지므로 날숨이 일어난다. 날숨일 때는 횡격막이 올라가고 폐의 부피는 감소한다.

③ 모세 혈관에서 폐포로 이동하는 A는 이산화 탄소이고, 폐포에서 모세 혈관으로 이동하는 B는 산소이다.

④ ㉠에는 정맥혈이, ㉡에는 기체 교환으로 산소가 많은 동맥혈이 흐른다.

⑤ 폐포 안의 기체의 압력은 항상 산소(B)가 이산화 탄소(A)보다 높다.

7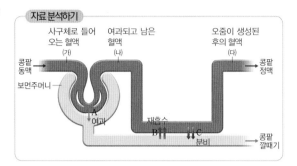

자료 분석하기

사구체로 들어
오는 혈액 (가)

여과되고 남은
혈액 (나)

오줌이 생성된
후의 혈액 (다)

콩팥 동맥

콩팥 정맥

보먼주머니

A 여과

B 재흡수

C 분비

콩팥 깔때기

ㄱ. 오줌은 여과, 재흡수, 분비를 모두 거쳐 만들어지므로 오줌 생성량은 (가)와 (다)를 지나는 혈액량의 차이이다.

ㄴ. 혈액 속의 요소가 모두 오줌으로 배설되는 것은 아니므로 지점 (다)의 혈액에도 요소가 있다.

ㄷ. 포도당은 여과(A)와 재흡수(B)를 거치지만, 분비(C)되지는 않는다.

8 ① (가)는 단백질이 아미노산으로 소화되는 과정으로, 펩신, 트립신, 소장의 단백질 소화 효소가 관여한다.

② (나)는 아미노산이 세포 호흡으로 분해되는 과정으로, 이때 필요한 산소는 적혈구가 운반한다.

③ 이산화 탄소가 폐(A)를 통해 날숨에 섞여 몸 밖으로 배출되려면 조직 세포에서 생성된 이산화 탄소가 순환계에 의해 호흡계로 운반되어야 한다.

④ 물은 폐(A)를 통해서는 수증기 상태로 날숨으로 배출되고, 콩팥(C)을 통해서는 액체 상태로 오줌으로 배출된다.

⑤ B는 간이고, C는 콩팥이다. 간은 소화계에 속하고 콩팥은 배설계에 속한다.

창의·사고력 향상 문제

1 **문제 해결 가이드** 지방의 소화에 관여하는 쓸개즙과 이자액의 지방 소화 효소를 고려하여 다음과 같은 과정으로 설명한다.

(1) •A는 쓸개, B는 이자라는 점 ••쓸개즙에는 소화 효소가 없고 이자액에는 지방 소화 효소인 라이페이스가 있다는 점 •••쓸개즙은 지방을 작은 덩어리로 만들고 화학적 소화는 효소에 의해 일어난다는 점을 들어 설명한다.

(2) •일정량의 지방에 A와 B의 소화액을 각각 넣어 결과를 비교해야 한다는 점 ••대조군은 증류수만 넣고, 실험군은 쓸개즙과 증류수, 이자액과 증류수, 쓸개즙과 이자액을 함께 넣은 것을 두어야 한다는 점 •••지방의 소화 정도는 지방산의 생성량으로 측정할 수 있다는 점을 들어 설명한다.

모범 답안 (1) A에서 분비되는 쓸개즙은 지방을 작은 덩어리로 만들어 소화 효소와 접촉하는 면적을 증가시키고, B에서 분비되는 이자액에는 라이페이스가 포함되어 있어 지방을 모노글리세리드와 지방산으로 분해한다.

(2) 4개의 시험관에 같은 양의 지방을 넣고 A에는 증류수, B에는 쓸개즙과 증류수, C에는 이자액과 증류수, D에는 쓸개즙과 이자액을 넣는다. A~D에 첨가하는 용액의 총량은 같게 하고, 일정 시간이 지난 후 지방산의 생성량을 측정하여 비교한다.

	채점 기준	배점
(1)	A와 B에서 분비되는 소화액의 기능을 모두 옳게 설명한 경우	50 %
	A와 B에서 분비되는 소화액의 기능 중 한 가지만 옳게 설명한 경우	25 %
(2)	대조군과 함께 세 가지 실험군을 옳게 설정한 경우	50 %
	대조군을 설정하지 않았거나, 실험군을 두 가지만 설정한 경우	25 %

2 **문제 해결 가이드** 소화계에서 흡수한 영양소는 순환계를 통해 운반된다는 것에 착안하여 다음과 같은 과정으로 설명한다.

•영양소는 소화계에서 소화되어 흡수된다는 점 ••흡수된 영양소는 순환계를 통해 온몸의 세포로 운반되어 공급된다는 점 •••식사를 하지 못하는 환자는 혈액을 통해 영양소를 공급할 수 있다는 점을 들어 설명한다.

모범 답안 음식물 속의 영양소는 소화계에서 소화된 후 흡수되어 순환계를 통해 조직 세포에 공급된다. 따라서 식사를 하지 못하는 환자에게는 혈액으로 필요한 영양소를 직접 투여함으로써 온몸의 조직 세포에 영양소를 공급할 수 있다.

채점 기준	배점
영양소의 소화, 흡수, 이동과 관련지어 혈액을 통해 환자에게 영양소를 공급할 수 있다고 옳게 설명한 경우	100 %
환자의 혈액으로 영양소를 투여하면 조직 세포로 영양소를 공급할 수 있다고만 설명한 경우	50 %

3 **문제 해결 가이드** 심장의 우심실에는 정맥혈이, 좌심실에는 동맥혈이 흐른다는 점을 고려하여 다음과 같은 과정으로 설명한다.

•우심실에는 온몸을 순환하여 산소가 적은 혈액이 있다는 점 ••좌심실에는 폐순환을 하여 산소가 많은 혈액이 있다는 점 •••좌우 심실의 혈액이 섞일 경우 좌심실 혈액의 산소 함량이 낮아진다는 점을 들어 설명한다.

모범 답안 우심실에는 온몸 순환을 거쳐 산소 함량이 적은 정맥혈이 있고, 좌심실에는 폐순환을 거쳐 산소 함량이 많은 동맥혈이 있다. 만일 좌우 심실 사이에 구멍이 있어 좌우 심실의 혈액이 섞이게 된다면 좌심실에서 대동맥으로 나가 온몸 순환으로 들어가는 혈액의 산소 함량은 정상인보다 낮을 것이고 조직 세포로 공급되는 산소의 양도 적어 산소 부족 증세를 나타내게 될 것이다.

채점 기준	배점
우심실과 좌심실 혈액의 산소 함량의 차이를 근거로 들어 옳게 설명한 경우	100%
온몸 순환으로 들어가는 혈액의 산소 함량이 줄어들 것이라고만 설명한 경우	50%

4 (문제 해결 가이드) 산소 분압과 이산화 탄소 분압의 변화를 통해 폐에서의 기체 교환을 유추하고 이를 혈액 순환 과정과 연결하여 다음과 같은 과정으로 설명한다.

(1) •혈액이 흐르면서 산소 분압은 높아지고 이산화 탄소 분압은 낮아졌다는 점 ••사람의 몸에서 이러한 기체 교환이 일어나는 호흡 기관은 폐라는 점을 들어 설명한다.

(2) •폐에서의 기체 교환은 폐순환과 관련이 있다는 점 ••폐순환은 우심실에서 나간 혈액이 좌심방으로 돌아오는 과정이라는 점을 들어 설명한다.

(3) •산소는 폐에서 기체 교환을 통해 얻는다는 점 ••이산화 탄소는 조직 세포의 세포 호흡으로 생성된다는 점을 들어 설명한다.

(모범 답안) (1) 폐, 폐에서는 폐포와 모세 혈관 사이에 기체 교환이 일어나 혈액 속의 산소 농도는 증가하고 이산화 탄소 농도는 감소한다.

(2) 우심실 → 폐동맥 → 폐의 모세 혈관 → 폐정맥 → 좌심방

(3) 산소는 폐 속으로 들어온 공기 중의 산소가 기체 교환 과정에서 혈액으로 확산한 것이고, 이산화 탄소는 조직 세포의 세포 호흡 과정에서 생성된 것이 혈액으로 확산한 것이다.

	채점 기준	배점
(1)	폐라고 쓰고, 근거를 옳게 설명한 경우	30%
	폐라고만 쓴 경우	10%
(2)	폐순환 경로를 옳게 쓴 경우	30%
	폐순환 경로를 우심실, 폐, 좌심방으로만 쓴 경우	20%
(3)	산소와 이산화 탄소가 어떻게 얻어지는지를 옳게 설명한 경우	40%
	산소와 이산화 탄소 중 한 가지의 획득 과정만 옳게 설명한 경우	20%

5 (문제 해결 가이드) 콩팥의 네프론에서 포도당은 여과된 후 재흡수되며, 포도당의 배설량은 여과량에서 재흡수량을 뺀 나머지라는 점을 고려하여 다음과 같은 과정으로 설명한다.

(1) •여과는 사구체에서 보먼주머니로 일어난다는 점 ••재흡수는 세뇨관에서 모세 혈관으로 일어난다는 점 •••건강한 사람은 여과된 포도당이 모두 재흡수된다는 점을 들어 설명한다.

(2) •당뇨병 환자는 혈중 포도당 농도가 높다는 점 ••포도당 여과량은 혈중 포도당 농도에 비례하여 증가한다는

점 •••포도당 재흡수량은 한계가 있다는 점을 들어 설명한다.

(모범 답안) (1) 건강한 사람은 혈중 포도당 농도가 200 mg/100 mL보다 낮아 혈장 속의 포도당이 사구체에서 보먼주머니로 여과된 후 세뇨관에서 모세 혈관으로 모두 재흡수되므로 오줌으로 배설되지 않는다.

(2) 당뇨병 환자는 혈중 포도당 농도가 200 mg/100 mL보다 높아 이에 비례하여 포도당 여과량이 많지만, 포도당의 재흡수량에는 한계가 있어 재흡수되지 못한 나머지 포도당이 오줌으로 배설된다.

	채점 기준	배점
(1)	건강한 사람의 혈당량, 포도당 여과와 재흡수를 네프론의 구성 요소와 관련지어 옳게 설명한 경우	50%
	일반적인 포도당의 여과와 재흡수에 대해서만 설명한 경우	30%
(2)	당뇨병 환자의 혈당량, 포도당 여과량과 재흡수량의 특징을 들어 포도당이 오줌으로 배설된다는 것을 옳게 설명한 경우	50%
	당뇨병 환자는 혈당량이 높아서 여과된 포도당이 모두 재흡수되지 않는다고 설명한 경우	30%

6 (문제 해결 가이드) 혈구, 단백질, 요소가 신선한 투석액에 들어 있지 않은 까닭과 포도당이 신선한 투석액에 들어 있어야 하는 까닭을 다음과 같은 과정으로 설명한다.

•혈구와 단백질은 크기가 커서 반투과성 막을 통과할 수 없으므로 신선한 투석액에 넣을 필요가 없다는 점 ••요소는 혈액에서 제거해야 할 노폐물이므로 신선한 투석액에 넣을 필요가 없다는 점 •••포도당은 신선한 투석액에 일정 농도로 들어 있어야 혈액 속의 포도당이 투석액 쪽으로 확산되어 제거되는 것을 막을 수 있다는 점을 연결하여 설명한다.

(모범 답안) 크기가 큰 혈구와 단백질은 반투과성 막을 통과하지 못하므로 신선한 투석액에 들어 있지 않아도 혈액에서 투석액 쪽으로 확산되지 않는다. 크기가 작은 요소와 포도당은 반투과성 막을 통과하는데, 노폐물인 요소는 신선한 투석액에 넣지 않아야 혈액에서 최대한 많은 양이 투석액 쪽으로 확산되어 제거된다. 그러나 포도당은 혈액 속에 일정한 농도로 유지되어야 하므로 혈액에서 제거되는 것을 막기 위해서는 신선한 투석액에 일정 농도로 넣어야 한다.

채점 기준	배점
신선한 투석액에 혈구와 단백질을 넣지 않는 까닭, 요소를 넣지 않는 까닭, 포도당을 넣는 까닭을 모두 옳게 설명한 경우	100%
세 가지 중 두 가지를 옳게 설명한 경우	60%
세 가지 중 한 가지만 옳게 설명한 경우	30%

VI 물질의 특성

01 물질의 특성 (1)

학습 내용 Check

탐구 확인 문제　　　　　　　　　　　　2권 083쪽

1 ⑤　　　**2** B, C

---

1 고체의 부피는 고체를 물에 넣고 늘어난 물의 부피로 측정할 수 있다. 이때 고체는 물에 녹지 않아야 한다. 밀도=$\dfrac{질량}{부피}$ 이고, 부피가 일정할 때 밀도와 질량은 비례하므로, 밀도가 큰 구리가 알루미늄보다 질량이 크다. 질량이 일정할 때 밀도와 부피는 반비례하므로, 알루미늄이 구리보다 부피가 크다.

2 밀도가 물질의 특성임을 이용한다. 밀도는 질량을 부피로 나누어서 구하므로 각 물질의 밀도는

$A=\dfrac{20}{20}=1 \,(g/cm^3)$, $B=\dfrac{30}{15}=2 \,(g/cm^3)$

$C=\dfrac{40}{20}=2 \,(g/cm^3)$, $D=\dfrac{20}{40}=0.5 \,(g/cm^3)$

밀도가 같은 B와 C가 같은 물질이다.

개념 확인 문제　　　　　　　　　　2권 086쪽~089쪽

01 ③	**02** ④	**03** ③, ⑤	**04** ①	**05** ④
06 ⑤	**07** ④	**08** ④	**09** ①	**10** ③
11 ②	**12** ③	**13** ③	**14** ④	**15** ④
16 ①	**17** ④	**18** ㄱ, ㄷ, ㅂ	**19** ④	
20 ③	**21** ㅁ	**22** ①	**23** ③	**24** ②, ③

01 순물질은 한 종류의 물질로만 이루어진 물질을 말하므로 철, 물, 질소는 순물질이고, 암석(석영＋장석 등), 소금물(물＋소금), 공기(질소＋산소 등)는 혼합물이다.

02 드라이아이스는 이산화 탄소를 높은 압력, 낮은 온도에서 고체로 변화시킨 순물질이고, 알루미늄과 에탄올은 한 가지 물질로 이루어진 순물질이다. 순물질은 질량에 관계없이 밀도가 일정하다.

03 두 가지 이상의 원소로 이루어진 순물질을 화합물이라고 한다. 아세톤은 탄소, 수소, 산소로 이루어진 순물질이고, 염화 나트륨은 나트륨과 염소로 이루어진 순물질이다. 구리는 한 가지 성분으로 된 순물질이고, 화강암은 여러 가지 광물로 이루어진 혼합물이다.

04 순물질은 한 가지 물질로만 이루어진 물질이므로 에탄올만 순물질이고, 탄산음료(물＋탄산＋설탕), 설탕물(물＋설탕), 식초(물＋아세트산), 우유(물＋여러 가지 영양소), 과일 주스(물＋과일 조각)는 혼합물에 속한다.

05 혼합물은 각 성분 물질들이 섞여 있을 뿐이므로, 성분 물질 각각의 성질을 그대로 가지고 있다. 따라서 소금물은 물과 소금의 성질을 모두 가지고 있는 균일 혼합물이다.

06 ①, ②, ③ 흙탕물은 오랫동안 두면 흙이 가라앉는 불균일 혼합물이고 설탕물은 물속에 설탕이 고르게 퍼져 있는 균일 혼합물이다.

④ 혼합물은 섞여 있는 각 성분 물질의 성질을 그대로 나타낸다.

⑤ 두 물질 모두 성분 물질들이 섞이는 비율에 따라 밀도가 달라진다.

07 (가)는 두 가지 물질의 입자들이 골고루 섞여 있는 균일 혼합물, (나)는 한 가지 물질이 다른 물질 속에 불균일하게 섞여 있는 불균일 혼합물의 모형이다.

08 ㄱ, ㄹ. (가)는 균일 혼합물, (나)는 불균일 혼합물 모형이다.

ㄴ. 균일 혼합물은 섞여 있는 각 성분 물질의 성질을 그대로 나타낸다.

ㄷ. 불균일 혼합물의 밀도는 일정하지 않다.

09 철에 크로뮴을 섞으면 크로뮴이 공기 중의 산소와 재빨리 반응하여 산화 크로뮴이 생성되어 스테인리스 표면에 얇은 층을 형성하므로 잘 녹슬지 않는다. 따라서 조리 기구를 만들 때는 순수한 철보다 혼합물인 스테인리스 합금을 주로 사용한다.

10 ①, ②, ④, ⑤는 순물질을 혼합하여 혼합물을 사용하는 경우이고, ③은 혼합물로부터 순물질을 분리하여 사용하는 경우이다.

① 땜납은 납과 주석 등을 섞어서 만들며, 납보다 녹는점이 낮아 녹여서 회로를 연결하는 데 사용한다.

② 부동액은 물에 에틸렌 글리콜 등을 혼합하여 잘 얼지 않으므로 자동차의 냉각수로 사용한다.

③ 의료용 산소는 공기로부터 산소를 분리하여 의료용으로 사용한다.

④ 눈이 내린 길에 염화 칼슘을 뿌리면 순수한 물보다 어는점이 낮아져 도로가 어는 것을 막는 데 사용한다.

⑤ 퓨즈는 납과 주석 등을 섞어서 만들며, 전류가 흐를 때 쉽게 녹아서 전류를 차단하는 데 사용한다.

11 공기는 질소와 산소 등의 기체들이 균일하게 섞여 있는 균일 혼합물이고, 이 공기를 액화시킨 액체 공기도 여러 가지 액체가 균일하게 섞인 균일 혼합물이다.

12 물질의 부피, 질량 등은 물질의 양에 따라 변하므로 물질의 특성이 아니다.

| 도움이 되는 배경 지식 | 물질의 특성
물질의 질량에 관계없이 그 물질만이 가지고 있는 성질을 물질의 특성이라고 하는데, 물질의 특성에는 겉보기 성질(색깔, 맛, 냄새, 굳기, 결정 모양 등), 밀도, 용해도, 녹는점과 끓는점 등이 있다.

13 질량은 물체의 고유한 양이므로 질량을 측정하는 장소에 따라 변하지 않고 일정하다.

14 ① 고체 B, C는 액체 A에 녹지 않아야 한다.
②, ④ 고체 B는 액체 A에 가라앉는 물질로, (가)만큼 늘어난 부피가 고체 B의 부피이다.
③, ⑤ 고체 C는 액체 A에 잘 뜨는 물질로 (나)만큼 늘어난 부피가 고체 C의 부피이다.

15 윗접시저울로 물질의 질량을 잴 때, 무거운 분동부터 놓고 작은 것을 놓아가면서 수평을 맞추어야 한다. 작은 분동부터 놓으면 저울의 눈금을 미세 조절할 때 사용할 작은 분동이 모자라게 된다.

16 밀도가 물보다 큰 쇠공은 물속에 가라앉고 물보다 밀도가 작은 스타이로폼 공은 물 위에 뜬다. 즉, 두 물질의 단위 부피당 질량(밀도)이 서로 다르기 때문에 두 공의 위치가 다르게 나타난다. 밀도 크기는 쇠공>물>스타이로폼 공 순서이다.

17 밀도는 단위 부피당 질량이다.

$$\text{밀도}=\frac{\text{질량}}{\text{부피}}$$

④ 부피가 같을 때 질량이 작은 물질은 단위 부피당 질량이 작으므로 밀도가 작다.

18 먼저 모양이 불규칙한 작은 돌멩이의 질량을 윗접시저울로 측정한다. 그 다음 눈금실린더에 물을 넣고 돌멩이를 물

속에 넣은 후 증가한 물의 부피를 측정하여 질량을 부피로 나누어 밀도를 구한다.

19 A의 밀도는 밀도$=\dfrac{\text{질량}}{\text{부피}}=\dfrac{500\,\text{g}}{(4\times5\times5)\,\text{cm}^3}=5.0\,\text{g/cm}^3$ 이고, 밀도는 물질을 쪼개도 변하지 않고 일정하므로 C의 밀도도 $5.0\,\text{g/cm}^3$이다.
C의 질량은 $500-300=200\,\text{g}$이므로
C의 부피$=\dfrac{\text{질량}}{\text{밀도}}=\dfrac{200\,\text{g}}{5\,\text{g/cm}^3}=40\,\text{cm}^3$이다.

20 고체 A를 물속에 넣었을 때 증가한 물의 부피가 고체 A의 부피이므로 $59.0\,\text{mL}-54.0\,\text{mL}=5.0\,\text{mL}$이다.
따라서 밀도$=\dfrac{\text{질량}}{\text{부피}}=\dfrac{30.5\,\text{g}}{5.0\,\text{mL}}=6.1\,\text{g/mL}$

21 고체 A의 밀도가 $6.1\,\text{g/mL}$이므로 A보다 밀도가 큰 수은 위에 뜨고 A보다 밀도가 작은 사염화 탄소에는 가라앉으므로 A는 사염화 탄소와 수은 사이에 위치한다.

22 질량$=$밀도$\times$부피이므로 각 물질의 부피가 일정할 때 질량과 밀도는 비례한다. 따라서 부피가 $100\,\text{cm}^3$일 때 질량이 가장 큰 것은 밀도가 가장 큰 금이고, 질량이 가장 작은 것은 밀도가 가장 작은 산소이다.

23 하늘로 올라갈수록 기압이 낮아지기 때문에 헬륨 풍선은 하늘로 올라갈수록 부피가 증가한다. 이때 질량은 일정하므로 밀도는 감소한다.

24 잠수용 납덩어리는 밀도가 큰 물질이기 때문에 잠수부의 몸에 부착하여 물속으로 들어가면 물보다 밀도가 커서 바닥에 가라앉는다. 잠수함이 물속으로 내려갈 때 잠수함 안의 물탱크에 바닷물을 채우면 밀도가 커져 가라앉는다.

실력 강화 문제 2권 090쪽~091쪽

01 ⑤	02 ⑤	03 ⑤	04 ③	05 ㄱ, ㄷ
06 ①, ③	07 ㉠ 10, ㉡ 4.45		08 (1) (나) (2) (라) (3) (가)	
(4) (마)	09 ⑤	10 ②	11 ②	12 ⑤

01 우유는 물, 지방, 단백질 등이 불균일하게 섞여 있는 불균일 혼합물이고, 소금물은 물과 소금이 균일하게 섞여 있는 균일 혼합물이므로 두 물질 모두 혼합되어 있는 물질들의 성질을 그대로 나타낸다.

02 식초(물+아세트산)와 공기(질소+산소+아르곤 등)는 균일 혼합물이므로 (다)로 나타내고, 알루미늄은 홑원소 물질이므로 (가)로 나타낸다. 물은 수소와 산소로 이루어진 화합물이므로 (나)로 나타내며, 과일 주스는 불균일 혼합물이므로 (라)로 나타낸다.

03 암석, 우유, 오렌지주스는 두 가지 이상의 순물질이 고르지 않게 섞여 있는 불균일 혼합물이다.

04 수소와 산소가 반응하여 생성된 수증기는 두 원소의 입자들은 그대로 가지고 있지만, 화합물이므로 수소와 산소의 성질을 나타내지는 않는다. 이 반응에서 다른 종류의 원소는 생성되지 않는다.

05 물질의 특성으로 물질을 구별할 수 있는데, 보기에서 물질의 특성으로 이용할 수 있는 것은 색깔, 밀도, 어는점, 굳기이다. 온도와 길이는 물질에 따라 정해지는 것이 아니므로 물질의 특성이 될 수 없다.

06 | 자료 분석하기 |

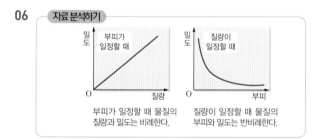

부피가 일정할 때 물질의 질량과 밀도는 비례한다.

질량이 일정할 때 물질의 부피와 밀도는 반비례한다.

밀도는 물질의 부피가 일정할 때 질량에 비례하고, 질량이 일정할 때 부피에 반비례한다.

07 물질의 부피는 눈금실린더의 눈금이 56 mL이므로 금속 조각의 부피는 56−46=10 mL이다. 또, 물질의 질량은 분동의 질량을 모두 합한 값인 (20 g)×2개+(2 g)×2개 +0.5 g=44.5 g이다.

따라서 밀도는 $\dfrac{질량}{부피}=\dfrac{44.5\ g}{10.0\ mL}=4.45\ g/mL$이다.

08 각 물질의 밀도를 구하면

A 밀도=$\dfrac{질량}{부피}=\dfrac{8.0\ g}{10.0\ cm^3}=0.8\ g/cm^3$,

B 밀도=$\dfrac{10.0\ g}{10.0\ cm^3}=1.0\ g/cm^3$,

C 밀도=$\dfrac{10.0\ g}{25.0\ cm^3}=0.4\ g/cm^3$,

D 밀도=$\dfrac{97.5\ g}{15.0\ cm^3}=6.5\ g/cm^3$

밀도가 작은 것이 위로 뜨므로 밀도가 가장 작은 고체 C는 (가)이고 액체 A는 (나), 액체 B는 (라), 고체 D는 (마)이다.

09 각 물질의 밀도를 구하면

A의 밀도=$\dfrac{20\ g}{10\ cm^3}=2\ g/cm^3$,

B의 밀도=$\dfrac{30\ g}{10\ cm^3}=3\ g/cm^3$,

C의 밀도=$\dfrac{40\ g}{30\ cm^3}=1.3\ g/cm^3$,

D의 밀도=$\dfrac{10\ g}{20\ cm^3}=0.5\ g/cm^3$,

E의 밀도=$\dfrac{30\ g}{40\ cm^3}=0.75\ g/cm^3$이다.

따라서 물질 D, E의 밀도가 물의 밀도인 1 g/cm³보다 작으므로 물 위로 뜬다.

10 부피−질량 그래프에서 기울기는 밀도를 나타내므로 A가 B보다 밀도가 크다.

| 도움이 되는 배경 지식 | 부피−질량 그래프

물질의 부피와 질량을 나타낸 그래프에서 기울기는 $\dfrac{질량}{부피}$로 나타낼 수 있다. 즉, 그래프의 기울기는 단위 부피당 질량이므로, 밀도를 나타낸다.

11 물질의 온도가 높아지면 질량은 일정하지만 부피가 증가하므로 밀도가 감소한다. 따라서 찬물이 따뜻한 물보다 밀도가 크기 때문에 찬물은 아래로 내려가고, 따뜻한 물은 위로 올라가므로 (가)는 (나)보다 잘 섞인다.

12 4 ℃에서 물의 밀도가 가장 크기 때문에 같은 질량의 물이 나타내는 부피는 이 온도에서 가장 작다.

서술형 문제

2권 092쪽~093쪽

1 순물질은 한 가지 원소로 이루어진 홑원소 물질과 두 가지 이상으로 이루어진 화합물로 분류하므로 (가)는 '한 가지 원소로 이루어져 있는가?'이고, 혼합물은 두 가지 이상의 물질이 고르게 섞인 균일 혼합물과 불균일하게 섞인 불균일 혼합물로 분류하므로 (나)는 '물질들이 균일하게 섞여 있는가?'이다.

모범 답안 (가): 구성 원소가 한 가지 원소로 이루어져 있는가? (나): 물질들이 균일하게 섞여 있는가?

채점 기준	배점
두 가지 모두 옳게 설명한 경우	100 %
한 가지만 옳게 설명한 경우	50 %

2

자료 분석하기

•(가): 한 종류의 물질로만 이루어져 있으므로 순물질이다.
•(나): 두 종류의 물질이 고르게 섞여 있으므로 균일 혼합물이다.
•(다): 두 종류의 물질이 불균일하게 섞여 있으므로 불균일 혼합물이다.

소금물은 물과 소금의 입자들이 고르게 혼합되어 있는 균일 혼합물이므로 모형 중에서 두 가지 물질의 입자가 균일하게 섞여 있는 모형 (나)로 나타낼 수 있다.

모범 답안 (나), 소금물은 두 가지 입자가 균일하게 섞여 있는 혼합물이기 때문이다.

채점 기준	배점
모형을 옳게 고르고, 그 까닭을 옳게 설명한 경우	100 %
모형만 옳게 고른 경우	30 %

3 금덩어리와 질량이 같은 왕관을 물속에 넣었을 때 넘쳐흐른 물의 부피가 금덩어리를 넣었을 때보다 더 많은 것으로 보아 왕관의 부피가 금덩어리보다 크다는 것을 알 수 있다. 따라서 왕관의 밀도($=\dfrac{질량}{부피}$)는 금덩어리보다 작으므로 왕관은 금에다 다른 금속을 혼합하여 만들었음을 알 수 있다.

모범 답안 밀도는 물질의 특성이므로 같은 물질로 만들어진 왕관과 금덩어리의 밀도는 같아야 한다. 아르키메데스가 비교한 두 물질은 질량은 같으나, 부피가 다르므로 밀도가 다르다는 것을 알 수 있다. 따라서 왕관은 순수한 금으로 만든 것이 아니다.

채점 기준	배점
밀도가 물질의 특성이라는 것과 밀도의 차이를 이용하여 왕관이 순수한 금으로 이루어지지 않음을 옳게 설명한 경우	100 %
밀도의 차이를 이용한다는 것만 설명한 경우	50 %

4 소금을 물에 녹이면 소금물의 밀도는 점점 커진다. 따라서 상대적으로 달걀의 밀도가 소금물보다 작아지므로 물속에 가라앉았던 달걀이 점점 위로 떠오른다.

모범 답안 소금을 물에 계속 녹이면 소금물의 밀도가 점점 커지기 때문에 달걀이 떠오른다.

채점 기준	배점
소금물의 밀도가 커지기 때문이라고 옳게 서술한 경우	100 %
밀도 때문이라고만 설명한 경우	20 %

5 얼음 조각이 식용유 위에 떠 있다가 녹으면서 생기는 물이 식용유와 섞이지 않고 밀도가 식용유보다 크므로, 식용유 바닥으로 가라앉으면서 물 층을 이루어 식용유 층과 분리된다.

모범 답안 얼음은 식용유보다 밀도가 작으므로 식용유 위에 떠 있고, 얼음이 녹아 생기는 물은 식용유보다 밀도가 크고 물과 섞이지 않으므로 식용유 아래로 가라앉아 층을 이룬다.

채점 기준	배점
일어나는 변화와 까닭을 얼음, 물, 식용유의 밀도와 관련지어 모두 옳게 설명한 경우	100 %
일어나는 변화와 까닭 중 한 가지만 옳게 설명한 경우	50 %

6 드라이아이스는 승화하여 이산화 탄소 기체가 되는데, 이산화 탄소는 불이 붙지 않고 공기보다 밀도가 크므로 아래로 깔리면서 공기를 밀어낸다. 따라서 길이가 짧은 양초부터 불이 꺼지게 된다.

모범 답안 C→B→A, 드라이아이스가 승화하여 생긴 이산화 탄소 기체의 밀도가 공기의 밀도보다 크므로 수조 아래로 깔리면서 길이가 짧은 양초부터 불이 꺼진다.

채점 기준	배점
불이 꺼지는 순서와 그 까닭을 모두 옳게 설명한 경우	100 %
불이 꺼지는 순서만 옳게 쓴 경우	30 %

7 헬륨 기체의 밀도가 공기보다 작기 때문에 비행선이나 광고용 풍선에 헬륨 기체를 넣으면 하늘로 떠오른다.

모범 답안 헬륨 기체가 공기보다 밀도가 작은 성질을 이용하여 비행선이나 광고용 풍선을 하늘로 떠오르게 할 수 있다.

채점 기준	배점
헬륨 기체와 공기의 밀도를 비교하여 옳게 설명한 경우	100 %
밀도 때문이라고만 설명한 경우	20 %

8 마블링 물감은 기름에 물감을 녹여서 만든 것으로 물에 넣으면 녹지 않고 물 위로 떠오른다. 나무젓가락으로 물에 넣은 물감을 휘저어서 무늬를 만든 다음, 종이를 그 위에 덮으면 물감이 종이에 스며들어 미술 작품을 만들 수 있다.

모범 답안 마블링 물감을 이용한 미술 작품은 물과 잘 섞이지 않고 물보다 밀도가 작은 마블링 물감의 성질을 이용한 것이다.

채점 기준	배점
물과 잘 섞이지 않는 성질과 밀도 차이를 이용하여 설명한 경우	100 %
밀도 차이만 이용하여 설명한 경우	30 %

학습 내용 Check

2권 097쪽	**1** 용해, 용액		**2** 포화 용액
	3 높을		**4** 낮을, 높을
2권 098쪽	**1** 녹는점		**2** 어는점
	3 일정하고, 다르므로		
2권 101쪽	**1** 일정하므로		**2** 높아, 낮아
	3 액체		**4** 일정하지 않으므로

탐구 확인 문제

2권 102쪽

1 ②, ⑤   **2** C

---

1 끓는점이 물질의 특성임을 알 수 있는 실험이며, 끓는점은 물질의 양에 관계없이 일정하다. 끓는점을 측정할 때 가열의 세기를 증가시키면 끓는점에 도달하는 시간이 빨라진다. 그러나 물질의 종류에 따라 끓는점은 다르다.

2

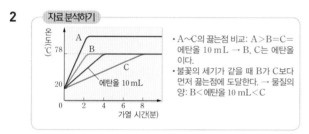

자료 분석하기

· A~C의 끓는점 비교: A>B=C= 에탄올 10 mL → B, C는 에탄올이다.
· 불꽃의 세기가 같을 때 B가 C보다 먼저 끓는점에 도달한다. → 물질의 양: B<에탄올 10 mL<C

불꽃의 세기나 물질의 양에 관계없이 물질의 끓는점은 변하지 않으므로 A는 다른 물질이다. B는 에탄올의 양을 10 mL보다 적게 한 것이며, C는 에탄올의 양을 10 mL보다 많이 한 것이다.

탐구 확인 문제

2권 103쪽

1 ③   **2** ④

---

1 51 ℃에서 물 10 g에 최대로 녹을 수 있는 질산 칼륨의 양은 9 g이므로 10 g을 녹이면 질산 칼륨 1 g은 녹지 않는다.

2 물 100 g : 질산 칼륨 120 g = 물 10 g : 질산 칼륨 x
따라서 x=12이므로 질산 칼륨이 12 g일 때의 온도는 63 ℃이다.

개념 확인 문제

2권 108쪽~110쪽

01 ⑤	**02** ②, ④	**03** ㄴ, ㄹ	**04** ④	**05** 염화 나
트륨	**06** ㉠ 질산 칼륨, ㉡ 염화 나트륨		**07** ①	
08 ①	**09** ①, ②	**10** ⑤	**11** ④	**12** ④
13 ⑤	**14** ②	**15** ⑤	**16** ④	**17** ③

01 설탕(용질)은 물(용매)에 녹아 물의 입자 사이로 고르게 퍼져 나가 설탕물(용액)이 되는데, 설탕물은 오랫동안 놓아 두어도 설탕이 가라앉지 않는 균일 혼합물이다.

02

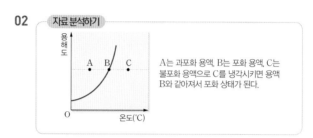

자료 분석하기

A는 과포화 용액, B는 포화 용액, C는 불포화 용액으로 C를 냉각시키면 용액 B와 같아져서 포화 상태가 된다.

① A는 과포화 용액이다.
③ 고체 물질의 용해도는 대부분 온도가 높아지면 증가한다.
⑤ 물 100 g에 녹아 있는 용질의 양은 용액 A, B, C가 모두 같다.

03 ㄱ. 기체의 용해도는 압력이 높을수록 커지지만, 고체의 용해도는 압력의 영향을 거의 받지 않는다.
ㄴ, ㄹ. 고체의 용해도는 용질의 종류와 용매의 종류에 따라 달라지고 온도에 따라 달라지므로 물질의 특성이다.
ㄷ. 고체의 용해도는 용매의 종류에 따라 달라진다.

04 고체의 용해도는 물 100 g에 최대로 녹을 수 있는 용질의 g 수이다. 이 실험에서 20 ℃의 물 50 g에 녹은 염화 나트륨의 질량이 198 g−180 g=18 g이므로 물 100 g에 최대로 녹는 염화 나트륨의 질량은 물 50 g : 염화 나트륨 18 g=물 100 g : x, x=36 g이다. 따라서 20 ℃에서 염화 나트륨의 용해도는 36이다.

05 4가지 물질의 그래프에서 80 ℃에서의 용해도가 가장 작은 물질은 염화 나트륨이고 용해도가 가장 큰 물질은 질산 칼륨이다.

06 60 ℃의 용해도와 20 ℃의 용해도 차이가 클수록 석출되는 결정의 양이 많아진다. 두 온도에서 용해도 차이가 가장 큰 질산 칼륨 포화 용액을 20 ℃로 냉각시킬 때 가장 많은 양의 결정이 석출되고, 용해도 차이가 가장 작은 염화 나

트륨 포화 용액을 20 ℃로 냉각시킬 때 가장 적은 양의 결정이 석출된다.

07 20 ℃의 물 100 g에 최대로 녹을 수 있는 질산 나트륨은 88 g이므로 용액 중에 녹아 있는 질산 나트륨 100 g 중에서 100 g−88 g=12 g은 결정으로 석출되고, 염화 나트륨은 20 ℃에서 36 g까지 녹을 수 있으므로 용액 중에 녹아 있는 염화 나트륨 30 g은 그대로 녹아 있다.

08 자료 분석하기

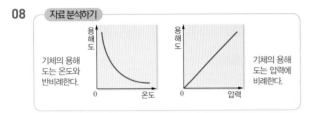

기체의 용해도는 온도와 반비례한다.

기체의 용해도는 압력에 비례한다.

기체의 용해도는 온도가 높을수록 감소하고 온도가 낮을수록 증가하며, 압력이 높을수록 용해도는 증가하고 압력이 낮을수록 감소한다. 0 ℃~50 ℃, 0 기압~3 기압에서 기체로 존재하는 물질은 질소이다.

09 ①, ② 날씨가 더워져서 수온이 높아지면 물속에 녹아 있는 산소의 용해도가 감소하여 물고기가 호흡하기 어려워지므로 수면으로 올라와 뻐끔거리며 공기를 들이마신다. 수돗물을 끓일 때 살균하기 위해 넣어 준 염소 기체의 용해도가 감소하므로 소독약 냄새가 없어진다.
③ 뜨거운 식용유에 물을 떨어뜨리면 물이 튀어 오른다. → 끓는점 차이이다.
④ 사이다 병의 마개를 따놓으면 톡 쏘는 맛이 줄어든다. → 압력에 따른 기체의 용해도 변화이다.
⑤ 고체가 융해되는 동안에는 온도가 일정하게 유지된다. → 융해열 흡수 때문이다.

10 자료 분석하기

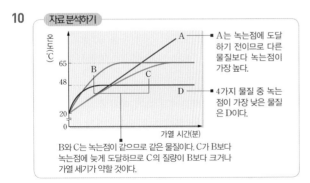

A는 녹는점에 도달하기 전이므로 다른 물질보다 녹는점이 가장 높다.

4가지 물질 중 녹는점이 가장 낮은 물질은 D이다.

B와 C는 녹는점이 같으므로 같은 물질이다. C가 B보다 녹는점에 늦게 도달하므로 C의 질량이 B보다 크거나 가열 세기가 약할 것이다.

그림의 수평 부분에서 가열한 열에너지가 융해열로 쓰이기 때문에 고체 물질이 모두 융해하기까지 온도가 올라가지 않고 일정하게 유지된다.

11 고체를 가열할 때 녹는점은 질량에 관계없이 일정하므로 팔미트산의 질량을 두 배로 늘려도 녹는점은 똑같이 63 ℃로 나타난다.

12 자료 분석하기

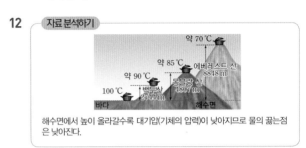

해수면에서 높이 올라갈수록 대기압(기체의 압력)이 낮아지므로 물의 끓는점은 낮아진다.

높은 산에서의 기압은 해수면에서보다 낮기 때문에 물의 끓는점이 낮아 쌀이 잘 익지 않는다. 이때 밥솥 위에 돌을 올려놓으면 뚜껑이 누르는 압력이 높아져 물이 끓을 때 발생하는 수증기에 의해 밥솥 안의 압력이 높아지므로 물의 끓는점이 높아져 밥을 잘 지을 수 있다.

13 에탄올을 물중탕으로 가열하면 에탄올이 끓는 동안에는 계속 가열하여도 열에너지가 에탄올의 기화에 쓰이기 때문에 에탄올의 온도가 높아지지 않고 일정하게 유지하게 된다.
① 물중탕으로 가열하면 에탄올을 안전하게 서서히 가열할 수 있다.
② 끓임쪽은 에탄올이 갑자기 끓어오르는 것을 방지한다.
③ 에탄올의 끓는점은 물의 끓는점보다 낮다.
④ 찬물에 들어 있는 시험관 안에서 기체 에탄올이 액화하여 모인다.

14 물질의 끓는점과 녹는점을 실온과 비교하면 그 물질이 실온에서 어떤 상태로 존재하는지 알 수 있다.

실온의 상태	고체	액체	기체
온도 비교	실온<녹는점과 끓는점	녹는점<실온<끓는점	녹는점과 끓는점<실온
예	철, 알루미늄, 양초, 플라스틱 등	물, 에탄올, 메탄올, 수은, 아세트산 등	산소, 이산화 탄소, 질소, 헬륨 등

녹는점이 실온(25 ℃)보다 높은 B는 실온에서 고체로 존재하고, 녹는점이 실온보다 낮고 끓는점이 실온보다 높은 A는 액체로 존재하며, 녹는점과 끓는점이 모두 실온보다 낮은 C와 D는 기체로 존재한다.

15 파라−다이클로로벤젠과 팔미트산의 가열 곡선에서 수평 부분의 온도가 녹는점이다. 파라−다이클로로벤젠의 입자들 사이의 인력이 팔미트산보다 더 약하기 때문에 파라−다이클로로벤젠의 녹는점이 팔미트산의 녹는점보다 낮다.

16 물을 냉각시킬 때 어는점(0 °C)에서 응고열을 방출하기 때문에 온도가 일정하게 유지되는데, 소금물이 얼기 시작하면 물만 응고하므로 남아 있는 소금물의 농도가 짙어져서 어는점이 계속 내려가게 된다. 이를 통해 순물질인 물과 혼합물인 소금물을 구별할 수 있다.

17 무쇠솥의 뚜껑이 매우 무거워 밥을 할 때 발생하는 수증기가 잘 빠져나가지 못하여 무쇠솥 안의 압력을 높이므로 물의 끓는점이 높아져 쌀이 잘 익게 된다. 압력 밥솥도 이와 같은 원리를 이용한 것으로 물의 끓는점을 높이므로 밥을 잘 익게 만든다.
① 진공 펌프 − 압력 차이를 이용한다.
② 광고용 풍선 − 공기보다 밀도가 작은 기체를 이용한다.
④ 보온병 − 병 안의 열이 빠져나가지 않도록 유지한다.
⑤ 양은 냄비 − 냄비의 온도가 빨리 높아짐을 이용한다.

실력 강화 문제   2권 111쪽

01 ③   **02** ㉠ 47, ㉡ 100   **03** ②   **04** C
05 ①, ④

01 (나)는 황산 구리(Ⅱ)가 고르게 녹아 있는 균일 혼합물이고, (다)에서 녹지 않은 황산 구리(Ⅱ)의 질량은 물속에 넣어 준 50 g에서 물 200 g에 최대로 녹을 수 있는 질량 x를 빼면 된다. 20 °C에서의 용해도가 20.2이므로
물 100 g : 황산 구리(Ⅱ) 20.2 g
＝물 200 g : 황산 구리(Ⅱ) x
$100 \times x = 20.2 \times 200$, $x = 40.4$
녹지 않는 황산 구리(Ⅱ)의 질량 50 g−40.4 g＝9.6 g
이다.
한편 (다)의 농도는
$\dfrac{용질의 질량}{용액의 질량} = \dfrac{40.4 \text{ g}}{200 \text{ g} + 40.4 \text{ g}} ≒ 17 \%$이다.

02 47 °C에서 결정이 석출되기 시작하였으므로 질산 칼륨 5 g을 물 5 g에 녹인 용액은 47 °C에서 포화 용액이 된다. 따라서 물 100 g에 질산 칼륨이 최대로 녹을 수 있는 양을 비례식으로 구하면
물 5 g : 질산 칼륨 5 g＝물 100 g : 질산 칼륨 x
$5 \times x = 5 \times 100$, $x = 100$
즉, 47 °C에서 질산 칼륨의 용해도는 100이다.

03 같은 온도에서 A의 용해도가 B보다 더 큰 것은 암모니아의 압력이 더 높기 때문이고, P점의 온도를 높이면 암모니아의 용해도가 낮아지므로 용액 속의 암모니아 기체가 기포를 이루어 용액에서 빠져나온다. 따라서 암모니아의 용해도는 압력에 비례하고 온도에 반비례한다.

04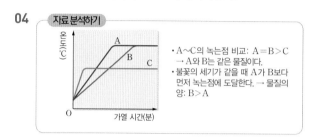

고체 입자 사이의 인력이 약할수록 물질의 녹는점이 낮다. 따라서 A~C 중에서 인력이 가장 약한 물질은 C이다. A와 B는 녹는점이 같으므로 같은 물질이다.

05 액체의 끓는점은 압력이 낮을수록 낮아지는데, 높은 산에서 밥을 지으면 물이 100 °C보다 낮은 온도에서 끓어 쌀이 설익는다. 이는 감압 장치 안의 공기를 빼내면 압력이 낮아져 물이 80 °C에서도 끓는 것과 같은 원리이다.

서술형 문제   2권 112쪽~113쪽

1 20 % 설탕물을 500 g을 만들기 위해 녹여야 할 설탕의 양 x는
퍼센트 농도＝$\dfrac{용질의 질량}{용액의 질량} \times 100$
$20 \% = \dfrac{x}{500 \text{ g}} \times 100$, $x = 100$ g
따라서 물의 질량은 500 g−100 g＝400 g이다.
모범 답안 20 % 설탕물 500 g에 녹일 설탕의 양을 x라고 하면
퍼센트 농도＝$\dfrac{용질의 질량}{용액의 질량} \times 100$이므로, $20 \% = \dfrac{x}{500 \text{ g}} \times 100$,
$x = 100$ g이다. 따라서 설탕 100 g을 물 400 g에 녹여서 설탕물 500 g을 만들 수 있다.

채점 기준	배점
계산 과정과 답을 모두 옳게 쓴 경우	100 %
답만 옳게 쓴 경우	50 %

2 용해도 곡선의 아래에 놓여 있는 용액 D는 60 ℃에서 질산 칼륨이 31.6 g 녹아 있는 불포화 상태이며, 이 용액을 포화 상태로 만들려면 60 ℃의 용해도인 110에서 31.6을 뺀 78.4 g을 더 녹이거나, 이 용액을 용해도가 31.6인 20 ℃로 냉각시키면 된다.

모범 답안 용액 D, 60 ℃의 용해도인 110에서 31.6을 뺀 78.4 g을 더 녹이거나, 용액의 용해도가 31.6인 20 ℃로 냉각시킨다.

채점 기준	배점
용액을 옳게 고르고, 포화 용액으로 만드는 방법 두 가지를 옳게 설명한 경우	100 %
용액을 옳게 고르고, 포화 용액으로 만드는 방법 한 가지만 옳게 설명한 경우	70 %
용액만 옳게 고른 경우	30 %

3 탄산음료에 녹아 있는 이산화 탄소는 온도가 높을수록 압력이 낮을수록 잘 녹지 않고 기포를 이루어 빠져나온다. 따라서 이 실험으로부터 기체의 용해도는 온도가 낮을수록, 압력이 높을수록 커진다는 것을 알 수 있다.

모범 답안 E, 기체의 용해도는 온도가 낮을수록, 압력이 높을수록 커진다.

채점 기준	배점
시험관을 옳게 고르고, 기체의 용해도와 온도와 압력의 관계를 모두 옳게 설명한 경우	100 %
시험관을 옳게 고르고, 기체의 용해도와 온도와 압력의 관계 중 한 가지만 옳게 설명한 경우	70 %
시험관만 옳게 고른 경우	30 %

4 시험관 (다)는 물 10 g에 물질 M을 13 g 녹인 용액으로 이 용액을 냉각시킬 때 68 ℃에서 결정이 석출되었으므로 이 온도에서 용액은 포화 상태가 된 것이다. 따라서 이 결과로 물 100 g에 물질이 최대로 녹는 양, 즉 용해도를 비례식으로 구하면 된다.

모범 답안 68 ℃에서 결정이 석출되어 포화 용액이 된 시험관은 고체 물질 M 13 g이 녹아 있는 시험관 (다)이다. 물 100 g에 물질이 최대로 녹는 양, 즉 용해도 x는
물 10 g : M 13 g=물 100 g : x, $x=130$
따라서 68 ℃에서 고체 물질 M의 용해도는 130(g/물 100 g)이다.

채점 기준	배점
시험관을 옳게 고르고, 비례을 이용하여 용해도를 옳게 설명한 경우	100 %
시험관을 옳게 골랐지만, 용해도를 잘못 설명한 경우	30 %

5 얼음의 녹는점과 물의 끓는점은 물질의 특성이므로 질량에 관계없이 일정한 값을 나타내나, 얼음의 질량이 많아지면 얼음의 녹는 구간인 (나)의 길이가 길어지고, 물의 온도 상승이 물 100 g일 때보다 느려지므로 기울기가 완만해진다.

모범 답안 얼음의 녹는점은 0 ℃, 물의 끓는점은 100 ℃로 같고, (나) 구간에 도달하는 데 걸리는 시간과 구간의 길이는 더 길어진다.

채점 기준	배점
세 가지 사항의 변화를 모두 옳게 설명한 경우	100 %
두 가지 사항의 변화를 모두 옳게 설명한 경우	70 %
한 가지 사항의 변화만 옳게 설명한 경우	50 %

6 60 ℃의 포화 용액을 20 ℃로 냉각시킬 때 석출되는 고체의 양은 60 ℃의 포화 용액에 녹아 있는 용질의 양(용해도)에서 20 ℃의 포화 용액에 녹아 있는 용질의 양을 뺀 값이다. 그 차이가 가장 큰 것은 기울기가 가장 큰 물질인 질산 칼륨이다.

모범 답안 질산 칼륨, 질산 칼륨이 60 ℃의 포화 용액에 녹는 양과 20 ℃에서 포화 용액에 녹는 양의 차이가 가장 크기 때문이다. (질산 칼륨이 온도에 따른 용해도 차이가 가장 크기 때문이다.)

채점 기준	배점
물질의 이름과 결정이 가장 많이 석출되는 까닭을 모두 옳게 설명한 경우	100 %
물질의 이름만 옳게 쓴 경우	30 %

7 물과 에탄올의 가열 곡선에서 수평 부분의 온도가 다른 것을 통해 액체의 종류에 따라 끓는점이 다르다는 것을 알 수 있다. 또한, 에탄올의 질량이 달라도 수평 부분의 온도가 같은 것을 통해 같은 종류의 액체는 질량이 달라도 끓는점이 같다는 것을 알 수 있다.

모범 답안 액체의 종류에 따라 끓는점이 다르다. 같은 종류의 액체는 질량이 달라도 끓는점이 같다. 액체의 종류가 같을 때 액체의 양이 많아지면 끓는점에 도달하는 시간이 오래 걸린다. 등

채점 기준	배점
두 가지 모두 옳게 설명한 경우	100 %
두 가지 설명 중 한 가지만 옳게 설명한 경우	50 %

8 얼음물을 둥근바닥 플라스크에 부으면 그 안에 들어 있던 수증기가 액화하면서 기체의 압력이 급격히 감소하여 플라스크 안의 압력이 낮아지므로 물의 끓는점이 낮아진다.

모범 답안 둥근바닥 플라스크 안의 수증기가 액화하여 플라스크 내부의 압력이 낮아지므로 끓는점도 낮아진다. 따라서 80 ℃의 물이 끓는다.

채점 기준	배점
둥근바닥 플라스크 안의 압력과 끓는점 변화를 모두 옳게 설명한 경우	100 %
둥근바닥 플라스크 안의 압력과 끓는점 변화를 한 가지만 옳게 설명한 경우	50 %

03 혼합물의 분리

학습 내용 Check

2권 115쪽
1 액체, 큰, 작은
2 속이 찬 볍씨, 소금물, 쭉정이
3 분별 깔때기, 물

2권 117쪽
1 끓는점, 액체, 증류   2 액체, 끓는점

2권 118쪽
1 거름 장치, 거름   2 재결정
3 용매, 추출

2권 120쪽
1 크로마토그래피, 속도   2 짧다
3 전개율

탐구 확인 문제
2권 121쪽

1 ㄱ, ㄷ, ㄹ **2** 메탄올이 주로 끓어 나오는 구간: (나), 물이 끓어 나오는 구간: (라)

---

1 B에 모인 액체는 주로 에탄올이고, D에 모인 액체는 물이다. 이 실험은 에탄올과 물의 끓는점 차이를 이용하여 분리한 것이다.

2 물과 메탄올 혼합물의 가열 곡선에서 메탄올이 주로 끓어 나오는 구간은 (나)이고, 물이 끓어 나오는 구간은 (라)이다.
| **도움이 되는 배경 지식** | **증류**
끓는점 차이가 큰 두 가지 이상의 물질이 섞인 혼합물을 가열할 때 나오는 기체를 냉각시켜 순수한 액체를 얻는 방법이다.

탐구 확인 문제
2권 122쪽

1 (1) ○ (2) ○ (3) ○ (4) × **2** 붕산, 10 g

---

1 온도에 따른 용해도 차이를 이용하여 재결정하는 방법이다. 질산 칼륨은 염화 나트륨보다 온도에 따른 용해도 차이가 크므로 온도를 낮추면 결정이 쉽게 석출된다. 과정 3에서 거름종이에 걸러지는 물질은 질산 칼륨이다.

2 20 ℃에서 염화 나트륨과 붕산의 용해도는 각각 35.9와 5.0이다. 따라서 80 ℃의 물 100 g에 염화 나트륨과 붕산을 15 g씩 녹여 20 ℃로 냉각시키면 붕산이 15−5.0=10(g) 석출된다. 20 ℃에서 염화 나트륨의 용해도는 35.9이므로 고체로 석출되지 않고 용액 속에 녹아 있다.

개념 확인 문제
2권 124쪽~127쪽

01 ㉠ 밀도, ㉡ 신선한 달걀	**02** ①	**03** ③
04 ①, ⑤	**05** ㄷ, ㄹ, ㅂ	**06** ④
07 끓는점	**08** ②, ③	**09** ③	**10** ④
11 ㉠ B, ㉡ D	**12** ②	**13** ③	**14** ③
15 ⑤	**16** 추출, 용해도	**17** ②	**18** 질산 칼륨, 36.7 g
19 ③	**20** ④	**21** ④	**22** ④

01 소금물에서 오래된 달걀이 떠오른 원인은 달걀 내부의 공기 주머니가 커져서 밀도가 작아졌기 때문이며, 신선한 달걀은 소금물보다 밀도가 커서 가라앉는다.

02 볍씨를 소금물에 넣으면 밀도가 작은 쭉정이가 소금물 위로 떠올라 분리되고, 강가에서 흐르는 물로 흙이나 모래를 씻으면 밀도가 큰 사금이 남게 된다.
ㄴ. 소금물을 증발시켜 순수한 물 얻기 ― 증류
ㄹ. 밀가루를 체로 쳐서 알갱이 고르기 – 알갱이 크기를 이용한 분리
ㅁ. 한약재를 물에 넣고 끓여서 약 성분 얻기 ― 추출

03 지방은 어는점이 물보다 높기 때문에 국물을 식히면 고체 상태로 응고하면서 물과의 밀도 차이로 물 위에 뜬다. 따라서 물에 녹지 않는 용해도 차이와 물질의 밀도 차이를 이용하였다.

04

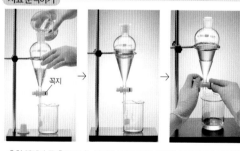

자료 분석하기

• 혼합 액체가 두 층으로 나누어지면 마개를 열고 꼭지를 돌려 아래층의 액체를 비커에 받아낸다. → 물이 식용유보다 밀도가 크고 섞이지 않아 아래층에 있으므로 꼭지를 열어 먼저 분리할 수 있다.
• 경계면 근처에는 물과 식용유가 조금씩 섞여 있으므로 경계면 근처의 액체는 따로 받는다.
• 분별 깔때기의 위층 입구로 위층의 식용유를 받아내어 분리한다.

식용유는 물보다 밀도가 작아 물 위에 뜨므로 A가 식용유이고 B가 물이다. 두 물질은 서로 섞이지 않고 밀도가 다르므로 두 층을 이루는데, 두 용액을 분리할 때는 분별 깔때기의 마개를 열어야 대기압에 의해 B가 먼저 분리되고 A가 나중에 분리된다.

05 분별 깔때기는 서로 섞이지 않고 밀도가 다른 액체의 혼합물을 분리하는 데 쓰이므로 물과 콩기름, 간장과 식용유, 물과 휘발유와 같은 액체 혼합물을 분리하는 데 가장 적합하다.

ㄱ. 소금과 설탕 – 재결정

ㄴ. 물과 에탄올 – 분별 증류

ㄷ. 모래와 소금 – 거름

06 바다에 유출된 기름은 바닷물과 잘 섞이지 않고 밀도가 바닷물보다 작아 바닷물 위로 떠오르므로 기름이 유출된 곳에 기름막이를 둘러 기름이 멀리 퍼지는 것을 막고, 뜰채로 떠내어 제거할 수 있다.

07 혼합물을 가열하면 혼합물 속의 끓는점이 낮은 물질이 먼저 끓기 시작하여 기화하여 나와 찬물에 담긴 시험관에서 다시 액화하여 분리된다.

08 그림의 장치는 액체 혼합물을 구성하는 성분들의 끓는점 차이를 이용하여 분리하는 것이다.

① 물과 기름은 밀도 차이와 용해도 차이를 이용하여 분리한다.

② 탁주를 소줏고리에 넣고 가열하면 끓는점이 낮은 에탄올이 기화하여 나오다가 냉각수가 담긴 그릇의 바닥에 닿으면 다시 액화하여 바깥으로 흘러나오는데, 이것이 소주이다.

③ 소금물을 끓여서 나오는 수증기를 찬물로 냉각하면 순수한 물을 얻을 수 있다.

④ 소금물에 볍씨를 넣으면 속이 찬 볍씨는 가라앉고, 쭉정이는 위로 떠오른다. 이는 밀도 차이를 이용한 것이다.

⑤ 붕산과 소금의 혼합물은 재결정으로 분리할 수 있다.

09　자료 분석하기

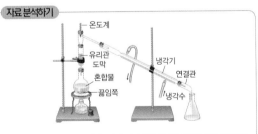

• 온도계의 위치: 온도계의 아랫부분이 가지 달린 부분에 오도록 하여 기화하여 나오는 물질의 온도를 측정한다.
• 유리 도막: 끓는점이 낮은 성분은 기체 상태로 유리 도막을 통과하여 위로 올라가지만, 끓는점이 높은 성분은 유리 도막에 닿으면 액화하여 다시 플라스크로 내려가므로 여러 번 증류되는 효과가 있다.
• 끓임쪽: 액체가 갑자기 끓어 넘치는 것을 방지하기 위해 넣어 준다.
• 냉각기: 비스듬히 설치된 냉각기의 아래쪽에서 찬물이 들어가 위쪽으로 나온다. 기화된 물질은 냉각기 안의 유리관을 통과하면서 액체로 변한다.

그림의 장치는 액체 혼합물을 가열하여 끓는점에 따라 끓어 나오는 기체를 냉각시켜 분리하는 장치이며, 끓임쪽은 혼합물이 갑자기 끓어 넘치는 것을 방지하는 역할을 한다.

10 물과 에탄올의 혼합물을 가열하면 끓는점이 낮은 성분인 에탄올이 먼저 끓어 나와 찬물이 담긴 시험관에 다시 액화하여 모인다.

11　자료 분석하기

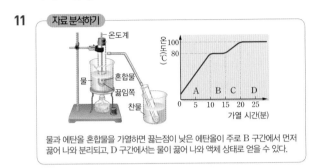

물과 에탄올 혼합물을 가열하면 끓는점이 낮은 에탄올이 주로 B 구간에서 먼저 끓어 나와 분리되고, D 구간에서는 물이 끓어 나와 액체 상태로 얻을 수 있다.

물과 에탄올 혼합물을 분별 증류 장치에 넣고 가열하여 끓이면 먼저 에탄올이 기체로 기화하여 나와 냉각기를 통과하면서 다시 액체로 액화하여 순도가 높은 에탄올을 얻는다.

12 원유를 높은 온도로 가열하여 증류탑으로 보내면 끓는점이 낮은 석유 가스가 증류탑의 맨 위쪽에서 분리되어 나오고 끓는점이 높아지는 순으로 증류탑의 아래쪽에서 분리되어 나온다. 이때 분리된 물질은 끓는점이 비슷한 물질끼리 섞인 혼합물이다.

13 액체 공기가 증류탑에서 분리될 때 끓는점이 낮은 성분은 위로 올라가고 끓는점이 높은 성분은 아래에서 분리되므로 기체 A는 끓는점이 가장 낮은 질소 기체이고 기체 B는 주로 아르곤이며 액체 C는 산소이다.

14　자료 분석하기

혼합물을 거름 장치로 거른다. → 거른 액을 가열한다. → 물이 증발되어 소금이 분리된다.

불순물이 섞인 천일염을 물에 녹인 후 거름종이로 걸러낸 소금물을 증발시키면 깨끗한 소금을 얻을 수 있다.

이 실험은 물에 잘 녹는 물질과 잘 녹지 않는 물질의 혼합물을 분리하는 방법이다. 갯벌이 섞인 천일염을 물에 녹인 후 거름종이로 거르면 물에 녹지 않는 갯벌은 걸러지고 소금물이 남게 되는데, 이것을 증발시켜 순수한 소금을 얻을 수 있다.

15 이 장치는 물에 잘 녹는 기체 물질과 물에 녹지 않는 기체 물질의 혼합물을 분리하는 장치이다. 기체 혼합물을 유리 조각들이 들어 있는 유리관에 통과시키면서 물을 흘려보내면 물에 잘 녹는 기체 물질은 물에 녹아 분리되고 물에 녹

지 않는 기체는 기체 상태로 분리된다. 염화 수소와 암모니아는 모두 물에 잘 녹는 기체이므로 이 방법으로는 분리할 수 없다.

16 뜨거운 물이 담긴 컵에 녹차 티백을 넣거나 한약을 물과 함께 약탕기에 넣고 끓이면 물에 녹는 성분만 녹아 나와 분리되는데, 이런 방법을 추출이라고 한다. 추출은 혼합물을 이루는 성분들의 물에 대한 용해도 차이를 이용한 분리 방법이다.

17 ① 뜨거운 물에 고체 A와 B가 모두 녹았으므로 두 물질이 모두 물에 잘 녹는 물질이다.
② 용액을 냉각시킬 때 고체 B가 결정으로 석출되므로 고체 B는 온도가 낮아지면 용해도가 감소한다.
③ (가)의 용액을 냉각시켜도 A가 석출되지 않는 것으로 보아 (가)의 용액에서 A는 불포화 상태이다.
④ 냉각한 온도에서 B가 모두 녹지 못하고 일부가 결정으로 석출되었으므로 (나) 용액 속의 B는 포화 상태이다.
⑤ (나) 용액을 거름종이로 거르면 석출된 결정 B만 걸러지고 용액은 A와 B가 녹아 있다.

18 질산 칼륨은 0 ℃에서 용해도가 13.3이므로 0 ℃ 물 100 g에는 13.3 g만 녹을 수 있다. 따라서 질산 칼륨은 50 g−13.3 g=36.7 g이 석출되어 분리된다. 한편 염화 나트륨은 0 ℃에서 용해도가 35.7이므로 0 ℃ 물 100 g에 35.7 g까지 녹을 수 있다. 따라서 처음에 녹인 20 g이 모두 녹아 있게 되어 석출되는 것은 없다.

19 재결정은 혼합물을 구성하는 성분 중에서 불순물이 소량 섞여 있을 때 불순물을 제거하기 위해 용매에 모두 녹인 후 서서히 냉각하여 순수한 고체 결정을 얻는 방법이다. ③ 식물 잎의 엽록소 분리나 식품의 농약 검사 등에 이용되는 것은 크로마토그래피이다.

20 ① 크로마토그래피 결과, 사인펜 잉크는 여러 색으로 분리되므로 혼합물이다.
② 사인펜으로 찍은 점은 물(용매)에 잠기지 않도록 설치해야 한다.
③, ⑤ 잉크의 각 성분이 물(용매)을 따라 이동하는 속도가 다름을 이용하여 혼합물을 분리한다.
④ 잉크로 찍은 점으로 혼합물을 분리할 수 있으므로 적은 양으로도 혼합물을 분리할 수 있다.

21 혼합물의 성분들이 거름종이에 흡수될 때 이동한 거리가 같은 것은 같은 성분 물질이므로 C와 D는 같은 성분 물질을 포함한 혼합물이다.

22 모래, 소금, 철가루와 나프탈렌의 혼합물을 자석으로 철가루를 분리한 다음 물에 녹여 거르면 소금이 분리되고, 에탄올에 녹여 거르면 나프탈렌이 분리된다. 거른 용액들을 증발시키면 순수한 소금과 나프탈렌을 얻을 수 있다.

실력 강화 문제

2권 128쪽~129쪽

01 ⑤   **02** ①   **03** ②   **04** ④
05 (가): 기화와 액화, (나): 끓는점, (다): 증류   **06** ②
07 ⑤   **08** ㄱ, ㄴ   **09** B: 소금, C: 톱밥, E: 나프탈렌
10 ③

01 플라스틱은 에탄올이나 물에 잘 녹지 않는 물질이고 에탄올에 물을 섞을 때 밀도가 커지므로, 플라스틱 중에서 용액보다 밀도가 작은 것은 위로 떠오른다. 따라서 이 분리 과정은 에탄올과 물에 잘 녹지 않는 고체 성분의 밀도 차이를 이용하였음을 알 수 있다.

02

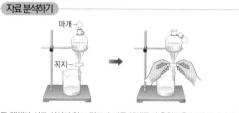

자료 분석하기

마개

꼭지

두 액체가 서로 섞이지 않고 밀도가 다른 액체들의 혼합물을 분별 깔때기에 넣고 가만히 놓아두면 밀도가 작은 액체는 위에 뜨고, 밀도가 큰 액체는 아래로 가라앉아 두 층으로 나누어지는데, 이때 마개를 열고 꼭지를 열어 두 액체를 나누어 받아내어 분리한다.

그림은 분별 깔때기로 혼합물을 분리하는 방법으로, 서로 섞이지 않고 밀도가 다른 액체 혼합물을 분리하는 과정을 나타낸 것이다. 물과 에탄올은 서로 잘 섞이는 액체 혼합물이므로 이 방법으로는 분리할 수 없다.

03 강가에서 사금 채취, 소금물로 속이 찬 볍씨 고르기는 혼합물을 이루는 성분 물질들의 밀도 차이를 이용한 분리 방법이다. 사탕수수 즙에서 설탕 얻기와 바닷물에서 식수 구하기는 끓는점 차이를 이용한 것이다.

04 두 물질은 서로 잘 섞이는 액체로, 끓는점이 다르므로 가열하여 끓을 때 끓는점 차이로 분리되어 나오는 물질의 기체를 다시 액화시켜 A와 B를 순수한 물질로 분리할 수 있다.

05 탁주를 가열할 때 끓어 나오는 에탄올을 찬물로 식혀 소주를 얻는 것은 기화와 액화를 이용한 증류이며, 이때 이용한 물질의 특성은 끓는점이다.

06

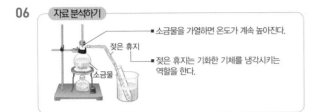

자료 분석하기

- 소금물을 가열하면 온도가 계속 높아진다.
- 젖은 휴지는 기화한 기체를 냉각시키는 역할을 한다.

젖은 휴지
소금물

소금물은 소금과 물의 균일 혼합물로, 소금물이 끓을 때 끓는점이 낮은 물이 끓어 나와 젖은 휴지를 통과할 때 다시 액화하여 순수한 물이 시험관에 모이게 된다.

07 질산 칼륨과 염화 나트륨 혼합물은 용해도 차이를 이용한 재결정을 이용하여 분리하고, 나머지는 끓는점 차이를 이용하여 분리한다.

08

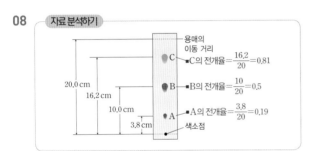

자료 분석하기

용매의 이동 거리

C — C의 전개율 = $\frac{16.2}{20}$ = 0.81

B — B의 전개율 = $\frac{10}{20}$ = 0.5

A — A의 전개율 = $\frac{3.8}{20}$ = 0.19

20.0 cm
16.2 cm
10.0 cm
3.8 cm — 색소점

분리된 색소가 최소 3개이므로 잉크는 3가지 색소로 이루어진 혼합물이고, 전개율($\frac{색소가\ 올라간\ 높이}{용매가\ 올라간\ 높이}$)은 초록색이 가장 크다.

09 자석으로 철가루(A)를 제거한 혼합물을 물에 녹여 분리한 B는 물에 잘 녹는 소금이고, 걸러서 남은 물질을 물에 넣으면 물 위에 뜨는 C는 톱밥이며, 가라앉은 물질 중에서 나프탈렌은 에탄올에 녹아 거른 용액에 남아 있다가 증발시키면 E로 분리된다. 이때 D는 모래이다.

10 ① 끓는점 차이를 이용하여 혼합물을 분리한다.
② 용해도 차이를 이용하여 혼합물을 분리한다.
③ 혈액을 원심 분리기에 넣고 회전시키면 밀도가 큰 혈구는 아래층으로, 밀도가 작은 혈장은 위층으로 분리된다.
④ 성분 물질이 용매를 따라 이동하는 속도의 차이를 이용한 크로마토그래피의 방법으로 혼합물을 분리한다.
⑤ 용해도 차이를 이용하여 혼합물을 분리한다.

서술형 문제

2권 130쪽~131쪽

1 볍씨 중에서 소금물보다 밀도가 작은 쭉정이는 소금물 위에 뜨고 소금물보다 밀도가 큰 속이 찬 볍씨는 물속에 가라앉아 분리된다. 만약 소금물의 농도가 낮아지면 일부 쭉정이까지 가라앉아 속이 찬 볍씨와 섞이게 된다.

모범 답안 소금물의 농도가 낮아지면 소금물의 밀도가 작아지므로 일부 쭉정이도 가라앉아 속이 찬 볍씨와 섞이므로 볍씨에서 쭉정이를 분리하기 어렵다.

채점 기준	배점
밀도가 작아짐과 일부 쭉정이가 가라앉게 된다는 내용을 모두 옳게 설명한 경우	100%
밀도가 작아진다는 것이나 일부 쭉정이가 가라앉게 된다는 내용 중에서 한 가지만 옳게 설명한 경우	50%

2 곡식을 키에 넣고 바람에 날리면 밀도가 작은 가벼운 쭉정이나 검부러기는 바람에 날아가고 밀도가 큰 속이 찬 곡식은 키 안에 떨어져 모여 분리된다.

모범 답안 쭉정이나 검부러기가 속이 찬 곡식과 밀도 차이에 의해 바람에 날려 분리된다.

채점 기준	배점
밀도 차이로 쭉정이와 검부러기가 바람에 분리됨을 옳게 설명한 경우	100%
밀도 차이라고만 설명한 경우	50%

3 혼합물을 둥근바닥 플라스크에 넣고 가열하면 끓는점이 낮은 물질이 먼저 끓어 기화하여 나온 후 냉각기를 통과하면서 다시 액화하여 분리된다. 이때 냉각기에 찬물은 아래에서 넣어 주어야 찬물이 냉각기 안에 가득 채워져 냉각 효과를 높일 수 있다.

모범 답안 (다), 끓는점이 낮은 물질이 먼저 끓어 분리된다.
(라), 냉각기에 찬물은 아래쪽에서 넣어 주어야 냉각 효과를 높일 수 있다.

채점 기준	배점
틀린 것 두 가지를 모두 옳게 설명한 경우	100%
틀린 것 두 가지 중 한 가지만 옳게 설명한 경우	50%

4 물과 메탄올의 혼합물의 가열 곡선에서 온도 변화가 거의 없는 부분은 2곳인데, 첫 번째 수평 부분에서는 메탄올이 주로 끓어 나와 분리되고, 두 번째 수평 부분에서는 물이 끓어 나와 분리된다.

모범 답안 물과 메탄올은 서로 잘 섞이며, 끓는점 차이를 이용하여 분리한다. 이 액체 혼합물을 분별 증류하면 끓는점이 낮은 메탄올이 먼저 분리되어 나오고, 끓는점이 높은 물이 나중에 분리되어 나온다.

채점 기준	배점
분리 방법과 원리를 모두 옳게 설명한 경우	100 %
분리 방법만을 옳게 설명한 경우	50 %
분리하는 원리만 옳게 설명한 경우	30 %

5 소금물이 햇빛에 가열되면 소금물을 구성하는 물이 수증기로 기화하고, 기화한 수증기가 온실의 유리 지붕에 닿으면 식어서 물방울로 액화하여 홈통에 흘러내려 식수로 사용하게 된다.

모범 답안 소금물이 햇빛에 가열되어 기화한 수증기가 장치의 지붕에 닿아 물방울로 다시 액화하면 물이 되어 분리되는데, 이를 증류라고 한다.

채점 기준	배점
물의 상태 변화와 분리 방법을 모두 옳게 설명한 경우	100 %
분리 과정만 옳게 설명한 경우	70 %
분리 방법의 이름만 옳게 쓴 경우	30 %

6 염화 나트륨은 20 ℃에서 용해도가 36이므로 물에 녹아 있는 20 g은 그대로 녹아 있게 되고 붕산은 20 ℃에서 용해도가 5이므로 물에 녹아 있던 50 g 중에 5 g만 그대로 녹아 있고 45 g은 결정으로 석출되어 거름종이에 걸러져 분리된다.

모범 답안 붕산 45 g이 결정으로 석출되며, 혼합물을 구성하는 성분들의 온도에 따른 용해도 차이를 이용하여 분리한다.

채점 기준	배점
결정으로 석출되는 물질과 석출된 결정의 질량을 옳게 쓰고, 용해도 차이를 이용하여 분리하였다고 옳게 설명한 경우	100 %
결정으로 석출되는 물질과 석출된 결정의 질량만 옳게 쓴 경우	60 %
용해도 차이를 이용하여 분리하였다고만 옳게 설명한 경우	30 %

7 그림의 장치는 분별 깔때기로, 서로 섞이지 않고 밀도가 달라 층을 이루는 액체 혼합물을 분리할 때 사용하는 장치이다. 혼합물을 분리할 때 먼저 마개를 여는 까닭은 공기의 압력(대기압)에 의해 분별 깔때기 안의 액체가 밀려 내려가기 때문이다.

모범 답안 (1) 서로 섞이지 않고 밀도가 다른 성질을 이용한다.
(2) 대기압에 의해 분별 깔때기 안의 액체가 밀려 내려가기 때문이다.

채점 기준	배점
(1), (2)의 내용을 모두 옳게 설명한 경우	100 %
(1)의 설명만 옳게 설명한 경우	50 %

8 (가)는 분별 깔때기, (나)는 크로마토그래피, (다)는 거름, (라)는 증류 장치이다. 꽃잎에서 추출한 색소의 성분들은 성질이 비슷하기 때문에 (나)와 같이 성분 물질이 거름종이에 흡수되는 용매를 따라 이동하는 속도가 다른 성질을 이용한 크로마토그래피로 분리할 수 있다.

모범 답안 (나), 용매를 따라 이동하는 속도가 다른 성질을 이용한다.

채점 기준	배점
분리 장치와 물질의 특성을 모두 옳게 설명한 경우	100 %
분리 장치와 물질의 특성 중 한 가지만 옳게 설명한 경우	30 %

최상위권 도전 문제   2권 132쪽~135쪽

1 ③, ④   **2** ④   **3** ②   **4** ④   **5** 용해도, 끓는점   **6** ③   **7** (가):질소, (나):아르곤, (다): 산소
8 ③

1 ③ 온도가 변해도 질량은 변하지 않지만, 부피가 변하므로 밀도도 변한다.
④ 4 ℃ 이하에서 온도가 낮아질수록 물의 부피가 증가하므로 밀도는 감소한다.

2 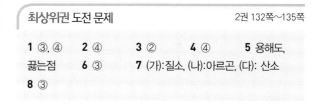   자료 분석하기

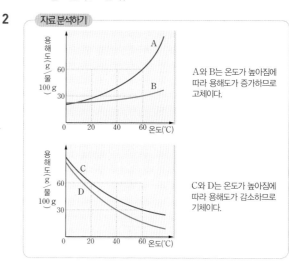

A와 B는 온도가 높아짐에 따라 용해도가 증가하므로 고체이다.

C와 D는 온도가 높아짐에 따라 용해도가 감소하므로 기체이다.

일반적으로 고체의 용해도는 용매의 온도가 높아지면 증가하고 기체의 용해도는 온도가 높아지면 감소한다. 이때 C와 D가 같은 물질이라면 온도가 일정할 때 기체의 용해도는 압력이 높을수록 증가하므로 C에서의 압력이 더 높을 것이다. 또한, 용해도 곡선에서 A는 온도에 따른 용해도 차이가 크고, B는 온도에 따른 용해도 차이가 작다. 따라서 A와 B의 혼합물에서 순수한 물질을 분리하려면 재결정을 이용하여 순수한 고체 A 결정을 석출한다.

3 ㄱ. t_1 ℃에서 물 100 g 속에 a g의 용질이 녹으면 $(100+a)$ g 의 포화 용액이 된다.

ㄴ. t_2 ℃에서 물 100 g에 용질 b g이 녹으면 포화 용액이 되므로 포화 용액은 $(100+b)$ g이다. 그리고 t_1 ℃에서는 물 100 g에 a g이 녹아서 포화 용액이 되므로 온도를 낮추면 $(b-a)$ g의 용질이 석출된다.

ㄷ. A의 퍼센트 농도는 $\dfrac{a}{100+a}\times100$이고, B의 퍼센트 농도는 $\dfrac{b}{100+b}\times100$이므로

$$\dfrac{\text{A의 퍼센트 농도}}{\text{B의 퍼센트 농도}}=\dfrac{a(100+b)}{b(100+a)}\text{이다.}$$

4 압력이 일정할 때 기체의 용해도는 온도가 높을수록 감소하고, 고체의 용해도는 온도가 높을수록 증가한다. 따라서 물질 A와 물질 C는 기체, 물질 B는 고체이므로, 물질 B 는 질산 칼륨이다. 물질 A는 물질 C와 비교할 때 물에 대한 용해도가 작으므로, 물질 A는 이산화 탄소, 물질 C는 염화 수소이다.

5 콩가루에서 콩기름을 분리하는 실험에서 혼합물을 분리하는 데 사용한 분리 방법은 콩가루에 헥세인을 넣어 지방 성분을 추출(가), 헥세인에 녹지 않는 고체 물질을 체로 걸러내는 거름(나), 거른 용액을 가열하여 끓는점이 낮은 헥세인을 증발시켜 콩기름을 얻는 증류(다)이다. 이때 (가)에서는 헥세인에 대한 지방과 단백질의 용해도 차이를 이용하였고, (다)에서 헥세인과 콩기름의 끓는점 차이를 이용하여 혼합물을 분리하였다.

6 자료 분석하기

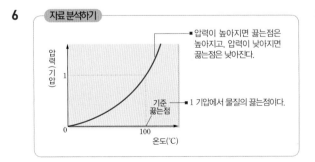

물은 1 기압일 때 100 ℃에서 끓지만, 압력이 변하면 끓는점이 달라진다. 즉, 압력이 낮아지면 끓는점이 낮아지고, 압력이 높아지면 끓는점이 높아진다.
① 헬륨은 공기보다 밀도가 작아 가볍기 때문이다.
② 얼음의 밀도가 물의 밀도보다 작기 때문이다.
④ 압력이 낮아지면 기체의 용해도가 감소하기 때문에 탄산음료에서 기포가 발생한다.
⑤ 온도가 높아지면 산소 기체의 물에 대한 용해도가 감소하기 때문에 물고기들이 호흡하기 위해 수면 밖으로 입을 내밀고 뻐끔거린다.

7 액체 공기를 증류탑으로 보내면 끓는점이 높은 산소와 아르곤은 증류탑의 낮은 곳에서 액화하여 분리되고, 끓는점이 낮은 질소는 증류탑의 가장 높은 곳까지 기체 상태로 올라가 분리되어 나오는데, 이것을 냉각시켜 액체 질소로 얻게 된다.

8 A의 전개율 $=\dfrac{\text{성분 물질의 이동 거리}}{\text{용매의 이동 거리}}=\dfrac{3.8}{20.0}=0.19$이고 크로마토그래피에서 용매와의 인력이 강할수록 용매를 따라 이동하는 속도가 빠르므로 가장 높은 곳까지 이동한다. 따라서 용매와의 인력이 가장 큰 것은 C이다. 크로마토그래피에서 용매가 달라지면 성분 물질의 이동 속도가 달라져서 전개율도 달라진다.

🔷 **창의·사고력 향상 문제**   2권 137쪽~139쪽

1 문제 해결 가이드   물질은 녹는점이 일정하지만, 혼합물은 녹는점이 일정하지 않고 더 낮게 나타난다.
• 퓨즈가 고체 혼합물이라는 점   •• 고체 혼합물의 녹는점은 일정하지 않으며, 성분 물질의 녹는점보다 낮다는 것을 설명한다.

모범 답안   고체 혼합물의 녹는점이 성분 물질의 녹는점보다 낮은 성질을 이용한 것이다.

채점 기준	배점
고체 혼합물의 녹는점이 성분 물질의 녹는점보다 낮은 성질을 이용했다고 설명한 경우	100 %
혼합물의 녹는점이 낮다고만 설명한 경우	30 %

2 (문제 해결 가이드) 밀도가 큰 물질은 아래로 가라앉고 밀도가 작은 물질은 위로 뜨는 성질을 설명한다.

· 밀도가 큰 물질은 아래로 가라앉고, 밀도가 작은 물질은 위로 뜬다는 점 ·· 공기의 밀도보다 액화 천연가스의 밀도가 작고, 액화 석유 가스의 밀도는 크다는 점을 설명한다.

(모범 답안) 액화 천연가스(LNG)는 공기보다 밀도가 작아서 위로 뜨고, 액화 석유 가스(LPG)는 공기보다 밀도가 커서 바닥으로 가라앉는다. 따라서 LNG 가스 누출 경보기는 위쪽에, LPG 가스 누출 경보기는 아래쪽에 설치한다.

채점 기준	배점
공기보다 밀도가 작은 액화 천연가스의 누출 경보기는 위쪽에, 공기보다 밀도가 큰 액화 석유 가스의 누출 경보기는 아래쪽에 설치한다고 옳게 설명한 경우	100%
액화 천연가스의 누출 경보기와 액화 석유 가스의 누출 경보기 위치는 옳게 서술하였으나 그 까닭을 설명하지 못한 경우	50%
공기의 밀도보다 액화 천연가스의 밀도는 작고, 액화 석유 가스의 밀도는 크다고 옳게 설명하였으나, 가스 누출 경보기 설치 위치를 설명하지 못한 경우	

3 (문제 해결 가이드) 충분히 식지 않은 냉각수가 강이나 바다에 방출되면 수온이 높아지기 때문에 물에 녹아 있는 산소의 용해도가 감소함을 설명한다.

· 일정한 압력에서 온도가 높아질수록 기체의 용해도는 감소한다는 점 ·· 온도가 높은 냉각수가 강이나 바다에 방출되면 강이나 바닷물의 온도가 높아진다는 점 ··· 강이나 바닷물의 온도가 높아지면 바닷물에 녹아 있던 산소 기체의 양이 줄어들어 강이나 바다 속 생태계에 영향을 줄 수 있다는 점을 설명한다.

(모범 답안) (1) 일정한 압력에서 온도가 높아지면 기체의 용해도는 감소하고, 온도가 낮아지면 기체의 용해도는 증가한다.
(2) 충분히 식지 않은 높은 온도의 냉각수가 강이나 바다에 방출되면 수온이 높아지기 때문에 물에 녹아 있던 산소와 같은 기체의 용해도가 감소한다. 따라서 강이나 바닷 속의 생물의 호흡이 곤란해지는 것과 같은 생태계 문제가 생길 수 있다.

	채점 기준	배점
(1)	일정한 압력에서 온도에 따른 기체의 용해도 변화를 옳게 설명한 경우	30%
(2)	온도가 높아지면 기체의 용해도가 감소하기 때문에 물속에 녹아 있는 산소와 같은 기체의 용해도가 감소하므로 생태계 문제가 발생한다고 옳게 설명한 경우	70%
	온도가 높아지면 기체의 용해도가 감소하기 때문이라고만 설명한 경우	20%

4 (문제 해결 가이드) 소금물은 혼합물로, 끓는점이 일정하지 않고 물보다 끓는점이 높다는 성질을 이용한다.

· 소금물은 혼합물이라는 점 ·· 끓는점 차이를 이용한 혼합물 분리를 이용해야 한다는 점을 설명한다.

(모범 답안) (1) 끓는점 차이를 이용하여 증류시킨다.
(2) 그릇 속의 소금물을 끓이면 물이 기화하여 수증기가 되었다가 비닐의 아랫부분에 닿아 액화하여 물방울로 맺힌다. 이 물방울은 비닐의 가운데 부분에 모여 컵에 떨어진다.

	채점 기준	배점
(1)	끓는점 차이를 이용한 증류라고 설명한 경우	30%
	끓는점 차이를 이용한다고만 설명한 경우	10%
(2)	소금물이 기화했다가 다시 액화하는 과정을 옳게 설명한 경우	70%
	소금물이 기화해서 물이 되었다고만 설명한 경우	40%

5 (문제 해결 가이드) 사탕수수에서 설탕 성분을 포함한 액체 성분들을 먼저 짜내고 고체 성분을 걸러내고 용액을 증발시켜 농도를 높인 후 냉각시키면 설탕 결정이 생기는 과정을 설명해야 한다.

· 사탕수수를 잘게 부순 후 체로 걸러서 설탕 성분이 녹아 있는 액체 성분을 얻는 과정을 거친다는 점 ·· 용액을 가열하여 농도를 높인 후 냉각시킬 때 설탕 성분이 결정으로 석출된다는 점을 설명한다.

(모범 답안) (나) → (가) → (다) → (라), 과정 (라)에서 사탕수수를 잘게 부수어 체로 걸러 얻은 용액을 냉각시키면 설탕 성분이 결정으로 석출된다. 이때 용해도 차이를 이용하며, 이러한 혼합물 분리 방법을 재결정이라고 한다.

채점 기준	배점
과정과 물질의 특성을 모두 옳게 설명한 경우	100%
과정이나 물질의 특성 중 한 가지만 옳게 설명한 경우	50%

6 (문제 해결 가이드) 크로마토그래피는 양이 적고 성분 물질이 비슷한 혼합물도 효과적으로 분석할 수 있음을 설명한다.

· 식품에 남아 있는 농약의 양은 매우 적다는 점 ·· 크로마토그래피는 적은 양의 물질도 효과적으로 분석할 수 있다는 점을 설명한다.

(모범 답안) 크로마토그래피는 혼합물의 양이 적고 성분의 성질이 매우 비슷할 때도 효과적으로 분리할 수 있기 때문에 식품에 남아 있는 농약을 분석할 때 유용하다.

채점 기준	배점
크로마토그래피는 혼합물의 양이 적고 성분 물질이 비슷한 경우에도 효과적으로 분리할 수 있다는 것을 옳게 설명한 경우	100%
크로마토그래피는 혼합물의 양이 적을 때 효과적으로 분리할 수 있다고만 서술한 경우	70%

Ⅶ 수권과 해수의 순환

01 수권

학습 내용 Check

탐구 확인 문제
2권 148쪽

1 (1) 3 (2) 바람 　　**2** 저위도 지방보다 중위도 지방에서 혼합층의 두께가 두껍게 나타난다.

1 (1) 실험에서 선풍기로 바람을 일으키면 수면 부근의 수온이 일정한 층, 깊이가 깊어질수록 수온이 낮아지는 층, 전등의 에너지가 닿지 않아 수온이 낮고 일정한 층이 나타난다.

2 바람이 강하게 불수록 혼합층이 두꺼워진다.

집중 분석
2권 149쪽

연습 문제

01 25.6 g　**02** 12 g

03 약 8.8 g　**04** A: 28.3 g, B: 3.8 g, C: 1.4 g

01 동해의 염분은 33 psu, 북극해의 염분은 30 psu이므로 동해의 해수에 녹아 있는 염화 나트륨(x)의 양을 구하는 비례식을 세우면 다음과 같다.

33 psu : x＝30 psu : 23.3 g 　∴ x≒25.6 g

02 염분이 40 psu인 해수 200 g에 녹아 있는 염화 나트륨의 양(x)을 구하는 비례식부터 세우면, 36 psu : 5.4 g＝40 psu : x이고, x＝6 g이다. 따라서 해수 400 g에 녹아 있는 염화 나트륨의 양은 6 g×2＝12 g이다.

03 B 해역의 해수 1 kg에 녹아 있는 염화 마그네슘의 양을 x라고 하면 25.6 g : 31.3 g＝3.6 g : x이므로 x≒4.4 g이다. 따라서 B 해역의 해수 2 kg에 들어 있는 염화 마그네슘의 양은 약 8.8 g이다.

04 A : 1.7 g＝26.6 g : 1.6 g 　∴ A≒28.3 g

26.6 g : B＝23.3 g : 3.3 g 　∴ B≒3.8 g

26.6 g : 1.6 g＝23.3 g : C 　∴ C≒1.4 g

개념 확인 문제
2권 152쪽~154쪽

01 ①	**02** ③	**03** ③	**04** ⑤	**05** ⑤
06 태양 복사 에너지의 양		**07** ④		
08 A: 혼합층, B: 수온 약층, C: 심해층			**09** ①	
10 ③	**11** ④	**12** ③	**13** ②	**14** ①
15 ④	**16** ③	**17** ④		

01 육지의 물 중 대부분을 차지하는 것은 극지방이나 고산 지대에 있는 빙하이고, 그 다음으로 많은 양을 차지하는 것은 지하수이다.

02 A는 수권의 대부분을 차지하는 해수, B는 고위도나 고산 지대에 고체 상태로 분포하는 빙하, C는 땅 밑으로 스며들어 흐르는 지하수, D는 호수와 하천수에 해당한다.

③ 수자원으로 주로 사용되는 물은 가장 적은 양을 차지하는 D(호수와 하천수)이다.

03 담수 중에 빙하 다음으로 많이 분포하는 것은 지하수로, 빗물에 의해 지속적으로 채워지며, 가뭄이 있을 때 끌어올려 수자원으로 이용한다.

04 ㄱ. 우리나라에서 수자원을 가장 많이 사용하는 분야는 농업용수이다.

ㄴ. 생활용수는 일상생활에서 사용하는 물로, 생활 수준이 향상될수록 필요한 생활용수의 양이 증가한다.

ㄷ. 하천 유지용수는 하천의 기능을 유지하도록 지속적으로 흘려보내는 물이다.

05 물 부족을 해소하기 위해서는 폐수 처리 시설을 강화하여 물의 재사용을 활성화하고, 해수를 담수화하여 식수 등으로 사용하는 방법 등이 있으며, 장기적으로는 식목 사업 및 산림 면적의 확대를 통해 물의 저장 능력을 높이는 방법이 있다.

06 표층 해수의 수온이 저위도에서 고위도로 갈수록 낮아지는 것은 입사하는 태양 복사 에너지의 양이 고위도로 갈수록 적어지기 때문이다. 따라서 표층 해수의 수온에 가장 큰 영향을 주는 요인은 입사하는 태양 복사 에너지의 양이다.

07 ① 전등은 태양, 선풍기의 바람은 바람의 역할을 한다.
② 전등의 세기가 강해지면 수면의 수온이 높아진다.
③ 바람을 일으키면 수면 근처에 수온이 일정한 층이 나타난다.
④ 바람을 강하게 하면 수온이 일정한 혼합층의 두께가 더 두꺼워진다.
⑤ 깊이가 깊은 바닥 근처에서는 수온 변화가 거의 나타나지 않는다.

08 A는 바람에 의해 해수가 섞여 수온이 일정한 혼합층, B는 깊이가 깊어질수록 수온이 급격히 감소하는 수온 약층, C는 태양 복사 에너지가 도달하지 못하고 깊이에 따른 수온 변화가 거의 없는 심해층이다.

09 ㄱ. A층은 해수면 위에서 부는 바람의 혼합 작용으로 깊이에 따라 수온이 일정한 혼합층이다. 따라서 A층의 두께는 바람의 세기가 셀수록 두껍다.
ㄴ. B층은 깊이에 따라 수온이 낮아지는 안정한 층으로, 대류가 잘 일어나지 않는다.
ㄷ. C층은 태양 복사 에너지가 도달하지 않고 바람의 영향도 없는 깊은 해수층이기 때문에 계절에 따른 수온의 변화가 거의 없다.

10
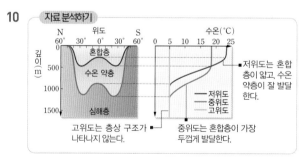

ㄱ. 표층 수온은 태양 복사 에너지의 양에 비례한다. 따라서 표층 수온은 저위도로 갈수록 높아진다.
ㄴ. 중위도는 저위도보다 혼합층이 더 두껍게 나타나는데, 이는 저위도에서보다 중위도에서 바람이 더 강하게 불기 때문이다.
ㄷ. 고위도는 도달하는 태양 복사 에너지의 양이 적기 때문에 해수의 표층과 심층의 온도 차가 거의 없다. 따라서 전체적으로 심해층만 나타난다.

11 염분은 해수 1 kg에 들어 있는 염류의 총 g 수이며, 단위는 주로 psu로 나타낸다. 염류 중에는 염화 나트륨이 가장 많이 차지하고 있으며, 염분은 시간과 장소에 따라 변한다. 해수에 녹아 있는 염류는 주로 해저 화산 폭발이나 육지의 물질이 강물 등에 녹은 후 해수로 유입되어 형성된다.

12 ㄱ, ㄴ. 증발량이 강수량보다 많거나 해수의 결빙이 일어나는 해역은 염분이 높게 나타난다.
ㄷ. 하천수가 유입되는 해역은 염분이 낮게 나타난다.

13
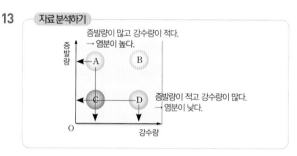

A는 증발량이 많고 강수량이 적으므로 염분이 높고, D는 증발량이 적고 강수량이 많으므로 염분이 낮다.

14 ㄱ, ㄴ. 황해는 육지로 둘러싸인 지형적 영향으로 하천수의 유입이 많아 동해보다 염분이 낮게 나타난다.
ㄷ. 우리나라 주변 해역의 평균 염분은 전 세계 해양의 평균 염분인 약 35 psu보다 낮다.

15
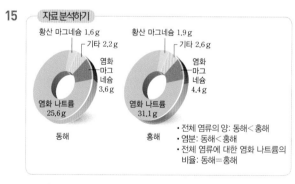

④ 해수 1 kg에 녹아 있는 염류의 총량을 g 수로 나타낸 것이 염분으로, 염분은 시간과 장소에 따라 다르다.

16 염분은 해수 1 kg에 들어 있는 염류의 총 g 수이므로 해역 A에 들어 있는 염류의 g 수를 모두 더하면 27.2+3.8+1.7+1.2+1.1=35 psu이다.

17 염분은 달라도 염류 간의 비율은 일정하기 때문에 다음의 비례식이 성립한다.
27.2 g : 24.5 g=3.8 g : (가)
∴ (가)≒3.4 g

실력 강화 문제
2권 155쪽

01 ⑤ **02** (나) 수온 약층, (다) 혼합층 **03** ③
04 ⑤

01 ㄱ. 지하에는 태양 빛이 도달하지 않으므로 지하수는 증발에 의한 손실이 거의 없다.

ㄴ. 지하수는 땅 밑에서 흐르기 때문에 표층수보다 여름에는 수온이 낮고, 겨울에는 수온이 높게 나타나므로 계절에 따른 수온의 변화가 작다.

ㄷ. 지하수는 강수에 의해 표층에 내린 물이 땅에 스며들면서 일정 깊이에서 모여 흐르는 물로, 땅을 통과하면서 자연적으로 불순물이 걸러져 정화된다. 따라서 지하수는 표층의 물보다 깨끗하지만 토양이 오염되면 같이 오염되므로 주의해야 한다.

02 실험 (나)에서는 전등만 켜놓고 수온을 측정한 것이므로 표층의 온도가 높아져서 깊이에 따라 수온이 낮아지는 수온 약층이 형성된다.

실험 (다)에서는 부채질을 했기 때문에 표층에 수온이 일정한 혼합층이 형성된다.

03 ㄱ. 혼합층은 표층에서 부는 바람의 혼합 작용으로 만들어지므로 혼합층이 두꺼울수록 바람이 강하다는 것을 의미한다. 따라서 위도 약 30° 해역은 적도 해역보다 혼합층이 두꺼우므로 바람이 더 강하다는 것을 알 수 있다.

ㄴ. 수온 약층은 수심에 따라 수온이 급격히 낮아지는 층으로, 아래쪽으로 갈수록 차고 무거운 해수가 있기 때문에 해수의 연직 운동이 일어나기 어려운 안정한 층이다. 수심 약 300 m에서 중위도는 혼합층에 속하는데, 저위도는 수온 약층에 속하므로 이 깊이에서 가장 안정한 해역은 저위도이다.

ㄷ. 고위도는 기온이 매우 낮기 때문에 해수 표층과 심해층의 수온이 낮아 거의 차이가 나지 않으므로 혼합층과 수온 약층이 나타나지 않는다.

04 **자료 분석하기**

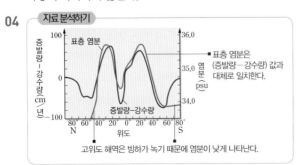

고위도 해역은 빙하가 녹기 때문에 염분이 낮게 나타난다.

ㄱ. 표층 염분은 증발량과 강수량의 영향을 가장 많이 받는다. 극 지방을 제외하고 표층 염분은 대체로 (증발량－강수량) 값이 클수록 높다.

ㄴ. 위도 약 30° 해역은 증발량이 강수량보다 많아 (증발량－강수량) 값이 가장 크고, 표층 염분이 가장 높게 나타난다.

ㄷ. 고위도 해역은 빙하가 녹으면서 담수가 유입되므로 표층 염분이 낮게 나타난다.

서술형 문제
2권 156쪽~157쪽

1 담수 중에서 가장 많이 차지하는 것은 고위도나 고산 지대에 고체 상태로 존재하는 빙하이고, 그 다음으로 많은 양을 차지하는 것은 땅 밑에서 흐르고 있는 지하수이다.

모범 답안 A는 빙하로 고위도나 고산 지대에 분포하고, B는 지하수로 지하의 지층이나 암석의 빈틈에 분포한다.

채점 기준	배점
A와 B의 분포 형태와 분포하는 곳을 모두 옳게 설명한 경우	100 %
A와 B의 분포 형태만 옳게 쓴 경우	50 %

2 지하수는 식수나 농업용수로 많이 이용되며, 냉난방 등에도 이용할 수 있다. 섬이나 가뭄이 자주 드는 지역에서는 지하수 댐을 설치하여 지하수의 흐름을 막아 활용하기도 한다.

지하수는 담수 중 두 번째로 많은 양을 차지하며, 하천수나 호수에 비해 양이 풍부하다. 또, 간단한 정수 과정을 거치면 바로 사용할 수 있으며, 빗물이 지층의 빈틈으로 스며들어 채워지기 때문에 지속적으로 활용할 수 있다. 반면, 무분별한 개발로 지반 침하, 지하수 고갈 또는 오염이 발생하지 않도록 주의해야 한다.

모범 답안 지하수는 호수나 하천수보다 분포하는 양이 많고, 간단한 정수 과정을 거치면 바로 활용할 수 있으며, 빗물에 의해 지속적으로 채워지기 때문에 지속적으로 활용할 수 있다. 한편, 지하수는 한번 오염되면 다시 정화시키기 어려우며, 과도한 사용으로 고갈될 위험이 있다.

채점 기준	배점
지하수의 장점과 단점을 지하수의 양, 오염과 관련지어 옳게 서술한 경우	100 %
지하수의 장점만 옳게 서술한 경우	50 %
지하수의 단점만 옳게 서술한 경우	50 %

3

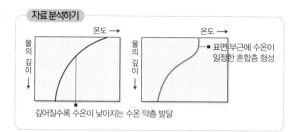

깊어질수록 수온이 낮아지는 수온 약층 발달

(가)는 해수 표층이 가열되는 과정으로 깊이에 따라 수온이 급격히 감소하는 수온 약층이 생성되고, (나)는 바람의 혼합 작용으로 표층에 수온이 일정한 혼합층이 생성된다.

모범 답안 (가)는 해수 표층이 가열되어 깊이에 따라 수온이 감소하는 수온 약층이 생성되고, (나)는 바람의 혼합 작용에 의해 해수 표층에 온도가 일정한 혼합층이 생성된다.

채점 기준	배점
(가)와 (나)에서 생성되는 해수층의 이름과 생성 원인을 옳게 설명한 경우	100 %
(가)와 (나) 중 한 가지만 옳게 설명한 경우	50 %

4 여름에는 표층의 온도가 높으므로 수온 약층이 발달하고, 겨울에는 바람이 강해서 혼합층이 발달한다.

모범 답안 여름에는 입사하는 태양 복사 에너지의 양이 많아 해수 표층의 수온이 높으므로 겨울에 비해 수온 약층이 발달하며, 겨울에는 바람이 강하게 불어 여름에 비해 혼합층이 발달한다.

채점 기준	배점
여름에는 수온 약층이 발달하고, 겨울에는 혼합층이 발달한다는 것을 그 까닭과 함께 설명한 경우	100 %
여름에는 수온 약층이 발달하고, 겨울에는 혼합층이 발달한다만 설명한 경우	50 %
여름철과 겨울철의 특징 중 한 가지만 옳게 설명한 경우	25 %

5 해수의 염류 중에서 가장 많은 양을 차지하는 것은 염화 나트륨이고 염분은 해수 1 kg에 들어 있는 염류의 총 g 수이다.

모범 답안 (1) 염류 중 가장 많은 양을 차지하는 것은 염화 나트륨이다.
(2) 염분은 해수 1 kg에 녹아 있는 염류의 총량이므로 $27.2\,g+3.8\,g+1.7\,g+1.3\,g+1.0\,g=35\,g$, 즉 35 psu이다.

	채점 기준	배점
(1)	염화 나트륨이라고 쓴 경우	30 %
(2)	염분을 과정과 함께 옳게 구한 경우	70 %
	염분만 옳게 구한 경우	30 %

6 염분은 해수에 들어 있는 염류의 총량이고, 염분이 달라도 염류 간의 비율은 일정하다.

모범 답안 (1) 전 세계 바다에서 염분은 장소나 계절에 따라 다르지만, 해수에 녹아 있는 염류들 사이의 비율은 항상 일정하다.
(2) 염분비 일정 법칙에 의해 다음의 비례식이 성립된다.
$$35\,\text{psu} : 30\,\text{psu} = 27.21\,g : x$$
$\therefore\ x$는 약 23.3 g이다.

	채점 기준	배점
(1)	염분비 일정 법칙을 옳게 설명한 경우	30 %
(2)	비례식을 세우고, 염화 나트륨의 양을 옳게 구한 경우	70 %
	비례식만 옳게 세운 경우	40 %

7 같은 해역에서 계절에 따른 표층 염분에 가장 큰 영향을 주는 것은 증발량과 강수량이다.

모범 답안 표층 염분은 겨울철보다 여름철에 낮게 나타난다. 그 까닭은 겨울철보다 여름철에 강수량이 많기 때문이다.

채점 기준	배점
여름철에 강수량이 많다고 설명한 경우	100 %
강수량만 언급한 경우	50 %

8 염분의 변화에 가장 큰 영향을 주는 것은 증발량과 강수량이며, 극지방에서는 해수의 결빙과 해빙이 영향을 준다. 빙하가 녹는 해역에서는 담수의 유입량이 증가하므로 염분이 낮아지고, 바닷물이 어는 해역에서는 바닷물이 얼 때 염류는 해수에 그대로 남아 있으므로 염분이 높아진다.

모범 답안 (1) 중위도는 증발량이 강수량보다 많기 때문에 저위도보다 염분이 높게 나타난다.
(2) 극지방에서는 빙하가 녹기 때문에 주변 해수의 염분이 낮아진다.

	채점 기준	배점
(1)	중위도와 저위도의 증발량 및 강수량을 비교하여 옳게 설명한 경우	50 %
(2)	극지방에서 빙하가 녹기 때문이라고 옳게 설명한 경우	50 %

02 해수의 순환

학습 내용 Check

2권 159쪽	**1** 쿠로시오	**2** 북한
	3 조경 수역	
2권 160쪽	**1** 간조, 만조	**2** 조차
	3 사리, 조금	

탐구 확인 문제
2권 161쪽

1 (1) × (2) ○ (3) ×　　　　**2** B, D

1 (1) 만조에서 다음 만조까지 또는 간조에서 다음 간조까지 걸리는 시간을 조석 주기라고 하며, 약 12시간 25분이다.
(2) 하루 동안 만조와 간조는 각각 약 2번씩 나타난다.
(3) 갯벌 체험은 하루 중 해수면이 가장 낮아져 갯벌이 드러나는 때 하는 것이 좋다.

2 사리 때 간조가 되면 해수면이 낮아져 바다 갈라짐 현상을 볼 수 있다.

개념 확인 문제
2권 164쪽~165쪽

01 ⑤　　**02** E- 쿠로시오 해류　　**03** ④　　**04** ③
05 ③　　**06** ⑤　　**07** ②　　**08** ③　　**09** ①

01 난류는 저위도에서 고위도로 흐르는 해류로 한류에 비해 수온이 높기 때문에 해수에 녹아 있는 산소와 같은 기체의 양이 적고 이에 따라 영양 염류도 적다. 한편, 난류는 대체적으로 증발량이 강수량보다 많은 아열대 해역에서 생성되므로 한류에 비해 염분이 높다.

02 우리나라 주변 해역을 흐르는 난류는 태평양 서안을 따라 북상하는 쿠로시오 해류(E)에서 갈라져 나온 지류이다.

03 ㄱ. 북한 한류(A)는 동한 난류(B)나 쿠로시오 해류(E)에 비해 수온이 낮다.
ㄴ. 동한 난류(B)는 우리나라 동해안을 따라 북상한다.
ㄷ. 쿠로시오 해류(E)는 아열대 해역에서 생성된 난류로, 수온과 염분이 높다.

04 A 부근에서는 쿠로시오 해류에서 갈라져 나온 동한 난류가 북동쪽으로 흐른다. 따라서 기름은 동한 난류의 영향을 받아 북동쪽으로 확산되었을 것이다.

05 ㄱ. 조경 수역은 난류와 한류가 만나는 경계에서 형성된다.
ㄴ. 한류가 강해지는 겨울철에는 여름철보다 조경 수역이 남쪽에서 형성된다.
ㄷ. 조경 수역은 영양 염류와 플랑크톤이 풍부하고, 한류성 어종과 난류성 어종이 함께 분포하여 좋은 어장을 이룬다.

06 겨울철에 동해의 수온이 황해보다 높은 까닭은 동한 난류가 황해 난류보다 해안에 더 가깝게 흘러 동해가 난류의 영향을 더 많이 받기 때문이다.

07 밀물과 썰물에 의해 생기는 해수의 흐름을 조류라고 하며 만조와 간조의 해수면 높이 차가 가장 클 때를 사리, 가장 작을 때를 조금이라고 한다.

08 ① (가)는 바닷물이 빠져나가는 썰물이고, (나)는 바닷물이 밀려들어오는 밀물이다.
② 썰물 때 해수면이 낮아지면 갯벌이 드러난다.
④ 밀물과 썰물에 의한 해수의 흐름을 조류라고 한다.
⑤ 밀물과 썰물은 각각 하루에 약 2회씩 일어나므로, (가)와 같은 흐름이 시작된 후 약 6시간 후에 (나)와 같은 흐름이 나타난다.

09

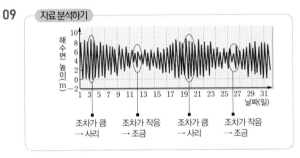

ㄱ. 20일경에는 한 달 중 조차가 가장 크게 나타났으므로 사리 때이다.
ㄴ. 만조와 간조는 하루에 약 두 번씩 나타난다.
ㄷ. 한 달 동안 조차는 커졌다가 작아지는 현상이 반복된다.

실력 강화 문제
2권 166쪽

01 ③　　**02** B　　**03** ③　　**04** ①

01 ㄱ. 동한 난류는 여름에 세력이 강해지므로 겨울보다 더 북상한다.
ㄴ. 같은 계절에 같은 위도에서 동해가 황해보다 수온이 높은 것은 난류의 영향을 더 많이 받기 때문이다.
ㄷ. 난류의 영향을 많이 받는 남해나 동해는 황해에 비해 수온의 연교차가 작게 나타난다. 또한, 황해는 수심이 낮아 대륙의 영향을 많이 받기 때문에 여름과 겨울의 수온의 연교차가 크게 나타난다.

02 이 해역에서는 쿠로시오 해류의 지류인 동한 난류를 따라 기름이 흘러갈 것으로 예상할 수 있다. 따라서 기름을 막는 장치를 B에 설치하는 것이 기름이 퍼지는 것을 효과적으로 막을 수 있는 방법이다.

03 ㄱ. 이 날의 최대 조차는 765.9 cm − 160.2 cm = 605.7 cm 이다.
ㄴ. 조석 주기는 약 12시간 25분이다.
ㄷ. 4시에서 9시 사이는 간조에서 만조로 가는 사이이므로 밀물이 나타난다.

04 한 달 중 조차가 가장 큰 사리 때, 썰물에 의해 해수면이 가장 낮을 때인 간조가 되면 바닷물이 가장 많이 빠져나가므로 수심이 얕은 바다의 밑바닥이 드러나 바닷길이 열린다.

서술형 문제

2권 167쪽

1 자료 분석하기

우리나라 주변의 해류에는 쿠로시오 해류, 동한 난류, 황해 난류, 북한 한류 등이 있다. 쿠로시오 해류는 증발량이 강수량보다 큰 아열대 해역에서 만들어져 북상하는 난류이기 때문에 수온과 염분이 높다. 난류는 한류에 비해 염분이 높고, 동해에서는 한류와 난류가 만나 조경 수역이 형성된다.

모범 답안 (1) 쿠로시오 해류, 수온과 염분은 높게 나타난다.
(2) 동한 난류(B)와 북한 한류(C)가 만나 조경 수역을 형성한다. 여름에는 난류가 강해 조경 수역의 위치가 북상하고, 겨울에는 한류가 강해 조경 수역의 위치가 남하한다.

	채점 기준	배점
(1)	해류의 이름과 수온과 염분을 옳게 설명한 경우	50 %
(2)	조경 수역을 쓰고, 계절에 따른 위치 변화를 옳게 설명한 경우	50 %
	조경 수역만 쓴 경우	20 %

2 동해의 남쪽에서는 난류성 어종, 북쪽에서는 한류성 어종이 많이 나타난다.

모범 답안 동해의 삼척 부근을 경계로 남쪽은 수온이 높은 난류, 북쪽은 수온이 낮은 한류의 영향을 받는다.

채점 기준	배점
난류와 한류의 영향을 모두 설명한 경우	100 %
난류의 영향만 설명한 경우	50 %

3 조력 발전은 밀물과 썰물 때 발생하는 수위차를 이용하여 전기를 생산한다.

모범 답안 우리나라의 서해안과 남해안은 조석 간만의 차가 매우 큰 지역이기 때문이다.

채점 기준	배점
조석 간만의 차가 크다는 내용을 포함하여 설명한 경우	100 %

4 조차는 매일 조금씩 달라지므로 조석 정보를 알면 실생활에 활용할 수 있으며, 조석 현상은 수산물 어획, 선박 활동 등에 활용된다.

모범 답안 (가)는 만조, (나)는 간조이다. 만조와 간조가 일어나는 시간을 알면 고기잡이배가 바다로 나가거나 들어올 때, 갯벌에서 조개나 굴을 캘 때, 바다 갈라짐이 나타나는 지역으로 여행갈 때, 선박을 띄울 때 등에 활용할 수 있다.

채점 기준	배점
(가)와 (나)를 옳게 쓰고, 조석 현상을 이용하는 예 한 가지를 옳게 설명한 경우	100 %
두 가지 중 한 가지만 옳게 설명한 경우	50 %

최상위권 도전 문제

2권 168쪽~171쪽

1 ⑤	2 ③	3 ①	4 ③	5 ⑤
6 ③	7 ②	8 ②		

1 ㄱ. 해수의 염분은 해수 1 kg에 들어 있는 염류들의 총 g 수이고, 염분이 달라도 염류간의 상호비는 같다. 따라서 A 해역에 들어 있는 염화 나트륨의 양이 B 해역보다 적으므로 염분도 A 해역이 B 해역보다 낮다.

ㄴ. A 해역은 다른 해역에 비해 염분이 낮게 나타나는데, 이는 황해의 서쪽 해안 부근에 위치한 양쯔강에서 흘러나오는 하천수의 영향을 받기 때문이다.

ㄷ. B 해역은 A 해역에 비해 염분이 높게 나타나는데, 이는 B 해역이 A 해역보다 염분이 높은 난류의 영향을 많이 받기 때문이다.

2 ㄱ. A층은 혼합층으로, 풍속이 강할수록 두껍게 나타난다. 따라서 풍속이 느려지고 태양 복사 에너지의 양이 많아지면 표층 수온은 높아지고 혼합층의 두께는 얇아지므로 심해층인 C층과의 수온 차이가 커질 것이다.

ㄴ. 바람이 약해지면 혼합층인 A층의 두께가 얇아지기 때문에 수온 약층인 B층의 두께는 두꺼워진다.

ㄷ. C층은 태양 복사 에너지가 도달하지 않고 바람의 영향도 미치지 않는 심해층이므로 수온의 변화는 나타나지 않는다.

3

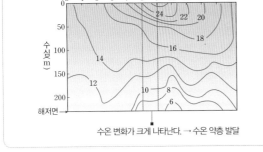

자료 분석하기

수온 변화가 크게 나타난다. → 수온 약층 발달

ㄱ. 8~9월에는 해수 표면의 수온이 높고 일정한 층인 혼합층이 얇아지는 것으로 보아 바람이 약하고 수온이 높게 나타난다.

ㄴ. 수온 약층은 등수온선이 조밀한 부분으로, 여름이 겨울보다 더 발달한다.

ㄷ. 해저면의 수온은 8~9월이 다른 시기보다 오히려 더 낮아지므로 해저면의 수온과 표층 수온과는 연관성이 없다.

4 ㄱ. 표층 염분은 중위도 대양의 가운데에서 높게 나타나는데, 이는 중위도에서는 고기압이 우세하여 증발량이 강수량보다 많고, 대양의 가운데는 하천수의 영향을 받지 않기 때문이다.

ㄴ. 저위도에서 염분이 낮게 나타나는 것은 증발량보다 강수량이 많기 때문인데, 이는 저위도에서는 저기압이 우세하게 나타나기 때문이다.

ㄷ. 고위도 해역은 증발량보다 강수량이 많으므로 (증발량−강수량) 값이 음의 값을 갖는다.

5 ㄱ. 쿠로시오 해류는 저위도에서 고위도로 북상하는 난류이고, 캘리포니아 해류는 고위도에서 저위도로 남하하는 한류이다.

ㄴ. 우리나라 동해에는 동한 난류와 북한 한류가 만나 조경 수역이 형성된다.

ㄷ. 세계의 해류는 대기 대순환의 영향을 받는데, 북적도 해류는 동에서 서로 부는 바람인 무역풍, 북태평양 해류는 서에서 동으로 부는 바람인 편서풍의 영향으로 생성된 해류이다.

6 ㄱ. 동해와 황해의 수온이 상승하는 것으로 보아 대한 해협에서 북상하는 난류인 쿠로시오 해류의 세력이 강해지고 있다고 판단할 수 있다.

ㄴ. 동해에서 쿠로시오 해류의 세력이 강해지면 쿠로시오 해류의 지류인 동한 난류의 세력도 강해져 더 북상하게 되므로 조경 수역이 더 북쪽에서 형성된다.

ㄷ. 황해도 수온이 높아지는 것으로 보아 쿠로시오 해류의 지류인 황해 난류의 세력이 강해졌음을 알 수 있다.

7 ㄱ. 음력 16일경에 달의 위상은 보름달(망)에 가깝다.

ㄴ. 이 날 오전 6시경부터는 썰물이 나타나 해수면이 낮아졌다가 정오 무렵부터 오후 6시 정도까지 밀물이 나타나 해수면이 높아졌다.

ㄷ. 조차는 망이나 삭일 때 가장 크게 나타난다. 이 날은 망 무렵이므로 다음 날부터는 조차가 감소할 것이다.

| 도움이 되는 배경 지식 | 달의 위상과 조차
삭이나 보름달(망)일 때 조차가 가장 크고, 상현달, 하현달일 때 조차가 가장 작다.

8 ㄱ. 만조에서 만조 혹은 간조에서 간조가 나타나는 주기는 약 12시간 25분이다.

ㄴ. 5일경에는 조차가 가장 크게 나타나므로 사리 때이며, 망 또는 삭일 때이다.

ㄷ. 10일경에는 조차가 작게 나타나므로 태양, 지구, 달이 수직으로 배열되었을 것이다. 따라서 이때에는 상현달이나 하현달이 관측된다.

창의·사고력 향상 문제   2권 173쪽~175쪽

1 **문제 해결 가이드** 지구 전체 해양의 (강수량−증발량) 값을 구하고, 물수지가 평형을 이루기 위해 육지에서 해양으로 이동하는 물의 양을 설명한다.

• 북반구 해양과 남반구 해양의 (강수량−증발량) 값을 더한다. ••(강수량−증발량) 값이 음의 값이면 육지에서 해양으로 물이 이동해야 물수지가 평형을 이루며, 육지에서 해양으로 이동하는 물의 형태는 지하수 또는 하천수가 있음을 설명한다.

모범 답안 북반구와 남반구 해양의 (강수량−증발량)의 합은 −1.25이므로 강수량보다 증발량이 많아 물의 부족이 나타나는데, 이는 담수가 유입됨으로써 평형을 유지한다. 따라서 육지에서 하천수나 지하수를 통해 1.25만큼의 물이 해양으로 이동한다.

채점 기준	배점
(강수량−증발량)의 값을 구하고 이동하는 물의 양과 형태를 옳게 설명한 경우	100%
세 가지 요소 중 한 가지만 맞은 경우	50%

2 문제 해결 가이드 위도에 따라 해수의 층상 구조가 어떻게 나타나는지 설명한다.

• 저위도는 중위도에 비해 도달하는 태양 복사 에너지양이 많다는 점 ••저위도는 중위도에 비해 바람이 약하게 분다는 점 •••중위도는 바람이 강하게 불어 혼합층이 두껍게 발달하고, 고위도는 해수의 층상 구조가 나타나지 않는 점을 고려하여 답한다.

모범 답안 A는 저위도, B는 중위도, C는 고위도이다. B는 A보다 태양 복사 에너지의 양이 적기 때문에 표층 수온이 낮게 나타나고, 바람이 강하기 때문에 혼합층이 두껍게 나타난다.

채점 기준	배점
측정 위도를 쓰고, A와 B에서 층상 구조의 차이가 나타나는 까닭을 옳게 설명한 경우	100%
측정 위도만 옳게 쓴 경우	50%

3 문제 해결 가이드 염분의 정의와 염분비 일정 법칙의 정의를 이용하여 설명한다.

• 염분은 해수 1 kg에 들어 있는 염류의 총 g 수라는 점 ••해역에 따라 염분은 달라도 염류들의 상호 비율은 같다는 것이 염분비 일정 법칙이라는 점을 고려하여 답한다.

모범 답안 북극해의 염분은 30 psu이고, 동해의 염분은 33 psu이다. 두 해역에서 염화 나트륨이 차지하는 비율은 각각 $\frac{23.3\,g}{30\,g}$ ≒0.78, $\frac{25.6\,g}{33\,g}$ ≒0.78로 같게 나타나므로 염분비 일정 법칙이 성립한다.

채점 기준	배점
두 해역의 염분을 구하고, 염화 나트륨의 비율을 옳게 비교한 경우	100%
염분만 옳게 구한 경우	50%

4 문제 해결 가이드 해수의 표층 염분에 영향을 주는 요인을 이용하여 설명한다.

• 여름철에는 겨울철보다 강수량이 많다는 점 ••황해는 동해보다 하천수의 유입이 많다는 점 •••강수량이 많고 하천수의 유입이 많을수록 염분이 낮게 나타남을 설명한다.

모범 답안 여름철에는 겨울철보다 강수량이 많기 때문에 염분이 낮게 나타난다. 황해는 대륙으로 둘러싸여 있기 때문에 대륙에서 흘러나오는 하천수의 영향을 받아 동해보다 염분이 낮게 나타난다.

채점 기준	배점
여름철과 황해에서 염분이 낮은 까닭을 모두 옳게 설명한 경우	100%
여름철과 황해에서 염분이 낮은 까닭 중 한 가지만 옳게 설명한 경우	50%

5 문제 해결 가이드 조경 수역의 정의를 고려하여 조경 수역의 위치 변화를 설명한다.

• 조경 수역은 한류와 난류가 만나는 해역으로, 우리나라 동해에서는 동한 난류와 북한 한류가 만나서 형성된다는 점 ••여름에는 동한 난류의 세력이 강해지고, 겨울에는 북한 한류의 세력이 강해짐에 따라 조경 수역의 위치가 여름에는 북상하고, 겨울에는 남하함을 설명한다.

모범 답안 여름철에는 난류의 세력이 강해지기 때문에 조경 수역이 겨울철에 비해 높은 위도에서 나타난다. 조경 수역은 난류와 한류가 만나 영양 염류와 플랑크톤이 풍부하고, 난류성 어종과 한류성 어종이 함께 존재하므로 좋은 어장이 형성된다.

채점 기준	배점
조경 수역의 위치 변화와 좋은 어장이 형성되는 까닭을 모두 옳게 설명한 경우	100%
두 가지 중 한 가지만 옳게 설명한 경우	50%

6 문제 해결 가이드 한 달 동안 해수면의 높이 변화를 관찰하면 주기적으로 변하는 것을 알 수 있다.

• 한 달 중 조차가 가장 크게 나타나는 시기를 사리, 가장 작게 나타나는 시기를 조금이라고 한다는 점 ••망과 삭일 때 사리가, 상현과 하현일 때 조금이 나타난다는 점을 설명한다.

모범 답안 A, C는 조금이고, B, D는 사리이다. 반달이 뜰 때는 만조와 간조의 물 높이 차이가 가장 작은 조금이 나타나고, 보름달이나 삭일 때는 물 높이 차이가 가장 큰 사리가 나타난다.

채점 기준	배점
A~D일 때 해수면의 높이 차이를 달의 모양과 관련지어 옳게 설명한 경우	100%
A~D일 때 해수면의 높이 차이만 설명한 경우	50%

VIII 열과 우리 생활

01 열의 이동

학습 내용 Check

2권 182쪽	1 온도	2 활발해, 둔해
	3 높, 낮	4 열평형
2권 183쪽	1 전도	2 열
	3 복사	4 단열

탐구 확인 문제
2권 184쪽

1 (1) 낮아 (2) 열평형   **2** ④   **3** ④

1 온도가 다른 두 물체를 접촉하였을 때 열을 잃은 물체는 온도가 낮아지고, 열을 얻은 물체는 온도가 높아진다. 그리고 접촉한 시간이 충분히 지나면 두 물체는 온도가 같아지는 열평형 상태가 된다.

2 금속 캔 속 물에서 열량계 속 물로 열이 이동하므로 금속 캔 속 물은 열을 잃어 온도가 낮아지고, 열량계 속 물은 열을 얻어 온도가 높아진다. 그리고 약 14분 후부터 두 물의 온도가 같아져서 열이 이동하지 않는 열평형 상태가 되었다.

3 고온의 물체에서 저온의 물체로 열이 이동하여 두 물체의 온도가 같아지는 열평형 상태가 되면 더 이상 열이 이동하지 않는다. 두 물체가 열평형 상태일 때의 온도는 고온의 물체의 처음 온도보다 낮고, 저온의 물체의 처음 온도보다 높다.

개념 확인 문제
2권 186쪽~188쪽

01 ③	02 ③	03 ⑤	04 ③	05 ①
06 ⑤	07 ⑤	08 ④	09 ①	
10 열평형 상태		11 ⑤	12 ⑤	13 ⑤
14 ㄴ	15 ③	16 ③	17 ②	18 ④

01 온도는 물체의 따뜻하고 차가운 정도를 수치로 나타낸 것으로, 물체를 이루는 입자의 운동이 활발할수록 물체의 온도가 높다. 물체는 열을 얻으면 온도가 높아지며, 사람의 손으로는 온도를 정확하게 측정할 수 없으므로 정확하게 측정하려면 온도계로 측정하여야 한다.

02 온도는 물체의 따뜻하고 차가운 정도를 수치로 나타낸 것으로, 물체의 입자 운동의 활발한 정도를 나타낸 것이다. 온도가 높은 물체에서 낮은 물체로 이동하는 에너지가 열이므로 열을 잃은 물체의 온도는 낮아진다. 절대 온도(K)=섭씨온도($℃$)+273이므로 90 $℃$인 물의 온도를 구하면 90($℃$)+273=363(K)에서 90 $℃$는 절대 온도로 363 K이다.

03
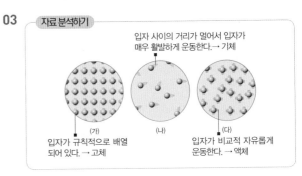

①, ② (가)는 고체 상태, (나)는 기체 상태, (다)는 액체 상태를 나타낸다.
③, ⑤ 물질을 이루는 입자의 움직임을 입자 운동이라고 한다. 물체가 열을 얻어 온도가 높아질수록 입자 운동은 더 활발해지고, 물체가 열을 잃어 온도가 낮아질수록 입자 운동은 둔해진다.
④ 액체보다 기체의 입자 운동이 더 활발하다.

04 온도는 물체를 이루는 입자의 운동이 활발한 정도를 나타낸다.
①, ② (가)는 (나)보다 입자 운동이 더 활발하므로 물의 온도가 더 높다.
③ 열을 잃으면 온도가 낮아지므로 입자 운동이 둔해진다. (가)의 물이 열을 잃어 온도가 낮아지면 입자 운동이 둔해진다.
④ 물의 온도가 높을수록 입자 사이의 간격이 넓다.
⑤ (나)의 온도가 높아지면 입자 운동이 더 활발해진다.

05 고온의 물체 A는 열을 잃어 온도가 낮아지면서 입자 운동이 점점 둔해지고, 저온의 물체 B는 열을 얻어 온도가 높아지면서 입자 운동이 점점 활발해진다. 이때 A에서 B로 열(㉠)이 이동한다.

06 온도가 다른 두 물체가 접촉하였을 때 고온의 물체에서 저온의 물체로 열이 이동하며, 열을 잃은 물체는 온도가 낮아지고 입자 운동이 점점 둔해진다. A와 B를 접촉하면 B의 온도가 높아지므로 처음 온도는 A>B이며, C와 B를 접촉하면 B의 입자 운동이 둔해지므로 처음 온도는 B>C이다. 또, A와 D를 접촉했을 때 열이 D에서 A로 이동하므로 처음 온도는 D>A이다.

07 온도가 높은 금속 캔 속 물에서 온도가 낮은 열량계 속 물로 열이 이동하여 금속 캔 속 물의 온도는 점점 낮아져 입자 운동이 둔해지고, 열량계 속 물의 온도는 점점 높아져 입자 운동이 활발해진다. 그리고 시간이 충분히 지나면 두 물의 온도가 같아지는 열평형 상태가 된다.

08 금속 캔 속의 뜨거운 물은 열을 잃어 온도가 낮아지고, 열량계 속의 찬물은 열을 얻어 온도가 높아진다. 시간이 충분히 지나면 금속 캔 속의 물과 열량계 속의 물의 온도가 같아지는 열평형 상태가 된다.

09 시간이 충분히 지나면 냉장고 속 2 ℃의 공기와 세 물체가 열평형 상태가 되므로 세 물체의 온도는 모두 2 ℃가 된다.

10 접촉한 달걀과 물의 온도가 같아진 것처럼 서로 접촉한 두 물체의 온도가 같아져 물체의 온도가 더 이상 변하지 않는 상태를 열평형 상태라고 한다.

11 자료 분석하기

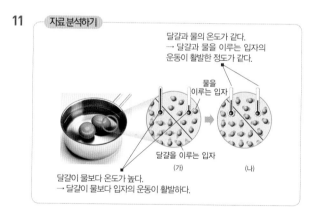

달걀과 물의 온도가 같다.
→ 달걀과 물을 이루는 입자의 운동이 활발한 정도가 같다.

물을 이루는 입자

달걀을 이루는 입자
(가)　　(나)

달걀이 물보다 온도가 높다.
→ 달걀이 물보다 입자의 운동이 활발하다.

①, ② 온도가 높은 달걀에서 온도가 낮은 물로 열이 이동하므로 달걀은 열을 잃고, 물은 열을 얻는다. 즉, (가)의 물은 열을 얻어 물의 온도가 점점 높아진다.
③, ④ (가)에서는 달걀에서 물로 열이 이동하므로 달걀을 이루는 입자의 운동이 점점 둔해진다.
⑤ (나)는 열평형 상태이므로 달걀과 물을 이루는 입자의 운동이 활발한 정도가 같다.

12 자료 분석하기

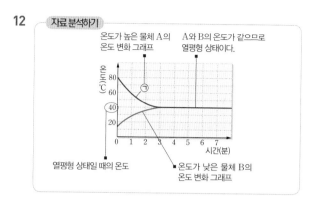

온도가 높은 물체 A의 온도 변화 그래프
A와 B의 온도가 같으므로 열평형 상태이다.
열평형 상태일 때의 온도
온도가 낮은 물체 B의 온도 변화 그래프

A의 온도 변화는 40 ℃, B의 온도 변화는 약 25 ℃이므로 A의 온도 변화가 B의 온도 변화보다 크다. 외부와의 열 출입이 없으면 열평형 상태가 될 때까지 고온의 물체가 잃은 열량과 저온의 물체가 얻은 열량은 같다.

13 금속 막대를 가열하면 가열한 부분의 입자가 활발하게 움직이면서 이웃한 입자에 차례로 전달되어 금속 막대를 따라 열이 이동한다.

14 전도는 주로 고체에서의 열의 이동 방법으로 온도가 높은 입자의 운동이 온도가 낮은 입자에 차례로 전달된다.
ㄱ. 전도에 의해 전기장판에서 몸으로 열이 전달된다.
ㄴ. 몸을 이루는 입자가 열을 얻어 온도가 올라가면 입자 운동이 활발해진다.
ㄷ. 전기장판을 이루는 입자의 운동이 몸을 이루는 입자에 전달되어 열이 이동한다.

15 아래에 있던 뜨거운 물은 위로 올라가고, 위에 있던 찬물은 아래로 내려오면서 두 물이 섞인다. 대류는 기체나 액체에서 입자가 직접 이동하며 열을 전달하는 방법이다.

16 태양에서 방출된 열은 열이 직접 이동하는 복사에 의해 지구에 전달된다.

17 단열재는 주택 등에서 단열을 할 목적으로 쓰이는 재료로, 전도가 잘 일어나지 않는 물질인 스타이로폼, 양모, 유리 섬유 등을 사용한다.

18 옥상 녹화를 하면 물과 흙에 있던 물이 증발하면서 주변의 열을 흡수하므로 실내 온도를 낮춰 준다.

실력 강화 문제
2권 189쪽

01 ③　　**02** ④　　**03** ④　　**04** ①

01 　**자료 분석하기**

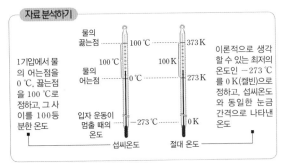

1기압에서 물의 어는점을 0 ℃, 끓는점을 100 ℃로 정하고, 그 사이를 100등분한 온도

물의 끓는점 100 ℃ ── 373 K

100 ℃ ── 100 K

물의 어는점 0 ℃ ── 273 K

입자 운동이 멈출 때의 온도 ── −273 ℃ ── 0 K

섭씨온도　　절대 온도

이론적으로 생각할 수 있는 최저의 온도인 −273 ℃를 0 K(켈빈)으로 정하고, 섭씨온도와 동일한 눈금 간격으로 나타낸 온도

섭씨온도는 일상생활에서 주로 사용하는 온도로 단위는 ℃(섭씨)를 사용하며, 절대 온도는 국제단위계에서 사용하는 온도로 단위는 K(켈빈)을 사용한다. 절대 온도(K)＝섭씨온도(℃)＋273으로 입자 운동이 완전히 멈출 때의 온도는 절대 온도 0 K에 해당하고, 섭씨온도 −273 ℃에 해당한다.

02 금속이 열을 잃어 입자 운동이 둔해졌으므로 열이 고온의 금속에서 저온의 물로 이동한 것이다. 따라서 금속과 물이 접촉한 후 시간이 충분히 지나면 (나)에서 열평형 상태가 되어 둘의 온도가 같아진다.
① 물의 온도는 처음보다 높아진다.
② 물은 열을 얻고, 금속은 열을 잃는다.
③ 금속의 온도는 처음보다 낮아진다.
④ (나)는 열평형 상태이므로 금속과 물의 온도는 같다.
⑤ 물을 이루는 입자의 운동은 시간이 충분히 지나면 처음보다 활발해진다.

03 전도는 물체를 이루는 입자의 운동이 이웃한 입자에 전달되어 열이 이동하는 방법이다. 열이 전도되는 빠르기는 물질에 따라 다르며, 금속 물체가 금속이 아닌 물체보다 열을 더 잘 전달한다. 구리−알루미늄−유리 순으로 시온 스티커의 색이 변하였으므로 구리−알루미늄−유리 순으로 열이 빠르게 전도된다.

04 　**자료 분석하기**

가열된 부분의 물은 부피가 커지면서 밀도가 작아져 위로 올라간다.

빈 공간을 채우기 위해 물이 왼쪽으로 이동한다.

잉크를 탄 물이 시계 방향으로 순환한다.

ㄱ, ㄴ. 가열된 부분의 물은 입자 운동이 활발해지면서 부피가 커지므로 주변의 물보다 밀도가 작아져 위로 올라가고, 위에 있던 물은 아래로 내려오면서 시계 방향으로 순환을 한다.
ㄷ. 물을 이루는 입자가 직접 이동하여 열을 전달한다.

서술형 문제　　　　　　　　　　2권 190쪽~191쪽

1 따뜻한 물에 담갔던 손을 미지근한 물에 담그면 손에서 물로 열이 이동하여 미지근한 물이 실제보다 더 차갑게 느껴지고, 차가운 물에 담갔던 손을 미지근한 물에 담그면 물에서 손으로 열이 이동하여 미지근한 물이 실제보다 더 따뜻하게 느껴진다.

모범 답안 (1) 오른손은 미지근한 물이 실제보다 차갑게 느껴지고, 왼손은 미지근한 물이 실제보다 따뜻하게 느껴진다.
(2) 사람의 손은 조건에 따라 물의 온도가 다르게 느껴질 수 있으므로 물의 온도를 정확하게 측정할 수 없다.

	채점 기준	배점
(1)	두 손이 느끼는 물의 따뜻하고 차가운 정도를 옳게 설명한 경우	50 %
	한 손만 옳게 설명한 경우	25 %
(2)	물의 온도를 정확하게 측정할 수 없는 까닭을 옳게 설명한 경우	50 %
	정확하게 측정할 수 없다고만 쓴 경우	25 %

2 온도는 물체를 이루는 입자의 운동이 활발한 정도를 나타낸다. 온도가 높아지면 물체의 입자 운동이 활발해진다.

모범 답안 (1)

(2) 물의 온도는 물 입자의 운동이 활발한 정도를 나타낸다. 물 입자의 운동이 활발할수록 물의 온도가 높아진다. 등

	채점 기준	배점
(1)	속력이 빨라지는 모습을 옳게 그린 경우	40 %
(2)	물의 온도와 물 입자의 운동과의 관계를 옳게 설명한 경우	60 %
	온도와 입자 운동은 관계가 있다고만 설명한 경우	30 %

3 고온의 물체에서 저온의 물체로 열이 이동하여 열을 잃은 고온의 물체는 온도가 낮아지고, 열을 얻은 저온의 물체는 온도가 높아지므로 시간이 충분히 흐르면 열평형 상태가 되어 두 물체의 온도가 같아진다.

모범 답안 뜨거운 달걀에서 찬물로 열이 이동하여 열을 잃은 달걀의 온도는 낮아지고, 열을 얻은 물의 온도는 높아지므로 시간이 흐르면 달걀과 물이 열평형 상태가 된다.

채점 기준	배점
달걀과 물의 온도 변화를 열의 이동과 관련지어 옳게 설명한 경우	100 %
온도가 같아진다고만 설명한 경우	40 %

4 차가운 공기와 자전거가 접촉한 상태에서 시간이 충분히 지나면 열평형 상태가 되어 자전거의 온도가 공기의 온도와 같아진다. 손으로 잡았을 때 고무 부분과 금속 부분의 온도가 다르게 느껴지는 까닭은 고무 부분이 금속 부분보다 열전도가 느리기 때문이다.

모범 답안 두 부분의 온도는 같다. 고무 손잡이 부분과 금속 부분이 모두 밖의 공기와 열평형 상태이기 때문이다.

채점 기준	배점
온도가 같다고 쓰고, 공기와의 열평형과 관련지어 옳게 설명한 경우	100 %
온도가 같다고만 쓴 경우	50 %

5 에어컨에서 나온 차가운 공기는 주변 공기보다 밀도가 커서 아래로 내려가고, 바닥에 있던 뜨거운 공기가 위로 올라가며 공기 전체가 순환하여 방 안이 시원해진다.

모범 답안 에어컨에서 나온 차가운 공기가 아래로 내려가고, 뜨거운 공기가 위로 올라가면서 대류가 잘 일어나 방 안 전체가 시원해지기 때문이다.

채점 기준	배점
차가운 공기와 뜨거운 공기의 움직임과 관련지어 대류 현상을 옳게 설명한 경우	100 %
대류가 잘 일어난다고만 설명한 경우	50 %

6

자료 분석하기

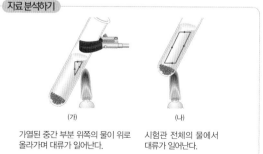

(가) 가열된 중간 부분 위쪽의 물이 위로 올라가며 대류가 일어난다.

(나) 시험관 전체의 물에서 대류가 일어난다.

가열된 물이 위쪽으로 이동하므로 (가)에서는 시험관 중간 부분보다 위쪽으로 물의 대류가 일어나고, (나)에서는 시험관 전체에서 물의 대류가 일어난다.

모범 답안 (가)에서 가열된 물의 중간 부분이 위로 이동하면서 시험관의 중간 부분부터 대류가 일어나므로 톱밥이 움직이지 않고, (나)에서 가열된 물의 맨 아래쪽 부분이 위로 올라가면서 시험관 전체에서 대류가 일어나므로 톱밥이 위아래로 움직인다.

채점 기준	배점
두 톱밥의 움직임을 그 까닭과 함께 옳게 설명한 경우	100 %
두 톱밥의 움직임만 설명하거나 한쪽 실험관 톱밥의 움직임만 옳게 설명한 경우	50 %

7

자료 분석하기

열의 이동 방법을 교실에서 책을 뒤쪽으로 전달하는 경우에 비유하면 학생이 입자, 책이 열에 비유된다.

뒤쪽에 책이 직접 전달된다. → 복사 ── (가)
책이 학생 개개인에게 전달된다. → 전도 (나)
책을 들고 직접 학생이 이동하여 전달된다. → 대류 (다)

모범 답안 (가), 학생들이 떨어져 있는 상태에서 책만 전달되므로 열이 물질의 도움 없이 직접 이동하는 방법인 복사에 해당한다.

채점 기준	배점
(가)를 쓰고, 책의 전달 과정을 열이 복사의 방법으로 전달되는 과정과 관련지어 옳게 설명한 경우	100 %
(가)만 쓴 경우	50 %

8 이중벽 사이를 진공으로 만들면 전도와 대류에 의한 열의 이동을 막을 수 있고, 보온병 내부에 은도금을 하면 내부에서 반사가 일어나므로 복사에 의한 열의 이동을 막을 수 있다.

모범 답안 (1) 전도와 대류에 의한 열의 이동을 막기 위하여 이중벽 사이를 진공으로 만든다.

(2) 복사에 의한 열의 이동을 막기 위하여 유리병의 안쪽 면에 은도금을 한다.

	채점 기준	배점
(1)	진공이 전도와 대류에 의한 열의 이동을 차단하는 것을 옳게 설명한 경우	50 %
	열의 이동을 막는다고만 쓴 경우	25 %
(2)	은도금을 한 면이 복사에 의한 열의 이동을 차단하는 것을 옳게 설명한 경우	50 %
	열의 이동을 막는다고만 쓴 경우	25 %

02 비열과 열팽창

학습 내용 Check

2권 193쪽 **1** 비열 **2** kcal/(kg·℃)
3 작 **4** 크

2권 195쪽 **1** 열팽창 **2** 액체, 고체
3 활발해, 멀어 **4** 바이메탈

탐구 확인 문제
2권 196쪽

1 (1) 1 (2) 크 **2** (1) × (2) × (3) ○ **3** ④

1 (1) 어떤 물질 1 kg의 온도를 1 ℃만큼 변화시키는 데 필요한 열량을 비열이라고 한다.
(2) 질량과 열량이 같으면 비열이 작은 물질일수록 온도 변화가 크다.

2 (1) 물보다 콩기름의 온도 변화가 크다.
(2) 같은 질량의 물질에 같은 열량을 가할 때 온도 변화는 비열에 반비례하므로 온도 변화가 큰 콩기름의 비열이 물의 비열보다 작다.
(3) 온도 변화를 같게 하려면 비열이 큰 물질에 더 많은 열량을 가해야 하므로 콩기름보다 물에 더 많은 열량을 가해야 한다.

3 0~5분 동안 같은 세기의 불꽃으로 가열했으므로 A와 B가 얻은 열량은 같다. 또한 비열은 온도 변화에 반비례하므로 0~5분 동안 A의 온도 변화가 B의 2배이므로 비열은 B가 A의 2배이다. 온도가 60 ℃가 되는 데 걸린 시간은 B가 A보다 길다.

탐구 확인 문제
2권 197쪽

1 (1) 팽창 (2) 클 **2** (1) ○ (2) × **3** ⑤

1 (1) 온도에 따라 물체의 길이나 부피가 변하는 현상을 열팽창이라고 한다.
(2) 온도가 높아지면 물체의 부피가 팽창하고, 온도가 낮아지면 물체의 부피가 수축하는데, 열팽창 정도가 클수록 더 많이 변한다.

2 (1) 금속 막대의 온도가 높아지면 금속 막대가 열팽창하여 길이가 늘어나며, 열팽창 정도가 큰 금속일수록 길이가 많이 늘어난다.
(2) 액체의 온도가 높아지면 부피가 팽창하여 유리관 속 액체의 높이가 올라가며, 열팽창 정도가 큰 액체일수록 유리관 속 액체의 높이가 많이 올라간다.

3 열팽창 정도가 큰 물질일수록 온도가 높아지면 길이와 부피가 많이 늘어나고, 온도가 낮아지면 길이와 부피가 많이 줄어든다. 따라서 여러 가지 금속의 온도를 높였을 때 금속이 늘어난 길이가 알루미늄>놋쇠>강철>백금 순이므로 열팽창 정도는 알루미늄>놋쇠>강철>백금 순이고, 금속을 냉각시키면 알루미늄>놋쇠>강철>백금 순으로 길이가 많이 줄어든다.

집중 분석
2권 198쪽

연습 문제

01 0.1 kcal/(kg·℃) **02** 1 kcal/(kg·℃) **03** 2 kg
04 1 kg **05** 10 ℃

01 500 g은 0.5 kg이므로
$$비열=\frac{열량}{질량×온도 변화}=\frac{2\ kcal}{0.5\ kg×40\ ℃}$$
$=0.1\ kcal/(kg·℃)$이다.

02 액체의 온도 변화가 35 ℃−10 ℃=25 ℃이므로
$$비열=\frac{열량}{질량×온도 변화}=\frac{5\ kcal}{0.2\ kg×25\ ℃}$$
$=1\ kcal/(kg·℃)$이다.

03 $$질량=\frac{열량}{비열×온도 변화}=\frac{10\ kcal}{0.5\ kcal/(kg·℃)×10\ ℃}$$
$=2\ kg$이다.

04 고체의 온도가 5 ℃에서 처음의 3배인 15 ℃가 되었으므로 온도는 10 ℃ 변하였다.
$$질량=\frac{열량}{비열×온도 변화}=\frac{2\ kcal}{0.2\ kcal/(kg·℃)×10\ ℃}$$
$=1\ kg$

05 $$온도 변화=\frac{열량}{비열×질량}=\frac{10\ kcal}{0.2\ kcal/(kg·℃)×5\ kg}$$
$=10\ ℃$이므로 온도가 10 ℃ 상승한다.

01 ④	**02** ②	**03** ④	**04** ③	**05** ③
06 ④	**07** ②	**08** ④	**09** ④	**10** ④
11 ④	**12** ③	**13** ④	**14** ㄱ, ㄷ	**15** ⑤
16 B	**17** ④			

01 ① 비열의 단위는 kcal/(kg·℃)나 J/(kg·℃) 등을 사용한다.

②, ③ 비열은 물질마다 고유한 값을 가지므로, 물질에 따라 비열은 다르다.

④ 같은 질량의 두 물질에 같은 양의 열을 가하면 비열이 큰 물질이 작은 물질에 비해 온도 변화가 작다. 즉, 비열은 온도 변화에 반비례한다.

⑤ 비열은 어떤 물질 1 kg을 1 ℃만큼 변화시키는 데 필요한 열량이다.

02 비열은 물질마다 고유한 값을 가지므로 물질의 특성이다. 물의 비열은 1 kcal/(kg·℃)이므로 물 1 kg을 1 ℃ 높이는 데 1 kcal의 열량이 필요하고, 물 1 kg을 10 ℃ 높이는 데 10 kcal의 열량이 필요하다.

03 콩기름의 비열은 0.4 kcal/(kg·℃)이므로 콩기름 1 kg을 1 ℃ 높이는 데 0.4 kcal의 열량이 필요하고, 콩기름 100 g(=0.1 kg)을 1 ℃ 높이는 데 0.04 kcal의 열량이 필요하다. 물이 콩기름보다 비열이 크므로 같은 온도만큼 높일 때 물이 콩기름보다 더 많은 열량이 필요하다. 따라서 가열 시간은 물이 더 길다.

04 열량＝비열×질량×온도 변화이므로, 비열＝$\dfrac{열량}{질량×온도 변화}$ 이다. 따라서 비열을 구하기 위해서는 물체의 질량과 온도 변화를 알아야 하고, 물체가 얻거나 잃은 열량도 알아야 한다.

05 물의 비열이 1 kcal/(kg·℃)이고 열량＝비열×질량×온도 변화이므로, 물 100 g＝0.1 kg의 온도를 70 ℃−20 ℃＝50 ℃ 높이는 데 필요한 열량은 1 kcal/(kg·℃)×0.1 kg×50 ℃＝5 kcal이다.

06 열량＝비열×질량×온도 변화이고, 0.2 kg인 액체의 온도가 10 ℃에서 50 ℃가 되었으므로

비열＝$\dfrac{열량}{질량×온도 변화}＝\dfrac{4 \text{ kcal}}{0.2 \text{ kg}×(50 \text{ ℃}−10 \text{ ℃})}$

＝0.5 kcal/(kg·℃)이다.

07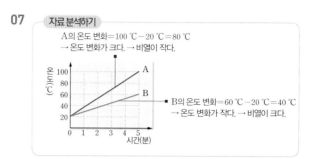

자료 분석하기

A의 온도 변화＝100 ℃−20 ℃＝80 ℃
→ 온도 변화가 크다. → 비열이 작다.

B의 온도 변화＝60 ℃−20 ℃＝40 ℃
→ 온도 변화가 작다. → 비열이 크다.

질량과 열량이 같으면 온도 변화는 비열에 반비례하므로 비열이 작은 물질일수록 온도 변화가 크다. A의 온도는 20 ℃에서 100 ℃로 80 ℃ 상승하였고 B의 온도는 20 ℃에서 60 ℃로 40 ℃ 상승하였으므로 비열의 비 A : B＝$\dfrac{1}{80 \text{ ℃}} : \dfrac{1}{40 \text{ ℃}}$＝1 : 2이다.

08 막대를 가열하면 막대의 온도가 높아진다. 금속 막대의 온도가 높아지면 금속 막대를 이루는 입자의 운동이 활발해지면서 입자 사이의 거리가 멀어지기 때문에 금속 막대의 길이와 부피가 늘어난다.

09 금속 막대의 온도가 높아지면 열팽창하여 길이와 부피가 늘어나고, 온도가 낮아지면 길이와 부피가 줄어든다. 열팽창하는 정도가 큰 금속 막대일수록 가열하면 길이가 많이 늘어나고, 냉각하면 길이가 많이 줄어든다. 따라서 온도가 낮아지면 가열했을 때 가장 많이 팽창한 알루미늄이 가장 많이 수축해 길이 변화가 가장 크다.

10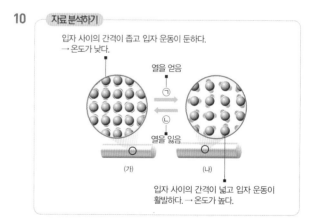

자료 분석하기

입자 사이의 간격이 좁고 입자 운동이 둔하다.
→ 온도가 낮다.

열을 얻음 ㉠

열을 잃음 ㉡

(가) (나)

입자 사이의 간격이 넓고 입자 운동이 활발하다. → 온도가 높다.

고체와 액체는 물질마다 열팽창 정도가 다르다. (가)와 (나) 중에서 입자 사이의 거리가 조금 더 가깝고 입자 운동이 둔한 (가)의 온도가 낮고, 입자 사이의 거리가 조금 더 멀고 입자 운동이 활발한 (나)의 온도가 높다. 따라서 ㉠은 열을 얻으며 팽창하는 과정이고, ㉡은 열을 잃으며 수축하는 과정이다.

11

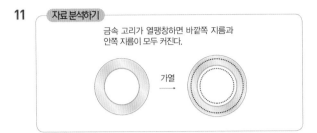

금속 고리가 열팽창하면 바깥쪽 지름과
안쪽 지름이 모두 커진다.

가열 →

금속 고리를 가열하면 금속 고리가 열팽창하여 부피가 커지므로 금속 고리의 안쪽 원과 바깥쪽 원의 지름이 모두 커진다.

12

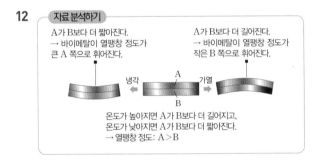

A가 B보다 더 짧아진다.
→ 바이메탈이 열팽창 정도가
큰 A 쪽으로 휘어진다.

A가 B보다 더 길어진다.
→ 바이메탈이 열팽창 정도가
작은 B 쪽으로 휘어진다.

냉각 ←   A
        B   ← 가열

온도가 높아지면 A가 B보다 더 길어지고,
온도가 낮아지면 A가 B보다 더 짧아진다.
→ 열팽창 정도: A>B

열팽창 정도가 큰 금속일수록 온도가 높아지면 길이가 많이 늘어나고, 온도가 낮아지면 길이가 많이 줄어든다. 이러한 금속의 열팽창 정도 차이를 이용하여 온도가 변할 때 휘는 방향이 달라지는 바이메탈을 만든다. 바이메탈은 자동 온도 조절기, 화재경보기 등에 사용한다.

13 여름에 다리의 온도가 높아지면 다리가 열팽창하여 길이가 길어지므로 다리 이음매 틈이 좁아지면서 다리가 휘어지는 것을 방지한다. (가)는 겨울에, (나)는 여름에 본 다리 이음매의 모습이다.

14 액체의 온도가 높아지면 물질을 이루는 입자의 운동이 활발해져서 입자 사이의 거리가 멀어지기 때문에 액체의 부피가 팽창한다.
ㄱ. ㉠ 과정에서 입자는 열을 얻어 활발해진다.
ㄴ. ㉡ 과정에서 액체의 부피가 수축한다.
ㄷ. 액체의 종류에 따라 팽창하는 정도가 다르다.

15 ① 열팽창하는 정도가 큰 액체일수록 유리관 속의 수면이 많이 올라가므로 B의 열팽창 정도가 가장 크다.
② B가 C보다 부피가 더 많이 팽창한다.
③ 액체는 물질에 따라 열팽창 정도가 다르다.
④ (가)보다 (나)에서 액체 입자의 운동이 활발하다.
⑤ 음료수 병에 음료수를 가득 채우면 온도가 높을 때 흘러 넘칠 수 있으므로 가득 채우지 않는다.

16 열팽창 정도가 큰 액체일수록 온도가 높아지면 부피가 많이 커지고, 온도가 낮아지면 부피가 많이 작아진다. 따라서 열팽창 정도가 가장 큰 B의 수면이 가장 많이 내려간다.

17 ① 열팽창 정도는 기체>액체>고체 순으로 크다.
② 기체는 물질에 관계없이 열팽창하는 정도가 모두 같다.
③ 열팽창하는 정도가 클수록 부피가 많이 팽창한다.
④ 온도가 높아지면 물질을 이루는 입자 운동이 활발해지므로 입자 사이의 거리가 멀어진다.
⑤ 고체와 액체는 물질에 따라 열팽창하는 정도가 모두 다르다.

실력 강화 문제

2권 203쪽

01 ③ **02** ⑤ **03** ② **04** ④

01 열량＝비열×질량×온도 변화이고, (100 °C의 물이 잃은 열량)＝(20 °C의 물이 얻은 열량)이므로 열평형 상태일 때의 온도를 t라고 하면, $1×0.1×(100-t)=1×0.3×(t-20)$에서 $t=40$ °C이다.

02 ① 열량＝비열×질량×온도 변화이므로 $1 \text{ kcal}=1.0×0.1×t$에서 온도 변화 $t=10$ °C이다.
②, ⑤ 열량이 같으면 온도 변화는 (비열×질량)에 반비례한다. (비열×질량)이 A는 0.1, B는 0.06이므로 온도 변화의 비 $A:B=\dfrac{1}{0.1}:\dfrac{1}{0.06}=3:5$이다.
③ 열량＝비열×질량×온도 변화이므로 $Q=0.3×0.2×50$에서 필요한 열량 $Q=3 \text{ kcal}$이다.
④ 온도 변화가 같을 때 열량은 (비열×질량)에 비례하므로 A는 C보다 2배의 열량이 필요하다.

03 ㄱ. 열팽창 정도는 알루미늄이 가장 크므로 온도를 높일 때 가장 많이 늘어나는 것은 알루미늄이다.
ㄴ. 열팽창 정도는 알루미늄이 가장 크므로 온도를 낮출 때 가장 많이 줄어드는 것은 알루미늄이다.
ㄷ. 강철이 1000 m일 때 1℃ 높이면 11 mm 늘어나므로 1 m일 때 1℃ 높이면 0.011 mm가 늘어난다. 따라서 1 m를 30 ℃ 높이면 0.011 mm×30＝0.33 mm만큼 늘어난다.

04 액체인 알코올이 고체인 유리관보다 열팽창 정도가 크기 때문에 온도가 변하면 알코올이 유리보다 부피가 더 많이 늘어나거나 줄어들어 온도계의 눈금이 변한다.

1 비열이 큰 물질일수록 가열할 때는 온도가 천천히 높아지고, 냉각할 때는 온도가 천천히 낮아진다.

모범 답안 무쇠보다 돌을 이루는 물질의 비열이 커서 온도가 잘 변하지 않기 때문이다.

채점 기준	배점
무쇠와 돌의 비열과 온도 변화의 관계를 옳게 설명한 경우	100 %
비열의 크기만 비교한 경우	50 %

2 (1) 열량=비열×질량×온도 변화=0.09 kcal/(kg·℃) ×1 kg×50 ℃=4.5 kcal

(2) 질량과 열량이 같으면 온도 변화는 비열에 반비례한다.

모범 답안 (1) 4.5 kcal

(2) A, 질량과 열량이 같으면 온도 변화는 비열에 반비례하므로 비열이 작은 물질일수록 온도 변화가 크다.

	채점 기준	배점
(1)	4.5 kcal라고 쓴 경우	40 %
(2)	A라고 쓰고, 비열과 온도 변화를 관련지어 그 까닭을 옳게 설명한 경우	60 %
	A라고 쓰고, 비열이 작기 때문이라고만 설명한 경우	40 %

3 5분 동안 가열할 때 A의 온도 변화는 50 ℃−25 ℃=25 ℃이고, B의 온도 변화는 75 ℃−25 ℃=50 ℃로 B의 온도 변화가 A보다 크다. 질량이 같고, 같은 열량을 얻을 때, 비열이 큰 물질일수록 온도 변화가 작으므로 A의 비열이 B의 비열보다 크다.

모범 답안 (1) B

(2) A, 질량과 열량이 같을 때 비열이 큰 액체일수록 온도 변화가 작기 때문이다.

	채점 기준	배점
(1)	B라고 쓴 경우	40 %
(2)	A라고 쓰고, 비열과 온도 변화의 관계를 옳게 설명한 경우	60 %
	A라고만 쓴 경우	40 %

4 찜질 팩에 비열이 큰 물을 넣으면 오랫동안 따뜻한 상태나 차가운 상태를 유지할 수 있다. 질량과 열량이 같을 때 온도 변화는 비열에 반비례한다.

모범 답안 물은 다른 물질에 비해 비열이 매우 커서 같은 열량을 얻거나 잃어도 다른 물질에 비해 온도 변화가 작기 때문이다.

채점 기준	배점
물의 비열과 온도 변화의 관계를 옳게 설명한 경우	100 %
물의 비열이 크다고만 설명한 경우	50 %

5 금속 구를 가열하면 열팽창하여 금속 구의 부피가 팽창하고, 금속 구를 냉각하면 금속 구의 부피가 수축한다. 금속 고리를 가열하면 부피가 늘어나서 안쪽 지름과 바깥쪽 지름이 동시에 커지며, 냉각하면 안쪽 지름과 바깥쪽 지름이 동시에 작아진다.

모범 답안 (1) 금속 구를 가열하면 금속 구가 팽창하여 금속 구의 부피가 커지기 때문에 금속 고리를 통과하지 못한다.

(2) 금속 고리를 냉각하면 금속 고리가 수축하여 금속 고리의 안쪽 지름이 작아지기 때문에 금속 구가 금속 고리를 통과하지 못한다.

	채점 기준	배점
(1)	금속 구의 부피 변화를 팽창과 관련지어 그 까닭을 옳게 설명한 경우	50 %
	금속 구가 팽창한다고만 설명한 경우	25 %
(2)	금속 고리의 안쪽 지름 변화를 냉각과 관련지어 그 까닭을 옳게 설명한 경우	50 %
	금속 구의 안쪽 지름이 작아진다고만 설명한 경우	25 %

6 온도가 높아지면 B가 A보다 열팽창 정도가 커서 B의 길이가 A의 길이보다 길어지므로, 바이메탈은 열팽창 정도가 작은 A 쪽으로 휘어진다.

모범 답안 (1) B

(2) 온도가 높아지면 B의 길이가 A의 길이보다 길어지면서 바이메탈이 열팽창 정도가 작은 A 쪽으로 휘게 되어 전류가 차단된다.

	채점 기준	배점
(1)	B라고 쓴 경우	40 %
(2)	열팽창 정도와 관련지어 바이메탈이 휘어지는 까닭을 옳게 설명한 경우	60 %
	바이메탈이 휘기 때문이라고만 쓴 경우	30 %

7 금속 뚜껑이 유리병보다 열팽창 정도가 크기 때문에 뜨거운 물에 닿아 온도가 높아지면 금속 뚜껑의 안쪽 지름이 유리병의 바깥쪽 지름보다 커지므로 금속 뚜껑이 잘 열리게 된다.

모범 답안 금속 뚜껑이 유리병보다 열팽창 정도가 커서 온도가 높아지면 금속 뚜껑이 유리병보다 더 많이 팽창하기 때문이다.

채점 기준	배점
금속 뚜껑과 유리병의 열팽창 정도와 관련지어 그 까닭을 옳게 설명한 경우	100 %
금속 뚜껑과 유리병의 열팽창 정도만 비교한 경우	50 %

8 열팽창 정도가 큰 액체일수록 온도가 높아지면 부피가 많이 팽창하고, 온도가 낮아지면 부피가 많이 수축한다.

모범 답안 벤젠, 열팽창 정도가 큰 액체일수록 온도가 높아지면 부피가 많이 팽창하기 때문이다.

채점 기준	배점
벤젠이라고 쓰고, 온도 변화에 따른 부피 변화와 관련지어 그 까닭을 옳게 설명한 경우	100 %
벤젠이라고만 쓴 경우	50 %

최상위권 도전 문제

2권 206쪽~209쪽

1 ②   **2** ③   **3** ③   **4** ⑤   **5** ②
6 ②   **7** ②   **8** ④

1 자료 분석하기

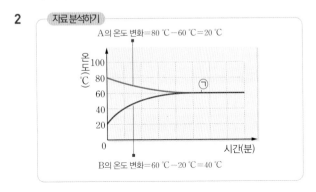

ㄱ. 절대 온도는 −273 ℃를 0 K(켈빈)으로 한 온도로, 절대 온도(K)=섭씨온도(℃)+273이다.

ㄴ. 입자 운동이 멈추었을 때의 온도가 0 K이다.

ㄷ. 1기압에서 순수한 물의 어는점은 절대 온도로 273 K이다.

ㄹ. 화씨온도는 섭씨온도보다 온도 간격이 작아 온도를 더 자세히 나타낼 수 있다.

2 자료 분석하기

A의 온도 변화=80 ℃−60 ℃=20 ℃

B의 온도 변화=60 ℃−20 ℃=40 ℃

ㄱ. 외부와의 열 출입이 없으면 열평형 상태가 될 때까지 고온의 물체가 잃은 열량과 저온의 물체가 얻은 열량은 같다.

ㄴ. 열평형 상태가 될 때까지 온도 변화는 B가 A의 2배이다.

ㄷ. 두 물체의 온도 차가 클수록 두 물체 사이에 이동하는 열의 양이 많아서 각 물체의 온도가 빨리 변한다. 시간이 지나면서 두 물체의 온도 차가 작아지므로 두 물체 사이에 이동하는 열의 양도 점점 줄어들다가 열평형 상태가 된다.

3 ① 금속은 열을 잘 전도하는 도체이고, 물은 열을 잘 전도하지 않는 부도체이다. 즉, 냄비는 물보다 열을 잘 전도하는 물질이다.

②, ⑤ 가열된 부분의 물은 온도가 높아지면서 입자 운동이 활발해지고 입자 사이의 거리가 멀어지므로, 주변 물보다 밀도가 작아져서 위로 올라간다.

③ 가열 장치에서 냄비까지 복사에 의해 열이 전달되고, 냄비는 전도를 통해 열을 전달한다.

④ 가열된 물 입자가 대류에 의해 순환하면서 직접 이동하여 열을 전달한다.

4 자료 분석하기

상자	스타이로폼		아크릴		나무
	(㉠)		(㉡)		나무
처음 온도(℃)	56.4		56.4		56.4
20분 후의 온도(℃)	39.8		35.6		37.4
온도 변화:	16.6 ℃		20.8 ℃		19.0 ℃

열이 외부로 가장 조금 빠져나갔다. → 단열 효과가 가장 좋음

열이 외부로 가장 많이 빠져나갔다. → 단열 효과가 가장 나쁨

열을 잘 전도하지 않는 물질이 단열재로 적합하며, 대표적인 단열재로는 솜, 스타이로폼, 양모, 우레탄 등이 있다. 나중 온도가 높을수록 외부로 열이 많이 빠져나가지 않은 것이므로 ㉠은 스타이로폼, ㉡은 아크릴이다.

5 고체인 얼음이 열을 얻어 물이 될 때 얼음이 얻은 열은 얼음의 온도를 높이는 데 필요한 열과 얼음이 물이 되는 상태 변화에 필요한 열의 합이다. 열량=비열×질량×온도 변화이므로 물에 얼음을 넣어 열평형 상태가 될 때의 온도를 T라고 하면 30 ℃의 물이 잃은 열량은 1 kcal/(kg·℃) ×0.2 kg×(30 ℃−T)이다. 0 ℃의 얼음이 온도가 T인 물이 될 때까지 얻은 열량은 0 ℃의 얼음이 0 ℃의 물로 상태 변화에 필요한 열량(융해열)과 0 ℃의 물이 온도가 T인 물이 될 때까지 얻은 열량을 더한 값이므로 80 (kcal/kg) ×0.05 kg+1 kcal/(kg·℃)×0.05 kg×(T−0 ℃)이다.

30 ℃의 물이 잃은 열량은 얼음이 얻은 열량과 같으므로 $6-0.2T=4+0.05T$에서 $T=8$ ℃이다.

6 열량=비열×질량×온도 변화이고 (금속이 잃은 열량)=(물이 얻은 열량)이므로 금속의 비열을 c라고 하면 $c×0.2\,kg×(100$ ℃-40 ℃$)=1\,kcal/(kg\cdot℃)×0.1\,kg×(40$ ℃-22 ℃$)$이므로 $c=0.15\,kcal/(kg\cdot℃)$이다.

7 ㄱ. 열용량=비열×질량이고 합금의 열용량은 구리 20 kg의 열용량과 알루미늄 10 kg의 열용량을 더한 값과 같으므로 $(0.09\,kcal/(kg\cdot℃)×20\,kg)+(0.21\,kcal/(kg\cdot℃)×10\,kg)=(1.8+2.1)kcal/℃=3.9\,kcal/℃$이다.

ㄴ. 열용량=비열×질량이므로 합금의 비열$=\dfrac{열용량}{질량}=\dfrac{3.9}{30}=0.13(kcal/(kg\cdot℃))$이다.

ㄷ. 구리$(1.8\,kcal/℃)$가 알루미늄$(2.1\,kcal/℃)$보다 열용량이 작다.

ㄹ. 구리의 비열은 $0.09\,kcal/(kg\cdot℃)$, 알루미늄의 비열은 $0.21\,kcal/(kg\cdot℃)$이고, 합금의 비열은 $0.13\,kcal/(kg\cdot℃)$이므로 알루미늄>합금>구리 순으로 비열이 크다.

8 ①, ④ 충분한 시간이 지난 후 A는 (나)에서보다 (가)에서 더 많이 팽창하였음을 알 수 있다. 이는 (나)보다 (가)에서 물의 온도가 높기 때문이며, (가)의 경우가 (나)보다 A를 이루는 입자 사이의 거리가 멀다.

② (가)에서 A와 물의 온도가 같다.

③ A가 플라스크보다 열팽창 정도가 크다.

⑤ 고체와 액체는 물질에 따라 열팽창 정도가 다르므로 다른 액체를 플라스크에 채우면 액체의 부피가 변하는 정도가 다르다.

창의·사고력 향상 문제
2권 211쪽~213쪽

1 〔문제 해결 가이드〕 복사와 대류에 의해 열이 이동하는 방법을 생각하여 설명한다.

(1) •복사는 열이 물질의 도움 없이 직접 이동한다는 점과 ••촛불의 열이 손까지 전달된다는 점을 설명한다.

(2) •대류는 가열된 공기 입자가 직접 이동하여 열을 전달한다는 점과 ••가열된 공기가 위쪽으로 상승하면서 손에 열을 전달한다는 점을 설명한다.

〔모범 답안〕 (1) 열이 물질의 도움 없이 복사에 의해 손까지 전달되기 때문에 손이 따뜻해진다.

(2) 가열된 공기가 대류에 의해 위쪽으로 직접 이동하면서 손에 열을 전달하기 때문에 손이 따뜻해진다.

	채점 기준	배점
(1)	복사에 의해 손까지 열이 전달되는 방법을 옳게 설명한 경우	50%
	복사라고만 쓴 경우	25%
(2)	대류에 의해 손까지 열이 전달되는 방법을 옳게 설명한 경우	50%
	대류라고만 쓴 경우	25%

2

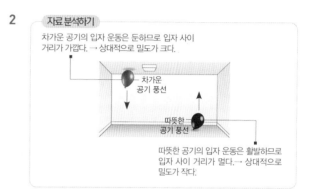

〔자료 분석하기〕

차가운 공기의 입자 운동은 둔하므로 입자 사이 거리가 가깝다. → 상대적으로 밀도가 크다.

따뜻한 공기의 입자 운동은 활발하므로 입자 사이 거리가 멀다.→ 상대적으로 밀도가 작다.

〔문제 해결 가이드〕 찬 공기는 더운 공기에 비해 밀도가 크다는 것을 이용하여 설명한다.

(1) •찬 공기는 더운 공기에 비해 밀도가 크므로 ••찬 공기는 아래쪽으로 이동하고 더운 공기는 위쪽으로 이동하는 대류가 일어난다는 점을 설명한다.

(2) •차가운 공기는 아래쪽으로 이동하고 따뜻한 공기는 위쪽으로 이동하는 것이 대류라는 점과 ••대류가 잘 일어나야 방 안 전체가 빨리 시원해진다는 점을 설명한다.

〔모범 답안〕 (1) 차가운 공기는 밀도가 크므로 아래쪽으로 이동하고 따뜻한 공기는 밀도가 작으므로 위쪽으로 이동한다. 따라서 (가)에서는 풍선이 움직이지 않고, (나)에서는 차가운 공기 풍선이 아래쪽으로, 따뜻한 공기 풍선이 위쪽으로 이동한다.

(2) 에어컨을 방의 위쪽에 설치해야 찬 공기가 아래쪽으로 내려오고, 더운 공기가 위쪽으로 올라가는 대류에 의해 공기가 효율적으로 순환하여 방 안 전체가 빨리 시원해진다.

	채점 기준	배점
(1)	풍선이 이동하는 방향을 각각 옳게 쓴 경우	50%
	한 가지만 옳게 쓴 경우	25%
(2)	방의 위쪽을 고르고, 그 까닭을 찬 공기의 움직임과 관련지어 옳게 설명한 경우	50%
	방의 위쪽을 고르고, 그 까닭을 대류라고만 쓴 경우	25%

3 〔자료 분석하기〕

물이 얻은 열량=1 kcal/(kg·℃)×0.2 kg×(30 ℃−20 ℃)=2 kcal
→ 외부와의 열 출입이 없으면 금속이 잃은 열량과 같다.

시간(분)	0	1	2	3	4	5	6	7
물의 온도(℃)	20	23	26	28	29	30	30	30

온도가 일정하다. → 열평형 상태
(금속과 물의 온도가 30 ℃로 같다.)

〔문제 해결 가이드〕 온도가 다른 두 물체가 접촉하였을 때 시간이 충분히 지나면 열평형 상태가 되고, 고온의 물체가 잃은 열량은 저온의 물체가 얻은 열량과 같다는 점을 설명한다.

(1) • 시간이 지나면 두 물체의 온도가 같아진다는 점, •• 물과 금속의 온도가 더 이상 변하지 않는 상태가 열평형 상태라는 점을 설명한다.

(2) • 물이 얻은 열량=비열×질량×온도 변화이고, •• 외부와의 열 출입이 없다는 점, ••• 고온의 물체가 잃은 열량은 저온의 물체가 얻은 열량과 같다는 점을 설명한다.

〔모범 답안〕 (1) 30 ℃, 5분 후부터 물의 온도가 일정하므로 열평형 상태가 되었고, 열평형 상태일 때는 금속의 온도도 물의 온도와 같기 때문이다.

(2) 2 kcal, 외부와의 열 출입이 없으면 금속이 잃은 열량은 물이 얻은 열량인 1 kcal/(kg·℃)×0.2 kg×(30 ℃−20 ℃)=2 kcal 와 같기 때문이다.

	채점 기준	배점
(1)	30 ℃라고 쓰고, 그 까닭을 옳게 설명한 경우	50 %
	30 ℃라고만 쓴 경우	25 %
(2)	2 kcal라고 쓰고 그 까닭을 옳게 설명한 경우	50 %
	2 kcal라고만 쓴 경우	25 %

4 〔문제 해결 가이드〕 화재가 발생하여 온도가 높아지면 바이메탈이 열팽창 정도가 작은 금속 쪽으로 휘어질 때 화재경보기가 작동한다는 점에 착안하여 설명한다.

(2) • 화재가 났을 때 온도가 높아진다는 점, •• 온도가 높아지면 열팽창 정도가 큰 금속의 길이가 더 늘어난다는 점, ••• 바이메탈이 휘어져 회로에 전류가 흘러 화재경보기가 작동하는 점을 설명한다.

〔모범 답안〕 (1) A>B

(2) 온도가 높아지면 A가 B보다 길이가 더 늘어나서 바이메탈이 B 쪽으로 휘어져 회로에 전류가 흐르게 되어 화재경보기가 작동한다.

	채점 기준	배점
(1)	A>B라고 쓴 경우	40 %
(2)	바이메탈이 휘어지는 방향과 그 과정을 옳게 설명한 경우	60 %
	바이메탈이 휘어진다고만 설명한 경우	30 %

5 〔문제 해결 가이드〕 계절마다 온도가 다르므로 여름에는 전선의 길이가 늘어나고, 겨울에는 전선의 길이가 줄어든다는 점에 착안하여 설명한다.

• 여름보다 겨울에 기온이 낮다는 점, •• 온도가 낮아지면 전선의 길이가 줄어든다는 점, ••• 팽팽한 상태에서 길이가 더 줄어들면 전선이 끊어질 수 있다는 점을 설명한다.

〔모범 답안〕 여름에 전선을 팽팽하게 설치하면 겨울에 기온이 낮아질 때 전선의 길이가 더 줄어들어 전선이 끊어질 수 있다.

채점 기준	배점
기온 변화에 따른 전선의 길이 변화와 관련지어 문제점을 옳게 설명한 경우	100 %
겨울에는 전선의 길이가 줄어든다고만 쓴 경우	50 %

6 〔자료 분석하기〕

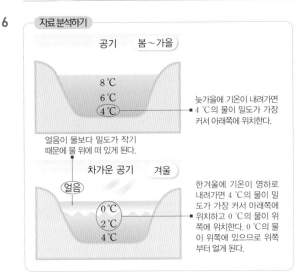

공기   봄~가을

8 ℃
6 ℃
4 ℃

늦가을에 기온이 내려가면 4 ℃의 물이 밀도가 가장 커서 아래쪽에 위치한다.

얼음이 물보다 밀도가 작기 때문에 물 위에 떠 있게 된다.

차가운 공기   겨울

얼음
0 ℃
2 ℃
4 ℃

한겨울에 기온이 영하로 내려가면 4 ℃의 물이 밀도가 가장 커서 아래쪽에 위치하고 0 ℃의 물이 위쪽에 위치한다. 0 ℃의 물이 위쪽에 있으므로 위쪽부터 얼게 된다.

〔문제 해결 가이드〕 밀도가 작으면 위쪽에 뜨고 밀도가 크면 아래쪽에 위치하며, 물이 4 ℃에서 밀도가 가장 크다는 점을 이용하여 설명한다.

• 밀도가 큰 4 ℃의 물이 아래쪽에 위치하고, 밀도가 작은 0 ℃의 물이 위쪽에 위치한다는 점, •• 0 ℃의 물이 0 ℃의 얼음으로 상태 변화한다는 점, ••• 물은 고체 상태일 때가 액체 상태일 때보다 밀도가 작아서 가벼워진다는 점을 설명한다.

〔모범 답안〕 겨울철에 호수의 물이 얼 때 4 ℃의 물은 바닥으로 가라앉고, 0 ℃의 물이 위로 올라와 물의 표면부터 얼게 되며, 얼음은 물보다 밀도가 작아 물 위에 떠 있게 된다.

채점 기준	배점
4 ℃의 물이 바닥에 가라앉고 얼음이 물 위에 떠 있다는 것을 모두 설명한 경우	100 %
4 ℃의 물이 바닥에 가라앉거나 얼음이 물 위에 떠 있다는 것 중 한 가지만 설명한 경우	50 %

IX 재해·재난과 안전

01 재해·재난과 안전

학습 내용 Check

2권 218쪽	**1** 사회	**2** 자연 재해·재난	
	3 사회 재해·재난		
2권 219쪽	**1** 아래	**2** 계단	**3** 내진 설계
2권 220쪽	**1** 기상 재해	**2** 기후	**3** 높은
2권 221쪽	**1** 병원체	**2** 입(코), 코(입)	
2권 222쪽	**1** 화학 물질	**2** 수직	**3** 용암

탐구 확인 문제

2권 223쪽

1 ④ **2** ②

1 감염성 질병은 세균이나 바이러스 등과 같은 병원체에 감염되어 나타나는 사회 재해·재난이다.

2 기상 정보를 주의 깊게 듣는 것은 기상 재해에 대한 대처 방안이다.

개념 확인 문제

2권 224쪽~225쪽

01 ④	**02** ①	**03** ④	**04** 지진	**05** ③
06 ⑤	**07** ②	**08** ①, ②	**09** 낙뢰	**10** ④
11 ③	**12** ④			

01 사회 재해·재난은 인위적 부주의로 인해 발생하는 재해로 주로 인간의 활동에 의해 발생한다. 화재, 운송 수단 사고, 화학 물질 유출, 감염성 질병의 확산 등이 있다.

02 자연 재해·재난은 자연 현상으로 인하여 발생하는 재해로 태풍, 홍수, 가뭄, 대설, 지진, 화산 활동 등이 있다. 운송 수단 사고와 화학 물질 유출은 사회 재해·재난이다.

03 태풍은 집중 호우와 강풍을 동반하는 경우가 많다. 신문 기사에서 비가 내리고 강한 바람으로 인한 피해를 입었다고 했으므로 태풍이 이에 해당한다.

04 지구 내부 에너지가 지표로 나와 땅이 갈라지고 흔들리는 현상은 지진으로 해저에서 발생할 경우 바닷물이 해안을 덮치는 지진 해일이 발생할 수도 있다.

05 ① 지진이 일어났을 때 출입문을 열어두는 것은 출입문 틀이 지진으로 뒤틀려 문이 열리지 않는 것을 막기 위한 것이다.
② 지진이 일어나면 책상이나 탁자 아래로 들어가 낙하물로부터 안전하게 대피하고 진동이 멈출 때까지 기다린다.
③ 진동이 멈춘 후에는 추가적인 진동이 발생할 수도 있으므로 계단을 이용하여 건물 밖으로 나가야 한다.
④ 가스나 전기를 잠가 폭발이나 화재를 미리 예방한다.
⑤ 진동이 멈출 때까지 낙하물로부터 안전한 곳에 있다가 진동이 멈추면 밖으로 대피한다.

06 ㄱ. 지진이 일어나면 화재나 정전 등으로 엘리베이터가 작동이 멈출 가능성이 크다. 따라서 엘리베이터에 갇힐 수 있으므로 계단으로 이동한다.
ㄴ. 가스와 전기를 차단하는 것은 지진으로 인해 폭발과 화재를 막기 위한 것이다.
ㄷ. 지진으로 높은 건물 주변에서 간판이나 유리창 등 낙하물에 의해 큰 피해를 입을 수 있다. 따라서 이동을 할 때는 머리를 보호해야 한다.

07

자료 분석하기

■ 태풍은 우리나라에 주로 7~9월에 영향을 준다.

태풍은 저위도 지역에서 발생하는 열대성 저기압으로 강한 바람이나 집중 호우를 동반하기도 한다.

08 ① 기상 재해에 대처하기 위해 기상 정보를 주의 깊게 듣는다.
② 강풍을 대비해 유리창에 테이프나 안전 필름을 붙인다.
③ 황사가 오거나 미세먼지가 많은 날에는 가급적 외출을 피해야 한다.
④ 집중 호우가 올 때는 침수에 대비하여 가재도구는 높은 곳에 둔다.
⑤ 우리나라는 주로 7~9월에 태풍의 영향을 받으므로 이에 대한 대처를 할 수 있다.

09 피뢰침은 낙뢰로 생긴 전류를 땅으로 흘려보내서 건물 내부로 전류가 흐르지 않도록 해 준다.

10 감염성 질병은 비교적 쉽고 빠르게 넓은 지역으로 퍼져 나갈 수 있다.

11 화학 물질이 유출되었을 때는 화학 물질이 유출된 장소에서 최대한 멀리 벗어나야 하며, 바람의 방향을 고려하여 대피해야 한다. 또, 유독 가스는 대부분 공기보다 밀도가 크므로 유독 가스를 피해 높은 곳으로 대피해야 한다.

12 운송 수단 사고는 주로 안전 관리 소홀, 안전 규정 무시, 기기 자체의 결함 때문에 발생한다. 운송 수단 사고가 일어났을 때는 안내 방송을 잘 듣고 방송에 따라 대처해야 한다.

실력 강화 문제

2권 226쪽

01 ④	02 ④	03 ⑤	04 ③	05 ③
06 ⑤				

01 지진, 폭설, 화산 폭발, 가뭄은 자연 재해·재난이고, 화학 물질 유출은 사회 재해·재난이다.

02 지진이 일어나는 동안에는 먼저 머리를 보호하고 책상이나 식탁 아래로 몸을 피하고, 강한 진동이 멈춘 후에는 계단을 통해서 건물 밖으로 이동해야 한다. 지진이 일어나는 동안 벽이 무너질 수 있으므로 벽에 붙는 것은 위험하다.

03 ㄱ. 지진이 일어났을 때 넓은 공간으로 대피한다.
ㄴ. 감염성 질병이 확산될 때의 대처 방안이다.
ㄷ, ㄹ. 태풍은 강풍을 동반하므로, 선박이 바람에 이동하지 않도록 항구에 결박해 놓고, 일반 가정이나 학교에서도 바람에 날릴 수 있는 물건이 있는지를 확인한 후 고정시킨다.

04 황사는 자연 재해·재난으로 상대적으로 넓은 지역에 걸쳐 발생하며, 황사를 장기간 흡입할 경우 호흡기 질환을 일으킬 수 있다. 따라서 황사 경보가 발령되면 실내에서 불필요한 외출을 하지 않는 것이 좋다.

05 감염성 질병은 신체 접촉과 같은 직접 접촉과 공기나 음식물 등을 통한 간접 접촉을 통해 전파된다. 따라서 기침을 할 때는 손에 병원체가 묻어 옮겨질 수 있으므로 휴지나 옷소매 등으로 입과 코를 가려 감염성 질병을 예방한다. 그러나 감염성 질병의 확산을 완벽하게 예방하기는 어렵다.

06 화학 물질이 유출되면 그 장소에서 최대한 멀리 벗어나며 피부의 수포 발생이나 폐의 손상을 줄이기 위해 비옷, 큰 비닐 등으로 몸을 감싸고, 입과 코를 막는다.

서술형 문제

2권 227쪽

1 지진이 일어나면 낙하물이 떨어지기 때문에 머리를 보호하고 책상이나 식탁 아래로 몸을 피해야 한다.

모범 답안 지진이 일어날 때 건물 붕괴보다 낙하물과의 충돌로 다칠 확률이 더 높기 때문이다.

채점 기준	배점
낙하물과의 충돌 때문이라고 옳게 설명한 경우	100%
지진이 일어날 때 책상이나 식탁 아래로 몸을 피해야 하는 까닭을 미흡하게 설명한 경우	20%

2 태풍, 집중 호우, 폭설, 황사와 같은 재해·재난을 기상 재해라고 한다.

모범 답안 (1) 우리나라는 주로 7~9월에 태풍의 영향을 받는다.
(2) 기상 재해는 기후에 따라 매년 일정한 시기에 발생하는 특징이 있다.

	채점 기준	배점
(1)	우리나라에 태풍이 7~9월에 영향을 준다고 옳게 설명한 경우	30%
(2)	기상 재해는 기후에 따라 매년 일정한 시기에 발생한다고 옳게 설명한 경우	70%

3 플루오린화 수소와 같은 화학 물질이 유출되었을 때는 화학 물질이 유출된 장소에서 최대한 멀리 벗어나야 하며, 이때 사고 발생 지역과 바람의 방향을 생각하면서 대피해야 한다.

모범 답안 화학 물질이 유출되었을 경우에는 사고 발생 지역과 바람의 방향을 고려하여 대피해야 한다.

채점 기준	배점
두 가지 예시를 통해서 화학 물질이 유출되었을 경우에는 사고 발생 지역과 바람의 방향을 고려해야 한다고 옳게 설명한 경우	100%
두 가지 예시를 통해서 바람의 방향을 고려해야 한다고만 설명한 경우	80%

4 감염성 질병은 사람과 사람의 접촉으로 직접 전파되거나 간접적인 방법으로 전파된다.

모범 답안 사람과 사람이 직접 접촉할 때 전파된다. 또, 공기나 물, 환자가 만졌던 물건, 모기 등의 동물, 음식물 등을 통해 간접적으로 전파되기도 한다.

채점 기준	배점
감염성 질병이 전파되는 두 가지 방법을 모두 옳게 설명한 경우	100%
감염성 질병이 전파되는 두 가지 방법 중 한 가지만 옳게 설명한 경우	40%

HIGH TOP